人工知能のうしろから
世界をのぞいてみる
三宅陽一郎
青土社

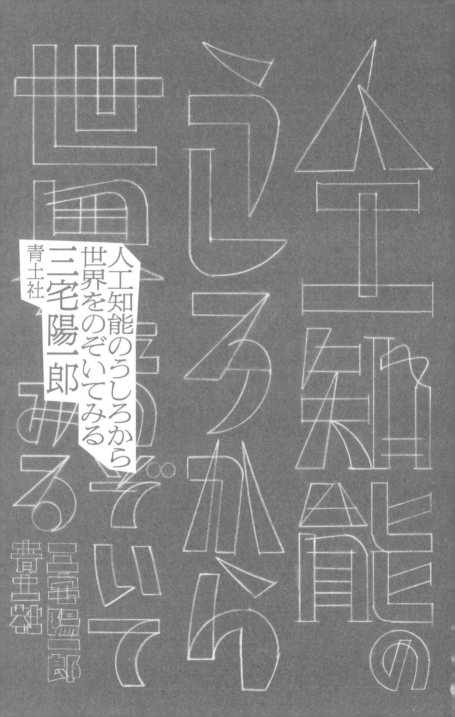

目次

人工知能のうしろから世界をのぞいてみる

まえがき

まえがきはあまり堅く書きたくないので、自己紹介代わりに、私がなぜ本書に収められたようなテーマに興味を持つに至ったか、私がどのような人物なのかについて書こうと思う。それは本論へ至るスロープになるはずである。

私は子供の頃、天文学者になろうと思っていた。夜な夜な星を見上げるのが好きだった。だが、それだけではなかった。星々の夜空の眼下に広がる夜景もまた好きであった。天の法則と人の世を同時に見るのが好きだった。中学生の頃の私は真理を求めていた。教科書には満足できなかった。本当のこと、それさえつかめば、知識を、人生を、未来をつかめると思っていた。もちろん、このこと自体が思い込みであるが、その道は深く険しかった。私は学生鞄の底に、数冊の文学書と哲学書を入れて、ありとあらゆる隙を見つけては読んだ。次第に目も悪くなり、星も夜景もよく見えなくなった。また、頭は入れたばかりの概念で倒錯し、世界というものが薄ぼんやりとした膜の向こうに遠のいた気がした。フランツ・カフカの小説に「こま」という短編がある。「こま」をつかめば、世界のすべてを捉えることができると妄信した男が回転する「こま」をつかむと、今度は世界がぐるぐると回り出す、という物語だ。私もまた、「こま」＝真理をつかもうとした。こまと世界の間でいろんなものを見失い、数学、物理学、工学、哲学、そして思想の間をぐるぐるとさまようこととなった。本書の各章がさまざまな学問がクロスしているのは、そのせいである。

私は諸分野の結び目を見出し、一つの学問に収まりきらない複合的かつ中心的な物事をつかもうとしてきた。私の心の中心的課題は、世界とは何か、知能とは何か、である。そして、この二つの問いはどちらから始めても、もう一つの問いにたどりつく。我々は決して一般的な存在ではない。真理とは人間が世界を知ること。世界とは人間が捉えた世界。人間が捉える世界は、人間とは何かを教える。人間は世界の中に存在し、世界とは何かを知ることなしに人間とは何かを知ることはできない。自然の法則に満ちた宇宙の下に、人間の街がある。街はさまざまな光芒《こうぼう》をまとって横たわり、人のドラマを内包する。その街を世界が包んでいる。人は世界の中にあり、また世界とは人を生み出し内包する世界なのだ。人の内面と、外なる世界は結び合っている。その二つを同時に研究す

都市と空

ること。それが私の望みである。そのためには、その土台となる哲学も新しくならねばならない。

人工知能を研究することはすべてを研究することと等しい。多くの学問は人と世界を細分化する博物学的欲求の中で成立したが、人工知能は、それら細分化した学問を再び統合し、一つの知能を作り出そうとする試みである。通常の学問が世界を切り分けることであるとすれば、人工知能は物事が結び合う神秘を再現することである。人工知能は発見した知識をすべて他の学問に譲ってしまう。自分自身はいつも空っぽのテーブルにして、その時々の最先端の知見を組み合わせて知能を作らんとする。人という宇宙がそれを囲む宇宙と響きあって存在しているように、人工知能を研究することは、そのすべての響き合いを探求し組み立てていくことである。これは華厳《けごん》哲学の教えでもある。だから人工知能は構成的学問と呼ばれる。つまりこれは作り上げる実験を続けることで、その結合の原理の実現の術に長けようとする分野なのである。

通常、人工知能を設計するときは、知能の内部に目を向けて設計する。本書でもくり返し、人工知能のアーキテクチャ（設計図）が探求される。それはルールベースやディープラーニングといったアルゴリズムではなく、世界の中で主体的かつ主観的に生きる知能を駆動させることだ。車の設計でも、電子レンジの設計でもそうだろう。しかし、知能は世界と響きあい、内側と外側が結び合って知能となる。世界から孤立した知能は機能であって知性ではない。世界との結びつきと、結ばれつつ独立したシステムであるという矛盾の中に知能の深みがある。これは物理学では散逸構造と呼ばれる。知能は巨大な天体望遠鏡のように、外から内部を除けば世界が映っていて、内から外を見上げれば宇宙が見える。人間は世界を取り込み、世界に参加することで成り立っている。

物理学の探求は宇宙の時空構造（時間と空間）を解き明かすことである。その鏡面のように人工知能は、知能にとっての時間と空間を作り出すことである。人間は主観的な時間と空間を持つ。これを人工知能においても再現することが一つの指針である。人工知能にとっての時間とはＣＰＵのクロックのことではない。人工知能が世界を体験しそこにそれにとっての時間が流れ始めるとき、人工知能はその最初の一歩を獲得したことになるだろう。そしていつか宇宙への探求と、知能への探求は重なり合う。学問は宇宙を人工知能が理解するという形式へと変化するだろう。それは少し先のことだ。

そして人が持つ時間とは物語でもある。人は自分の物語を作らずにはいられない。自分の人生の物語をどう組み立てられるかは、半分は世界が与え、しかし半分は人間の裁量に任されている。今日は雨が降っている。楽しいと思うか、悲しいと思うか、それは自分の組み立て次第である。人間の時間、それは物語である。では他の生物はどうだろうか。仏教ではその物語は虚であるという。それゆえに人間は苦しむ。しかし、否定はしない。仏教の禅は、その物語をいったんやめることを教える。物語の外に出て、再び物語の中へ入っていかざるを得ない人間に休息の時を与える。物語もまた知能と深く結びつくものであり、だからこそ物語の探求は人間の本質へ通じている。

そうやって、気が付けば四半世紀も、私は人工知能について研究を続けてきた。人工知能を探求することは人間を探求することであり、世界を探求することでもあった。また、人間を探求すること、世界を探求することは何でも人工知能を探求することだ。人間、と書いたが、生物と言った方が正しい。あらゆる生物に共通する知能の原理があり、私はそれを探求している。ミジンコでも、たぬきでも、リスでもゾウでも、段階はあれども、世界に主体的に参加して活動している。自己を完結しつつ世界と結び合っている。その原理を技術として確立すること。それが人工知能である。人間と同じように、生物のように感じ、考え、行動する人工知能である。

しかし、次なる展開がある。知能を持つものはＡＩエージェント（個としての人工知能）だけではない。環境もまた知能を持つのである。環境側に知能を持たせることを「スマート化」という。スマートオブジェクトとは物が知能を持つことで、環境内でＡＩエージェントや人間を誘導してあげること。スマートスペースとは空間が知能を持つこと。会議室や、広場や、ピロティなど、空間を管理するＡＩである。スマートシティとは都市が知能を持つことである。スマート化される最も大きなスケールが都市である。これらはより一般的には「空間ＡＩ」と呼ばれる。今後最も重要になる概念の一つである。ロボットやドローンのように個として運動するＡＩが動物型ＡＩと言うのであれば、空間ＡＩは空間を基盤とする動かない植物型ＡＩである。そして、個々のＡＩエージェントたちと、空間ＡＩが協調することで、ＡＩたちはより人間に近い空間での活動が容易になる。空間ＡＩが空間的情報を提供することで、個としてのＡＩエージェントたちの空間認知のレベルを下げることができるからである。ちょうど適度に植物に満ちた空間が人間にとって行動しやすいように、空間ＡＩがＡＩにとって「心地よい」空間を準備する。つまり、これは人工的なＡＩにとっての環世界の実現でもある。

空間ＡＩもスマートシティも技術的発展の途上で見出したテーマではあるが、ただ、やはり、私は都市というものが、とても好きなのである。遠くに横たわる都市、というものが好きでたまらない。夜、遠くに街を見おろして、海辺の点滅するネオンを見るとき、私はまるで都市が一つの人工生命のように愛おしく感じる。都市を歩くのも好きだ。夕日が差し込む街、仕事を終えて帰路につく人の気配に満ちた夜の街、真夜中に光輝く海辺の街。長い間、都市が見せるさまざまな顔が、私の一番の友人であった。都市は基本、人が無作為に作り上げた。しかし、どの都市に行っても、夕暮れの都市、夜の都市の全景に感動する。私は都市というものに漠然とした期待を抱き続けた。それは私らしく、何ら具体性のある憧れではなかったが、遠く未来へと通じる、淡い憧れであった。それはきっと、近未来で実現する都市への羨望でもあったのだろう。その都市の姿とは、都市自体が人工知能を持つという未来である。人の安全を守り、治安を維持し、常にあらゆる場所に視線を注ぎ続け、ロボットやドローン、デジタルサイネージ上のデジタルキャラクターの盟主として都市を守り続ける都市型人工知能である。また、現実の都市以外にも、私はアニメの中の都市が好きだ。『銀河鉄道９９９』（松本零士、東映アニメーション）に出てくるような未来都市、『超音戦士ボーグマン』（TOHO CO., LTD/ASHI PRODUCTIONS CO., LTD）に出てくるような近未来都市、そしてシド・ミードが描くような近未来都市が、なぜかとても懐かしい。都市の未来というものに無限の可能性を感じる。

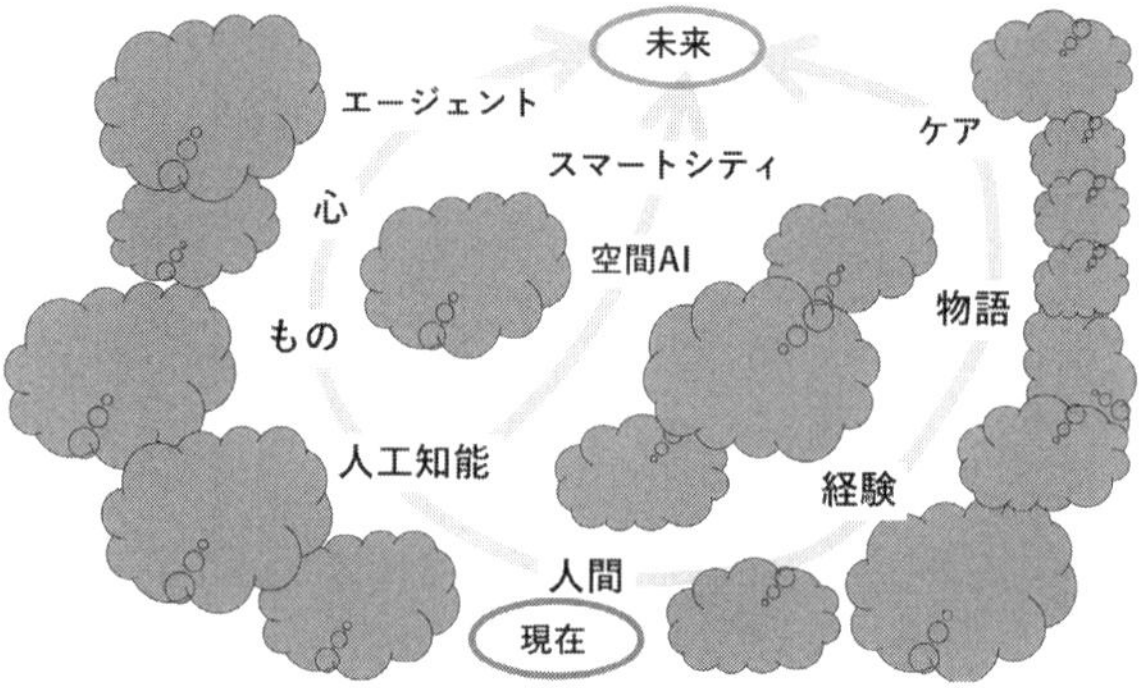

図　未来へ続く森

都市は人間にとって都合の良い環世界である。都市は人間が行動しやすい環境であると同時に、主観的に認知・行動しやすい世界となっている。たくさんの標識、まっすぐな通路、ベンチのある広場などである。ジャングルより都市の方が人間がリラックスして行動できる。しかし、これから都市はロボットやドローンなど人工知能にとっても環世界でなければならない。人工知能にとっても都市はそのような主観空間を形成しやすい場所となるべきである。私はいつも今（二〇二四年）の時代が息苦しいと思う。おそらく人工知能にとってもそうだろう。未来にはきっと自分が深呼吸できる場所があるはずだ。ここで描かれるのは、近未来では当たり前の、そして、現在からそこへ続く道である。

本書はこの二〇一五年から二〇二四年まで、さまざまな媒体に発表してきた論文や論考の中でも特に重要な一二個の文章を集めたものである。それぞれの文章は人工知能、スマートシティ、物語、哲学、あるいは、それらを混合した内容まで多岐に渡っている。とはいえ、一部、論文調の堅苦しい表現を柔らかな文章に直しているので、気軽なエッセイ集としても読んで頂ければ幸いである。

私はこれらの一連の文章によって、来るべき近未来への森を描こうと思う。私はなぜか近未来というものにとても惹かれる。私の研究や考察の多くは、その近未来へたどり着こうとする衝動から来ている。私の想う近未来とは、清潔で、整然とした都市、誰もやりがいを持って生きている都市、サービスが行き届いて便利な都市、それでいて郊外に大きな自然がありそこにどっぷりと浸かれる場所、それでいて安全な場所である。しかし、現在からそこへたどり着くまでは決して容易ではない。私は現在と近未来の間にある森をさまよっている。だから、この森に関しては誰よりもうまく描けるのではないか、と思っている。そこまであなたを誘うことができれば幸いである。

すべての文章は、未来へつながる道を示したいという思いを込めて書かれている。全体は、第Ⅰ部「物と心」、第Ⅱ部「空間」、第Ⅲ部「経験」、第Ⅳ部「物語」として各部三章構成となっている。どの章から読んで頂いても問題ない。それぞれの文章がコンパスの針のごとく未来を示してくれると願う。

・「キャラクタ」「キャラクター」や「デジタル」「ディジタル」などの表記は初出時の原文を尊重しそのままとした。
・参考文献の表記も初出時の原文を尊重しそのままとした。

本書の読み方のヒント

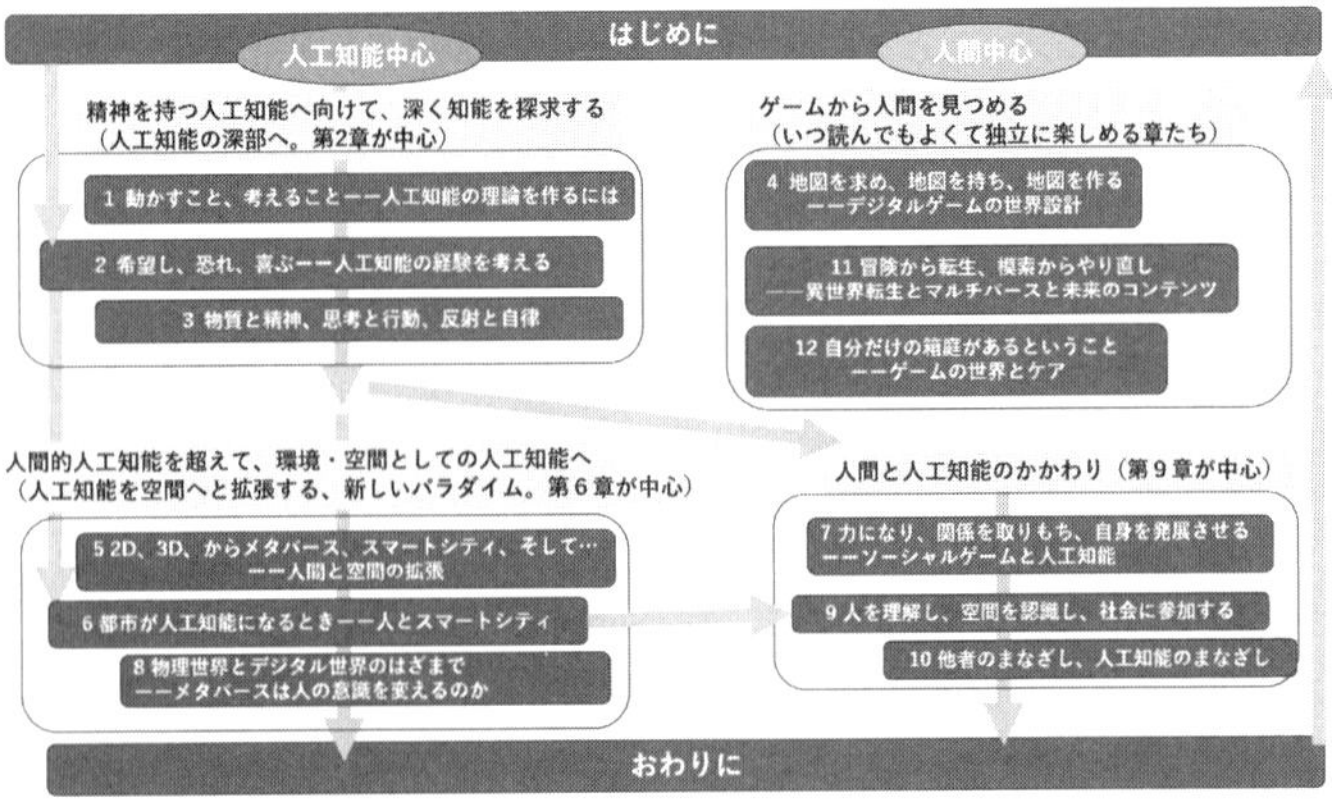

本書は厳密な順番で章が並んでいるわけではありません。全体は内容が押さえる分野ごとに４部構成となっておりますので、順番に読んで頂ければまったくございません。しかし、他の読み方も可能です。ぜひ気の赴くままに読んで頂ければ幸いです。全体の読み方のヒントになる図を作りました。ご高覧の一助となればと思います。「おわりに」をいきなり読んで頂いても良いですし、最短では第２、６、９章の３章分を読んで本書の骨格をつかんでから他の章を読んで頂く形も良いかと思います。第４、11、12章はかなり独立した内容になっているので、小休止のような形で他の章の読書の息抜きに読んで頂ければ、より楽しんで頂けるかと思います。またこの図の左側は人工知能中心の章、右側が人間中心の章となっています。

I　物は心をもつのか

「物は心をもつのか」とは魅力的な問いである。人工知能を目指す限り、この問いに背を向けることはできない。避けようとしても、いつの間にかさらに大きくなって目の前に立ちはだかる。そして、この問いは裏返すと、「人間は物質なのか?」という問いになる。これはとても難しい問いである。心は物質的運動ですべて説明できるのか、というデカルトの心身二元論まで遡る。さらに人間が思考をはじめてから問い続けて来た古代からの問いでもある。私はYes、Noでは答えない。答えてしまうには、もったいない。私にできることは、物質から心を作ろうとすること、具体的にはコンピュータや技術を用いて心を作ろうとすることで、その途上で「たいせつなこと」にたくさん気づくことである。作ろうとする途上で、人間にとっての「たくさんのたいせつなこと」が見えてくるはずである。私はそんな途上で私なりに発見したことを、あなたと共有したいと願う。

さて、第Ⅰ部の第1章は、学問の土台の土台の話である。ここで話したいのは「人工知能は、数学や物理学といったしっかりとした基礎にある学問とちょっと違う。知能とは何か誰にもわからないから、作りながら考えるしかない」ということである。前半は数学や物理学の話をして、後半から人工知能について語ることで、両者の学問としてのあり方を対照している。

第2章は、知能をコンピュータで作ろう、という挑戦の第一幕である。ところが、人工知能はやっかいなことに、この基礎の部分の方向付けは、思想や哲学というしかない。また、それぞれの人によって違う。たとえて言うなら、「人工知能という建築を作り始める前に、何もない海に土を投げ込んで、まず島を作らねばならない」ようである。これは海の中に土を投げ込んで島を作ろうとする人間の物語である。そういう気持ちで心広く読んでいただけるとたいへん嬉しい。

第3章は、意識の話である。意識の問題は、うなぎのようである。何人もの人が、つかんだ、と思うたびにスルスルと手の内からすり抜けていく。だが、いつか、中心をつかむ人が現れる。そのために研究を積み上げる。そういった分野だ。まだ野心的な研究が多い分野でもある。ここでは、「意識の問題や研究がどんなもの」、ということの概形を描いている。意識研究の魅力が伝われば幸いである。私の学生の頃からのテーマでもある。

第1章　動かすこと、考えること
——人工知能の理論を作るには

私はこの二〇年ほど、デジタルゲームにおける人工知能の理論を作ってきた。もちろん、自分だけでなく世界中のゲームAI開発者が知見を出し合って徐々に形成されてきたものである。理論が作られるためには、その土壌となる思想が必ず存在する。泥の中から花が咲くように、理論が形成されるためには、その下に無数の実験と調整、思想と哲学が存在する。理論の美しさとは、その理論そのものが持つ内面的な美しさと、その理論を成立させている深い思想の中での外面的な美しさがある。ここでは科学（理学、サイエンス）、工学（エンジニアリング）、哲学（フィロソフィー）をめぐりつつ、それぞれの理論の美しさとそれを包むビジョンを見ていきたい。

1　科学——法則の階層化

理論が成立するためには、下地となる膨大な研究やデータが必要である。混濁した水の中で次第に結晶が形成されていくように、膨大なデータを最小の理論によって説明していくときに、理論はその美しさを露呈する。力学が、それまでの観測データを次々に説明していく美しさは、アイザック・ニュートン（英、一六四三―一七二七）の『プリンキピア』（自然哲学の数学的諸原理、一六八七年）に著されている。ニコラウス・コペルニクス（ポーランド、一四七三―一五四三）は地動説を唱え、ティコ・ブラーエ（デンマーク、一五四六―一六〇一）の集めた膨大な観測データをもとに、ヨハネス・ケプラー（独、一五七一―一六三〇）が地動説を基礎にした天体の三法則を発見した。その上に『プリンキピア』が天体と地上の法則をつないだ集大成として記述された。その説明はニュートン自身が発明した微積分学ではなく、古典幾何学で説明しているために難解なものになっており、それを後世の数学者たちが微積分学で説明したところに近代物理学の萌芽が生まれた。その中でもジョゼフ・ラグランジュ（仏、一七三六―一八一三）はニュートン力学を促進し、最小作用の原理を見出した。これはあまりにも美しい理論で、「あらゆる力学法則は作用（ポテンシャルから対象に渡されるエネルギー）が最小になる経路を辿る」という原理である。実はこの原理は雷を見た神学者が思いついて発表したと言われている。この原理はやがて力学を超えてあらゆる物理法則が満たすべき原理であることが見出される。いわば「最小作用の原理」は「物理法則の法則」というメタ原理なのである。物理学はここから物理法則一般に対する原理の研究に進んでいく。この視点は「不変式論」と呼ばれる。物理法則はある変数変換に対して形を不変に保たねばならない、という法則である。最小作用が解析的（無限量、無限小を扱う連続の数学）原理であるとすれば、不変式論は代数的な原理なのである。

不変式論はエミー・ネーター（独、一八八二―一九三五）によって推進された。彼女の残した最大の業績の一つが保存量に関するもので、ある物理方程式がある変換に対して不変であるならば、必ず保存量が存在する、というものである。これは物理学の言葉では「物理法則は観測者の系によらない」「観測者によらない方程式には保存量が存在する」という「物理法則の法則」に翻訳される。たとえばガリレオ・ガリレイ（伊、一五六四―一六四二）の自由落下の法則というのがある。「自由落下する物体の速度は時間に比例して速くなる」（等加速度）という法則である。運動方程式はピサの斜塔であろうが、移動する船の上のマストからであろうが、全く同じように成立せねばならない。運動量保存則はそこから求められる。同じように回転する系から見ても静止している系から見ても物理法則は同じでなければならない。そこから角運動量保存則が求められる。アルバート・アインシュタイン（独、一八七九―一九五五）の相対性理論は「ローレンツ変換という変換式に対して物理法則は不変でなければならない」と一言で言える。この要請を静止時空に適用すると特殊相対性理論（一九〇五）とローレンツ保存量が導かれ、これを一般の時空にも適用すると一般相対性理論（一九一五）が導かれる。

（1）世界（物質の世界）に法則があること
（2）その法則が数学で表されること
（3）さらにその法則同士がとてもよく似ているので法則の法則があること

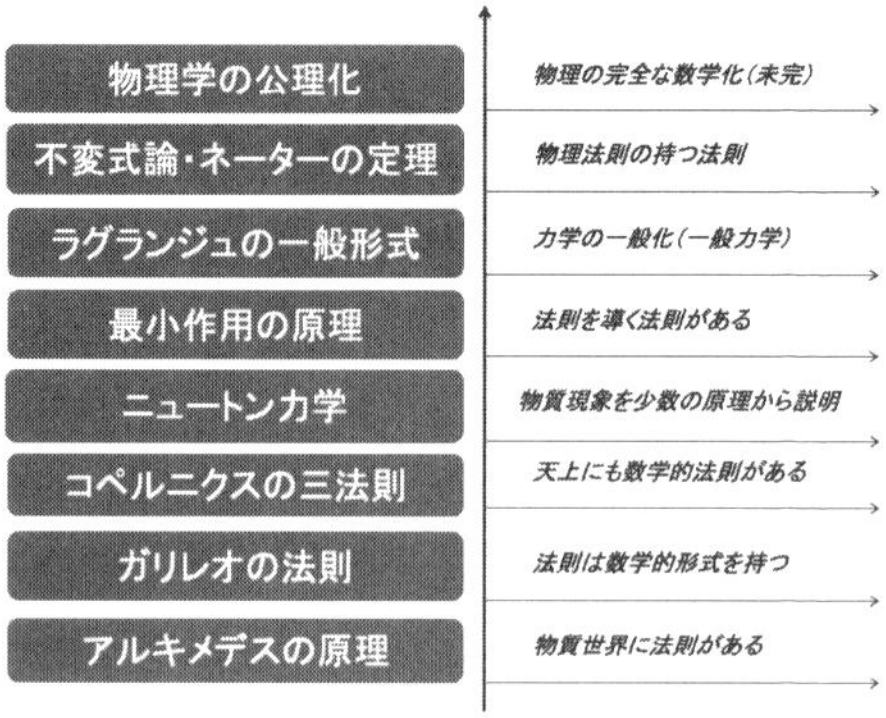

物理学の公理化	物理の完全な数学化（未完）
不変式論・ネーターの定理	物理法則の持つ法則
ラグランジュの一般形式	力学の一般化（一般力学）
最小作用の原理	法則を導く法則がある
ニュートン力学	物質現象を少数の原理から説明
コペルニクスの三法則	天上にも数学的法則がある
ガリレオの法則	法則は数学的形式を持つ
アルキメデスの原理	物質世界に法則がある

図１　物理法則探究の発展と階層化

という三つは実に驚くべきことである。二五〇〇年前にこれを言っても誰も信じなかったであろう。「世界に法則があること」はアルキメデス（伊、紀元前二八七―二一二）が「アルキメデスの原理」（液体中に物体を置くと、押しのけた体積分の液体の重量分の力の浮力を受ける）を見出した時に言ったとされる「エウレカ！」（発見した！）に象徴されるように、驚愕と共に気づかれたのである。しかし、人類はアルキメデスではなく、アリストテレスの後を追った。形而上学が長い間支配的になった。ガリレオは有名な加速度の法則を一七世紀に見出すが、それは世界の法則が数学で表されるという物理学の端緒を切り拓いた偉大な仕事となった。さらに二〇世紀に入り、蓄積されてきた物理学の成果の上に、物理学の公理化を唱えるのがダフィット・ヒルベルト（独、一八六二―一九四三）である。つまり最小限の原理から物理学を展開しようとする試みである（図1）。

しかし、我々はなぜ世界をこのように理解できるのだろうか？　それには、二つの代表的な立場がある。

（a）我々は、ただ自分たちが知り得る形の知識だけを世界から切り取っているだけだ
（b）我々は、宇宙を知るほど高度な知能を持つまでには発展した

科学が発展して、たくさんのものを知るほど、この問いは深くなる。そして、それは科学の外にある問いであり、あらゆる知識の前にあるもの、経験の後にあるもの、それが哲学である。

2　哲学――考え方を考える

科学の理論に捉われると、それが世界を覆い尽くす感覚に陥るが、やがてそれが世界のある部分をエレガントに記述しただけのものであることに気付く。科学の足元には自然哲学があり、その哲学の系が見出されたのは、たかだか三〇〇年程度前に過ぎない。哲学とは「考え方を決める学問」であるから、あらゆる考え方を研究する（図2）。ギリシア哲学、スコラ哲学、自然哲学は、世界を考える術を知ろうとした。人間は不安の生き物である。世界を解釈せずにはいられない。「形而上学」は、長らく規範としてあったアリストテレス（希、三八四―三二二）の学問体系の一つである。神学と相まって欧州全体の学問を支配し、論理学の起源となる『オルガノン』は二〇世紀になってゴットロープ・フレーゲ（独、一八四八―一九二五）が訂正しようとするまで古

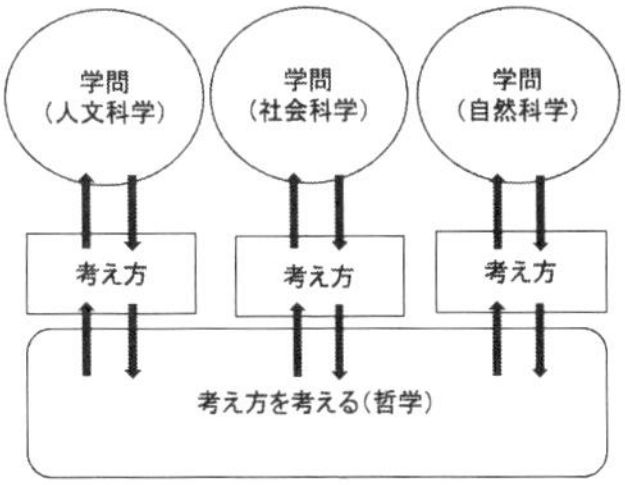

図2　哲学の役割

典であり、その他にも『ニコマコス倫理学』『政治学』『自然学』『動物誌』『弁論術』は欧州、アラビアに跨《またが》る学問全体の古典となった。一六世紀に生まれたルネ・デカルト（仏、一五九六―一六五〇）は抽象的なものをより抽象的議論で言い負かす、という形而上学的議論を書き換えたいと願った。彼は世間を存分に見て回った後、川辺の別荘に引きこもり、「理性は万人が共通に持っており、それを用いれば誰もが真理へたどりつくことができる」という（今となっては）あまりに有名な理念のもとに全学問を再構築しようとする。「我思うゆえに我あり」（コギト＝エルゴ＝スム）はデカルトの出発点であり、また近代哲学の立脚点でもある。それは二〇〇〇年に渡る形而上学への挑戦とも言えるロマンティックな言葉でもある。デカルトの哲学は厳しい批判に遭いながらも、自然科学の勃興、近代化の流れに則して広まっていく。やがて三〇〇年近く経つと、今度はデカルトの学問自体の修正を行おうとする動きが出る。その最も大きな運動がエトムント・フッサール（独、一八五九―一九三八）の現象学である。フッサールは厳密な学としての哲学を目指し、そして科学的体系の概念に対しても容赦なく反省を促す。それはデカルトの哲学を超えた哲学を構築しないことには、欧州の学問は危機的状況にある、という認識から起こったものである。確かにデカルトの哲学は科学の礎、近代合理主義の最も大きな礎となった。しかし、人間の内面に対してそれを適用しようとする時に限界が見え始める。特に心理学のように科学的アプローチが人間の内面をすべて説明できる、すべて心理学で説明できるとする心理主義は、人間の内面に対する学問を逼迫させてしまう。そこでフッサールの現象学は「我」ではなく「経験」から出発する。現象学は「知識や先入観による判断を停止する」(エポケー)によって得られる純粋な経験の中から、意識が世界を構成しようとする流れ(志向性)に沿って、経験を記述する(ノエシス＝ノエマ)という哲学である。デカルト哲学に沿って科学は自己から出発して確実な推論と操作によって誰でも再現性のある結果にたどり着くことができる。しかし、世界にはそうでない総合的な現象がたくさんある。精神医学のカウンセリングや、社会的現象、それらを何もかも科学的アプローチや心理学的な理論で「説明」して良いのだろうか？　対象化するのではなく、その中に入り込んで得る経験から自らを通してその場を記述していくことが現象学のあり方である。

デカルトとフッサールでは、その目指していたところが異なる。デカルトは学問全体の再構築化を目指した。万人が共通して明晰に構築できる学問である。フッサールは二〇世紀以降の学問に向けてデカルトの哲学を広げていく必要があった。「デカルトの理論」から「フッサールの理論」への展開は実に徹底した真理へ向かう探究の美しさがある。

3　工学――動けばいい

科学が人間の知を形成するもの、哲学が知のあり方を考えるものとだとすれば、工学はそこから人間の実際的な「何かを作る、何かを行う」という行動の形成を探求する学問である。理論がどうでもいいなどとは言えないが、理論の探究には終わりがない。それは人間から見れば無限の深淵へ続く旅であるが、どこかでそこから引き揚げて得たものを行為に還元する帰路に着かねばならない。

降りるときと昇るときに使う筋肉は違う。理学が真理のイデアの深淵に降りていくことだとすれば、工学はひたすら現実に向かって行為を作っていくことに集中する（図3）。化学工学であれば物質の「製法」、プラントの作り方、電気工学であれば「配線」の仕方、「電気系統」の作り方、建築であれば「設計」と「保守」の仕方など、それぞれの分野の人間の行動の在り方を探求する。実際、経験則でできている場所がないわけではない。たくさんのやり方を試した結果、その条件、その配分、その濃度でうまく行くことがわかれば、それは一つの工学の成果であり、あまりに難しい理論立ては理学に任せるということもある。作ったものが「動けばいい」というのはかなり言い過ぎであるが、とりあえず起こっている現象を描像「現象論」として理解する。理論としては少しダーティかもしれないが、実際の現実、実際の社会に泥にまみれて立ち向かおうとする姿が美しい。

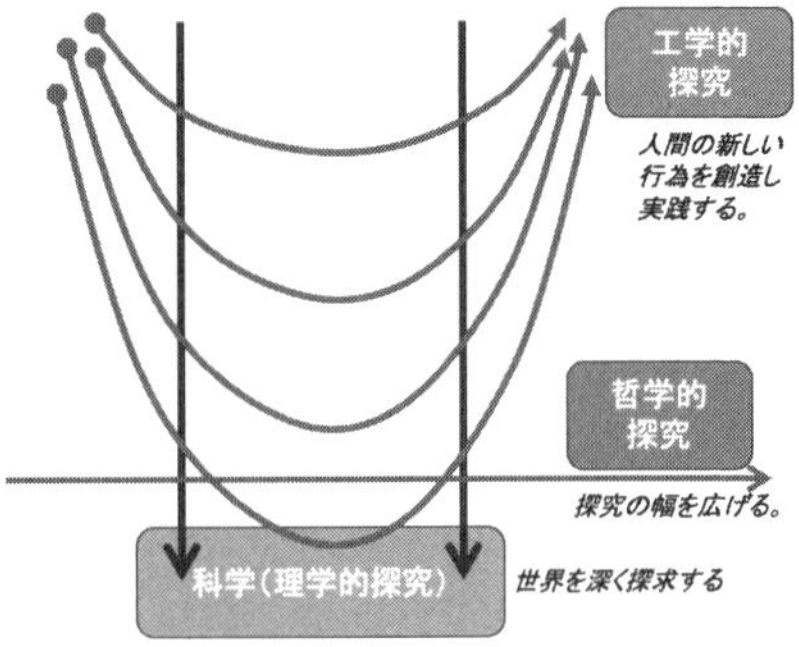
工学的
探究
人間の新しい
行為を創造し
実践する。
哲学的
探究
探究の幅を広げる。
科学（理学的探究）
世界を深く探求する
図３　工学的探究と理学的探究、哲学的探究の関係

４　人工知能

人工知能は科学、哲学、工学の交錯する領域にある（図４）。それは知能を知ろうとする科学であり、知能を作ろうとする工学であり、知能について考えるという古来からの哲学の延長でもある。

人や動物、昆虫、植物など自然知能を深く知り、そこで得た知見によって工学的に知能を作る、そして、知能を捉えるその捉え方自身の根底を哲学と共に掘り進んでいく。それぞれの発展が、それぞれの発展を支える相補的な関係にあり、それらが一つが欠けてもならない。三者が一体となった学問が人工知能である。

人工知能の骨格となるのは理論である。知能を形作る数学的な構成というものがある。それは、たとえば「センサー」「意思決定」「行動生成」「記憶」「身体」モジュール型の人格設計であったり、ディープラーニングのような偏微分方程式を基礎にした数学的構成だったりする。これは極めて工学的アプローチである。ここに、人間や動物の知能の科学から得た知見が注ぎ込まれる。記憶の設計は脳科学や心理学で得られた階層型構造「ワーキングメモリ」「一時記憶」「短期記憶」「長期記憶」が設定される。次に身体構造は人間の骨格や筋肉をモデルとして構成され、意思決定においても人間のような時間と空間の使い方を参考に組み立てられる。そして人工知能を作ることには常に、哲学的な意義がつきまとう。知能を作るとはどういうことか、命令を受けるだけのロボットは知能だろうか、決められたルールで行動をするだけのキャラクターは知能だろうか、記憶を持たない知能は知能だろうか、身体を持たない知能は知能だろうか、などであ

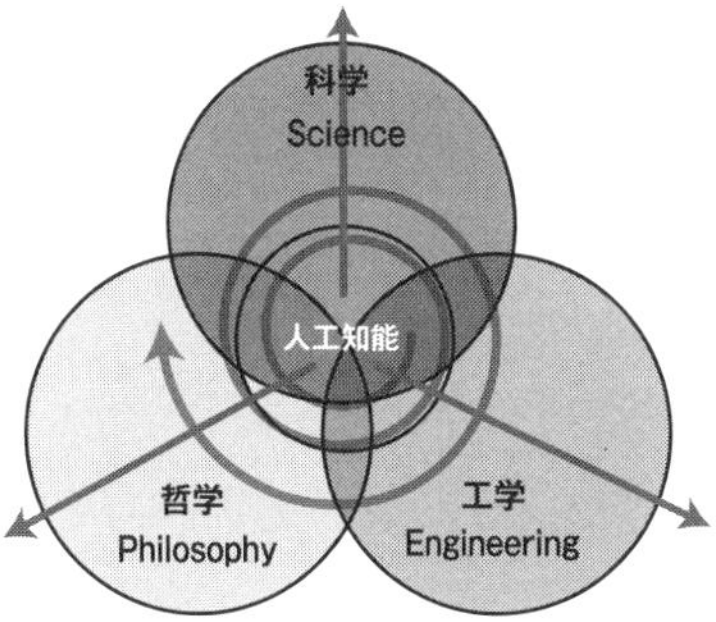

図４　人工知能は科学、工学、哲学の交錯する場にある

る。

今でも「人工知能＝考える存在」であるという思い込みがある。しかし、知能は考えるだけの存在だろうか？　我々はいつも考えているか？　そうではない。我々は希望する、悲しむ、観察する、眠る、ぼーっとする、悲観する、楽観する、未来のビジョンを描く。あらゆる精神の活動の総体が知能である。「人工知能＝精神の活動すべてを再現する存在」であるはずである。哲学は一〇〇年前に「知能＝考える存在」というデカルト哲学から、「知能＝経験の総体」というフッサールの現象学へ転回を試みた。それだけでは工学的に足りない。実際にそのような存在として人工知能を作るには工学的知見が必要であり、その前提となる知識は科学が提供せねばならない。

このように理論を作っていくためには、必ず科学、哲学、工学がセットでなければならないのである。

第2章　希望し、恐れ、喜ぶ
――人工知能の経験を考える

1　はじめに

私はデジタルゲームの中のキャラクターたちや、ゲームそのものが持つ知能の研究・開発に従事している。(1) そこで主眼となるのは、知的な情報処理ソフトウェアを作り上げることに加えて、何よりゲームキャラクターをゲーム世界の中で生き生きと活動させることである。そのためには、キャラクターたちが自分自身で自分の活動・運動を作り上げる能力を築くことが必要である。そのために必要とされる人工知能技術は、論理的推論をし、最適戦略を決定することだけではなく、たえず変化し続ける環境の中で、自らの運動を創造し、修正・変更・改革して行くことで世界と調和する知能である。そこで、知能は身体という自己を含めて、変化する環境の中に展開され、世界からフィードバックを受ける。世界と自己の間で、力と力、情報と情報の循環からなる運動が知能の躍動そのものとなる。デジタルゲームの人工知能を作るという作業は、人工知能の枠にとどまらず、生物学、情報科学、精神医学、物理学、運動学、哲学、複数の学問を数珠《じゅず》のように繋いで、生物の根源から世界へ向かう精神の運動を構築する作業となる。本文で展開するのはそのような世界との関わりの中で展開される人工知能の風景の旅である。いまだ構築中のデジタルゲームＡＩという学問の良き案内となれば幸いである。

2　時間と空間と人工知能

知能は時間と空間を支配する。より高い知能ほどより長い時間、より大きな空間を支配する力を持つ。どんな俊敏に動ける動物も、どんな瞬時の判断ができる動物も、より大きな空間的支配と、時間的な支配の前には囲われてしまう。知能は身体的な能力を超えて、時間と空間をデザインする力である。また高さとは違うもう一つの指標は柔軟性である。時間と空間のスケールを自在に変化させる能力である。地球規模の長期的な問題から、目の前の針に糸を通す課題まで、買い物、スポーツ、それぞれ違ったスケールの世界の局面に対して、時間と空間のフレームを調整して問題設定し対処する柔軟性が知能の指標の一つである。

人工知能も同様である。人工知能の性能を測る指標は、どれぐらいの時間と空間のスケールの問題に対応できるかという高さと、そのスケールをどれぐらい自在に変えることができるかという柔軟性である。しかし多くの人工知能は一つの問題に特化している。ある時間と空間がフィックスされた特定の問題に対する「機能的人工知能」である。工場の組み立てロボットや、検索エンジンや、カーナビゲーション、会話エンジンなど、想定された機能の一歩外にも踏み出すことができない。柔軟性に欠ける。「高い」知能を持つ人工知能でも一歩外では何もできない「柔軟性」に欠ける特有の融通の無さが現在の人工知能の特徴でさえある。世界チャンピオンを打ち負かすチェスソフトでも、交通渋滞を解析することはできず、交通渋滞を認識できるソフトでも、カーナビゲーションができるわけではない。しかし人間は高く柔軟な知能を持ち、自分で問題を設定できる。一つの問題を考えれば、人間と人工知能では人工知能の方に圧倒的に分《ぶ》がある場合が多い。しかし、柔軟性に関しては人間の方が圧倒的である（図1）。

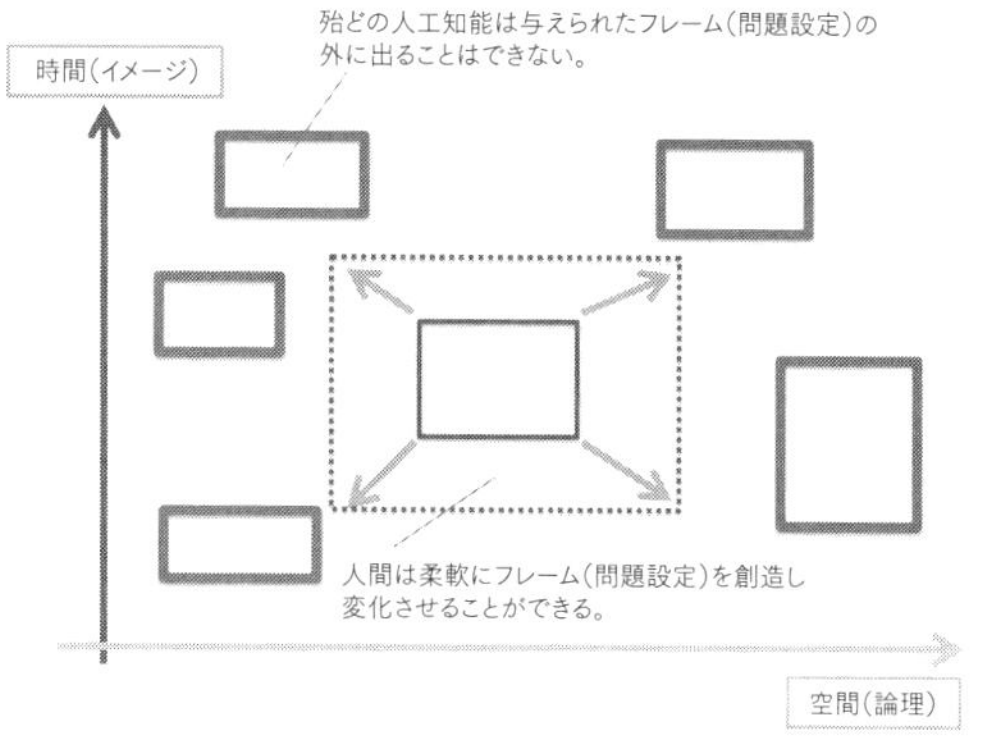

殆どの人工知能は与えられたフレーム（問題設定）の外に出ることはできない。
時間（イメージ）
人間は柔軟にフレーム（問題設定）を創造し変化させることができる。
空間（論理）

図1　時空間フレームと人工知能

3　人間の精神と人工知能

人間の精神の成り立ちを考える時、ピラミッドのように外界からの情報が世界から吸い上げられ、無意識へ注ぎ込み、さまざまな解釈が施されて、意識へ登って来る（図2）。我々が実際に見ている世界は、無意識によって解釈された世界である。精神医学の言葉で言えば、さまざまなアナログな信号が記号（シンボル）へと変換される空間である。つまり、そこでは形ならぬ信号たちが凝縮した集合と一つの記号が、シニフィエ／シニフィアンとして変換されると同時に一体となる。象徴に満ちた無意識の空間では、連続した信号たちの世界の連環を反映して記号たちの間にも関係性が保持される。我々の意識もこれを手がかりとして世界の関係性について知ることができる。この記号同士の関係性が言語となり、我々はいわば言語の関係性の網、いわば言語回路を通して世界を知る。そして精神自体も言語で形成されている。

人工知能の構造も自然に本物の知能と似た構造を持つ（図3）。まず外界から刺激が信号の形で来る。ゲームの場合はこの信号は情報である。情報を解釈すること、つまり情報を抽象化することで自分を中心とした世界を構築する。その過程で情報は記号化され、記号による世界の表現の層ができ上がる。これが意識と無意識を分かつ境界面となるのである。

4　人工知能と自然知能

自然知能はこの自然界で自然に生成した知能である。一方、人工的に作り出される知能を人工知能という。まず自然知能について語ろう。

我々の外には広大な宇宙が広がり、我々の内側には底知れぬ内面が大きな海のように広がっている。外へ外へと認識を広げつつ、我々はそれが自分たちの先入観によって捉えられていた世界だと知る。我々の感覚や内面はちょうど人間スケールでこの地上で生存・生活するように最適化されており、人間の知は絶対知・中心ではない。コペルニクスやガリレオが地球は世界の中心でない、と言ったように、人間の知能が、この宇宙における絶対的な知能の基準ではない。知能は環境に対して相対的に形成されるものであり、我々の知能は我々の身体と生態に合わせて形成されている。であるから、知能の構造を解き明かすことは、あくまで人間という知能を解き明かすことであり、身体を含めたその生物固有の生態から出発せねばならない。これが「生態学的人工知能」のポリシーである（図4）。

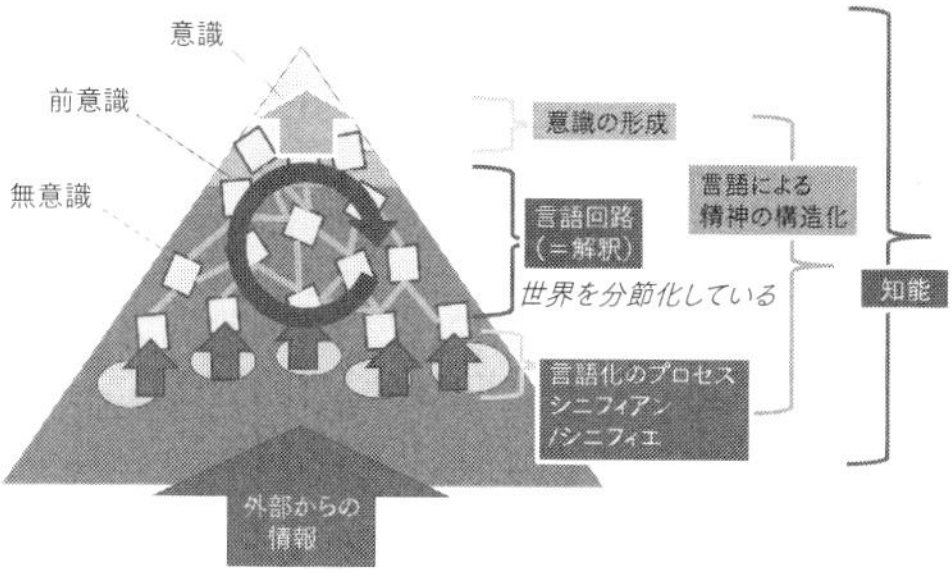

図２　人間の精神における言語化と言語による精神の構造化

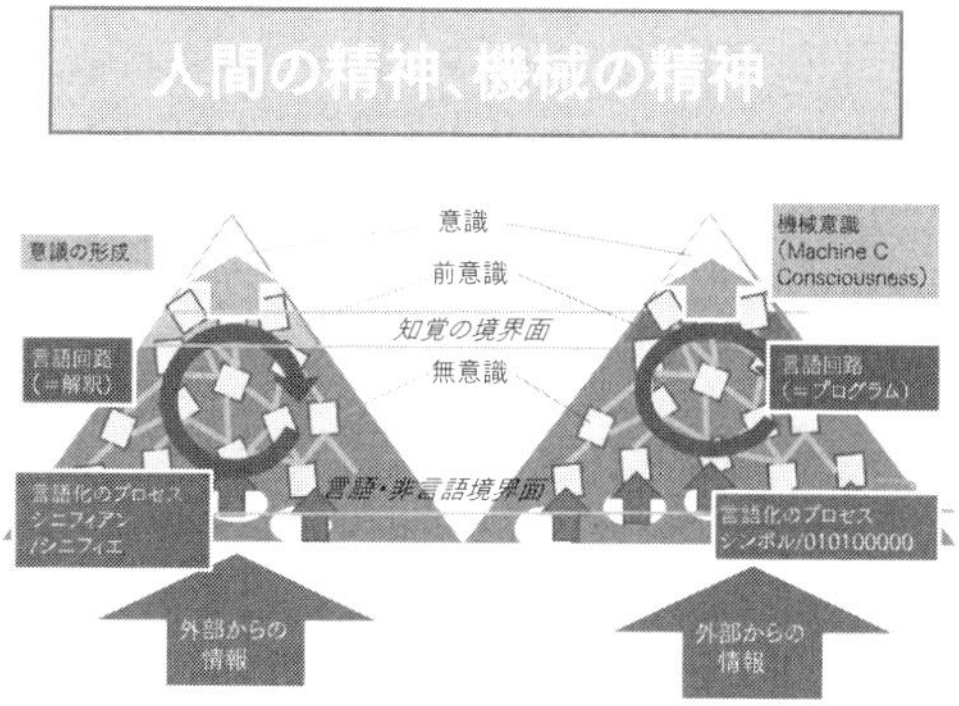

図３　人間の精神構造と、機械（人工知能）の構造

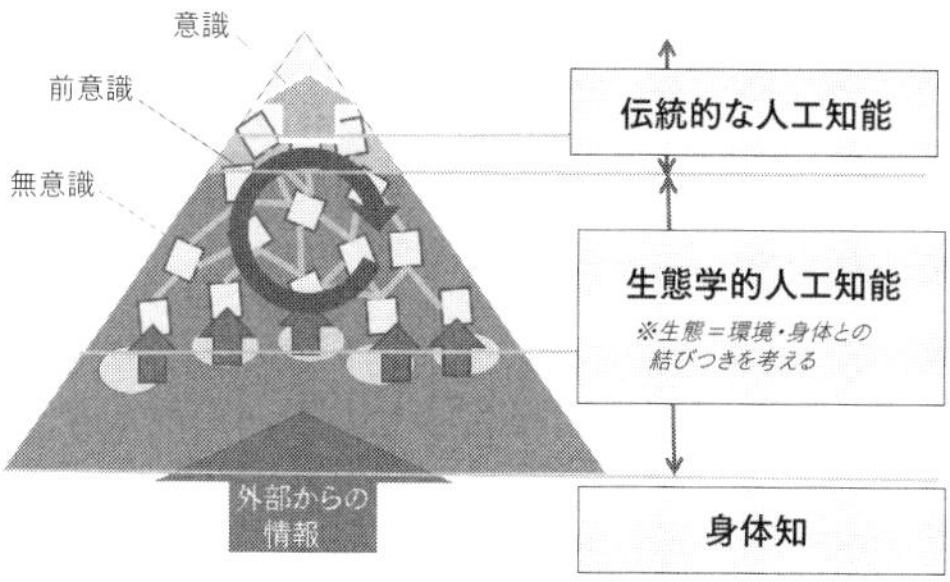

図４　精神の構造と人工知能の対応

一方、西欧哲学における自我の問題は、十数世紀に渡る長い哲学的問題であり、そこには西洋文化そのものの基礎となる個と我の問題が含まれている。知能や認識の問題もその射程の中にある。知能そのものである我々が知能を捉えるために、知能は我々自身であると同時に探究の対象であり、この両義性が身体の両義性と同様に、弁証法的矛盾を内包することになる。そこには根源たる自我の存在の構成についての長い思弁がある。「知能と我」の問題について、デカルトはコギトとして展開し、フッサールは現象学的還元と呼んだ。デカルトの時代には形而上学によって真理にたどりつくというポリシーがあり、そこには暗に人間中心主義が横たわっている。我々が認識する真理は、真理のイデアの影であり、我々はそのイデアの影を認識し得る存在である。人間という知能に重い中心的役割が背負わされた。一方で現象学は経験から出発し、「エポケー」（判断停止）によって自己を還元し、その根源から知能が展開されて行く姿を記述する。

一方、東洋の仏教はこのような人間の内面について、自身の体験によって降りて行く。自分の認識の起源、自我が動的に生成される平面まで、自分の中の階層を一段一段と降りて行く作業が修行となる。仏教は認知科学が見つけるさまざまな階層を自身の状態として体現して行く過程であり、さらに深い内面についての知識を保持している。たとえば、大乗仏教で言う「阿頼耶識《あらやしき》」は、人間が持つ判断以前の世界をあるがままに写す鏡面である。それは人工知能を考える時にも大きくヒントを持つ。生物が外界から取り込む混沌とした状況を判断以前の状態としてあるがまま受け入れる空間があることを、「阿頼耶識」は示唆するからである（図５）。

人工知能はプログラムや機械によって作られる知能のことである。知能という目に見えないものを、プログラムや機械のような、記号系や物質から作り上げられることが可能なのか、実際、その可能性は未知である。人工知能は工学でもあるから実際に作り上げる過程を通して、その可能性を探究する。これまでわかっていることは、単一の知的な機能をプログラムである程度作り上げられること、機能が限定されたロボットを使って社会に役立たせることである。人工知能に自然知能が宿るかどうか、そのような命題さえまだ遠い。人工知能はどこまで行けるのか、我々は今、それを作りながら、可能性を見極めようとしている。それゆえに人工知能は工学（エンジニアリング）であり、科学（サイエンス）であり、哲学（フィロソフィー）なのである。

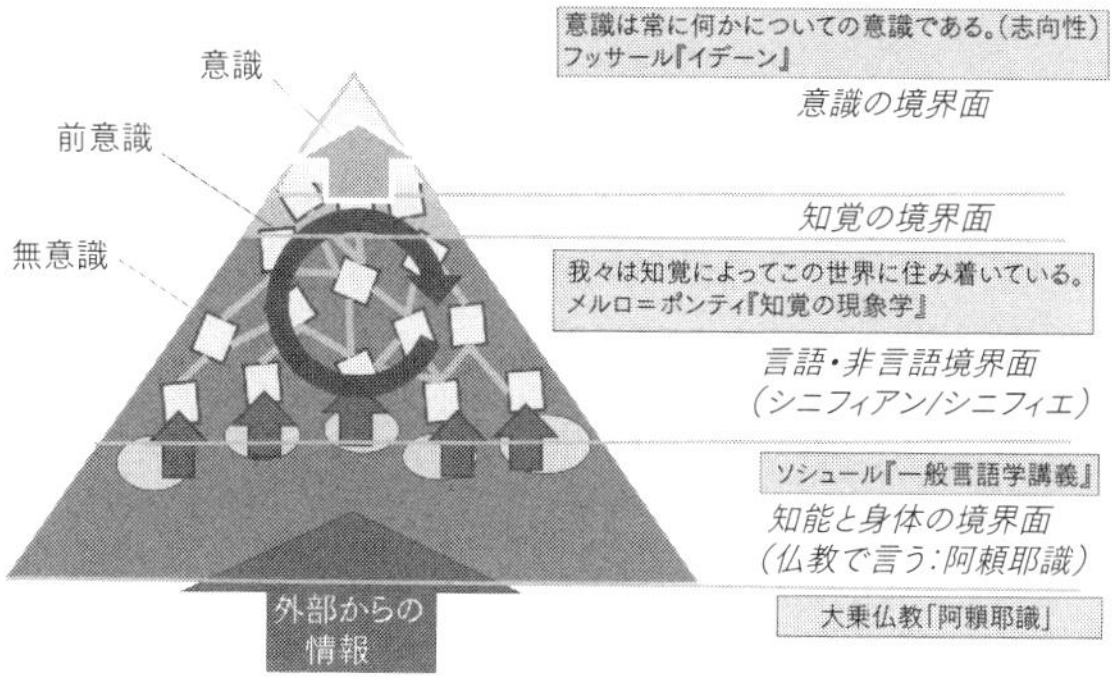

図５　人間の精神の階層構造とそれぞれの境界面

5　シンボリズムとコネクショニズム

人工知能の構築には二つの方向がある。[2] 一つは記号系によって知能を表現できる、とする方向である。これは「シンボリズム」（記号主義）であり、「運動する記号系」として知能を構築する。さまざまな要素の構築・アーキテクチャによって知能を構築する。この考えは機械論的な人工知能の理論を導くことになる。「時計仕掛け」の人工知能である。記号によって世界を記述できるかどうかという問題のことを「記号接地問題」（Symbol Grounding Problem）という。記号主義には常にこの問題が付きまとう。

もう一つの考え方が「コネクショニズム」である。これは「人間の脳がニューロンと呼ばれる神経素子の電位差を利用した回路だ」という生理学的知見を活かして、ニューラルネットワークによって知能を実現しようとするアプローチである。これは回路のトポロジーが決まれば後は数値シミュレーションであって、原則として記号は現れない。現在では、より拡大されて、脳全体の生理学的知見を活かして脳を構築しようという運動となっている。脳の機能を基に人工知能を作る方向を全脳アーキテクチャ（Whole Brain Architecture）という。また二〇〇六年以降に新しい学習方法が確立され、ディープラーニング（Deep Learning）と呼ばれている。

どちらが正しいというわけではなく、二つの方向がある。そして、どちらも現在ではそれぞれの得意分野で成果を上げている。前者は明快な情報の分野（推論・計画など）で成果を上げ、後者は記号に落としきれない画像解析や運動解析の分野で成果を上げている。一方は人間の精神の記号世界から出発し、一方は物質世界から出発する。この二つの交わるところにおそらく本当の人工知能がある。

人工知能の歴史を紐解くと不思議なことがわかる。一九五六年の「人工知能」という名称（実際は紆余曲折があった）の発祥たるダートマス会議から、人工知能は人間の高い知的機能を実現するところから出発した。推論・知識といった人間の意識レベルが持つ機能である。この分野は今では伝統的な人工知能の分野に属する。時代が進むと、一九六〇年代以降、コネクショニズムが台頭する。コネクショニズムは基本的な認識の機能を実現する。それは本質的には世界の物事を分類する手法である。さらに進んで認知科学や生物学から、「生態学的人工知能」、つまり環境における知能の実現という地平が見えてくる。それは環境の中で生物固有の身体と生態から人工知能を実現しようという方向である。このような人工知能は環世界とアフォーダンスを持つ生態学的な人工知能であり、ゲームキャラクターのコアを形成する。さらにロボティクスの影響から、身体知つまり生物固有の身体に根差した知能という課題が見えてくる。「身体の運動によって世界を知っている」という単純な事実を人工知能として実現する課題である。

このような変遷は、知能のピラミッドから見ると人工知能は、高次の機能から知能の基本構造の深部へ遡って探究を進めようとしている。ちょうど深海の研究がそうであるように、浅瀬から始まってより深い知能の根源へ迫ろうとしている。

6　情報的存在と物質的存在

ギリシア神話の英雄であるテセウスの船。テセウスは船を改修し続けて、ついに船全体の部品をそっくり入れ替えてしまう。そこで問題、この船はもとの船と同じ船だろうか？　一つひとつ、船のパーツが入れ替えられているわけであるから、昔のテセウスの船と、部品が入れ替わった新しい

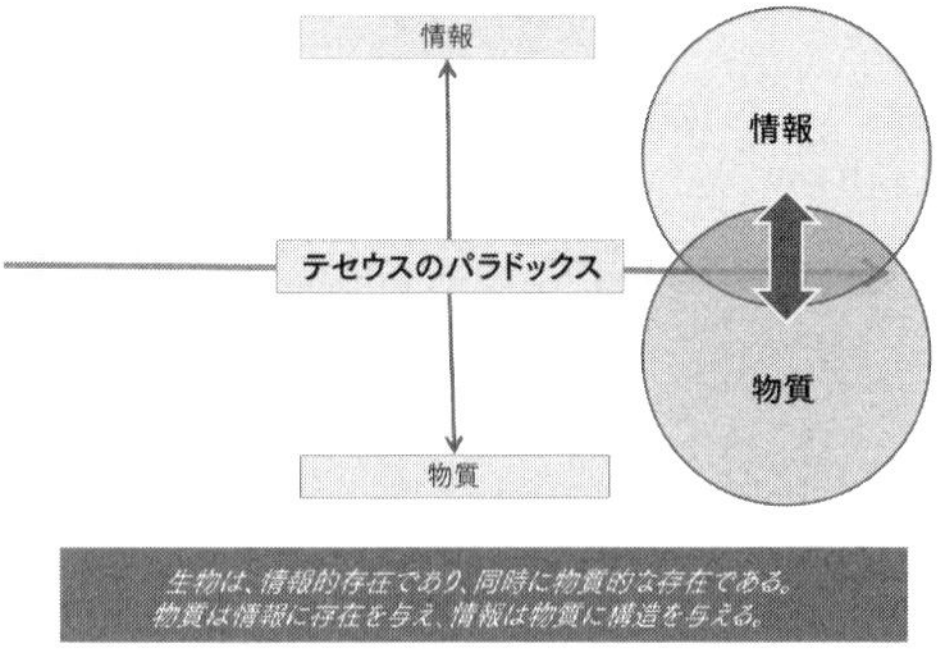
情報
物質
テセウスのパラドックス
情報
物質
生物は、情報的存在であり、同時に物質的な存在である。
物質は情報に存在を与え、情報は物質に構造を与える。

図6　テセウスのパラドックスが明らかにする情報的存在と物質存在

テセウスの船に時間的連続性がある。しかし、物理的に見れば、それはすっかり違うものだ。しかし「情報」という観点から考えてみれば、船がどんな形であったか、マストは何本あったか、どのような櫂《かい》が使われていたか、櫂は何本あったか、そういった情報はそっくりそのまま保存されている。つまり、多少の差異はできたにせよ、大まかに言えば、過去のテセウスの船と、現在のテセウスの船は情報的には同じ船だと言える（図6）。

　我々の体も「まるでテセウスの船のように」毎日分子が入れ替わっている。アメリカの物理学者リチャード・P・ファインマン（一九一八―一九八八）はこれを「原子のダンス」という言葉で言い表した。「脳の中の原子は絶えず入れ換わっていくもので、前にあった原子はなくなってしまうのだということです。ではいったい私たちの心、すなわちこの意識をもった原子とはいったい何なのか？　それは先週食べた食物の原子なのです。そして驚くべきことに、この原子どもはもうとっくに入れ換わってしまっているというのに、一年前に私の頭の中で起こっていたことをちゃんと思いだせるのです」（『困りますファインマンさん』岩波書店、一九八八）。

　生物には二つの側面がある。すなわち、物理的側面と情報的側面である（図7）。我々の脳さえ物質的にはどんどん入れ替わっている。すべての分子が入れ替わっても自分は自分であると思える、知能が自らをアイデンティファイするところは、テセウスの船のように過去の自分との時間的な連続性を保証する「記憶」と、情報的な存在として同値な自分である。しかし、情報的存在と物理的存在としての自分は独立ではない。それらは絡み合いながら、一つの存在として機能している。生物は情報的側面と物質的側面の両義性を持つ存在だと捉えることができる(3)。

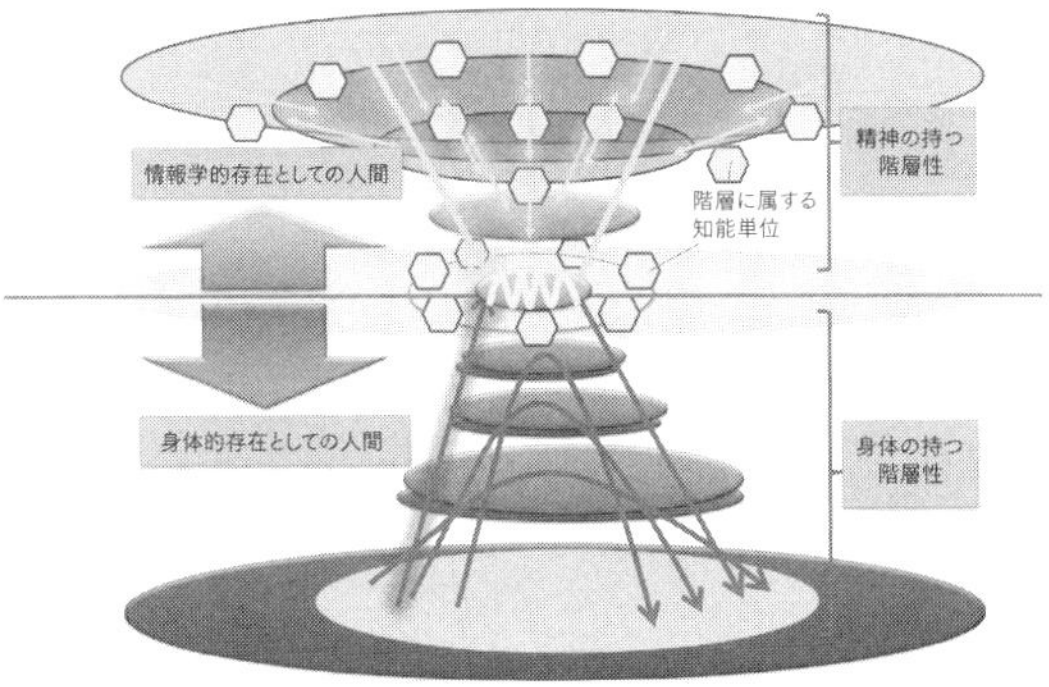

図７　人間の存在の情報的・身体的存在の二面性とその階層構造(4)

　人工知能は何を扱うか？　一つはまず情報的な存在としての知能である。そこで人工知能は情報を獲得し、認識を形成し、記憶し、意思決定をし、行動を生成するという一連の情報操作についてのプロセスを作り上げる。人工知能はその出生から五〇年以上もその情報的側面に重心を置いて探究してきた。すなわち推論、演繹、知識、意思決定、学習、というのは、情報的な世界の機能なのである。言い換えれば、プログラミング上で実現可能なものを扱う。事実、人工知能は時に情報科学の一分野のように扱われることも多くある。

　一方、知能は物質的な存在でもある。知能の物質性を忘れれば、それは形而上的な理論人工知能を作り上げることになる。

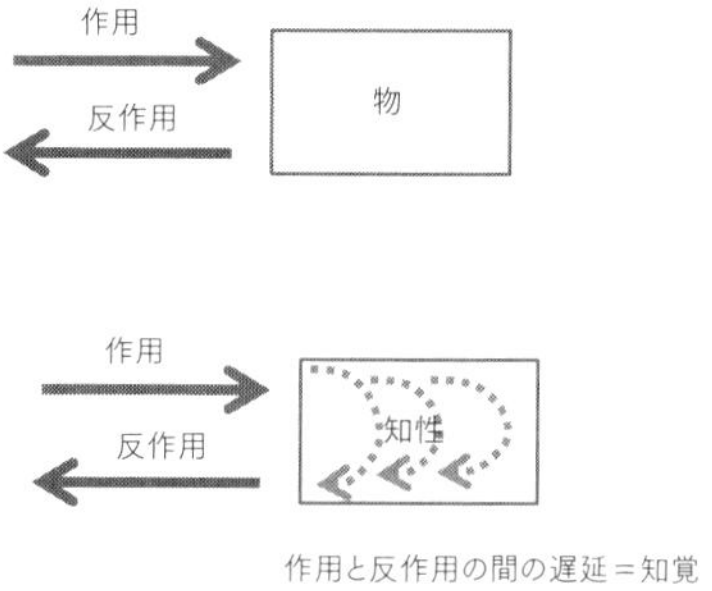

図８　作用の遅延しない物質と、作用が遅延する知性

物質的に知能を捉えるということは、常に身体と生態という問題、つまり、食べる、生活する、生殖する、身体を以て世界と接触する存在としての知能という見地へ引き戻してくれる。そこにもう一つの人工知能の立脚点がある。

7　反射から生物へ

反射性というものから、知能を考える。物は押すと動く。インプットする作用に対し瞬時にアウトプットの反作用がある。これがニュートンの言う作用・反作用の法則である。ところが知性はそうではない。インプットに対するアウトプットが線形反射ではない。反射は常に遅延され、その遅延が生物の内的時間の中で何度もくり返し遅延される（図8）。

単純な生物の場合、単一の刺激に対して決まった反応をする。バッタは振動を与えると飛ぶ。このような反射は動物の場合は習性と呼ばれる。犬は一定距離歩くとマーキングする、なわばりに入ると怒る、など。しかし、人間という知性はそういった反射の積み重ねの極限の果てにあって、外部からの作用に対しては通常の動物よりさらに長い遅延を持ち得ている。たとえば、今日聞いたことを何年も経ってから理解して実行する、ということも決してめずらしいことではない。何年も前の感謝に根差して行動することもある。つまり遅延は記憶と関連し、生物の持つ内部構造の複雑さを反映している。このような作用の遅延がたどりつく物質を超えた精神的な次元があるか、それともこれは最後まで物質的な次元の作用・反作用に還元できるのか、これが自由意思の問題である。もしすべてを物質的な反射で説明できるなら、人間の知能はまた時計仕掛けのように決定論である。量子力学的状態までこの反射が遡るにしても、やはりそこには観測による決定論があり、量子力学的な揺らぎが意思の自由性を担保するかどうかはなお議論の必要なことである。

8　知能の深さを描く包含構造（サブサンプション構造）

このように作用に対する遅延があるからと言って、高度な知能は反射性を失っているわけではない。どんなに思慮深い人物も、飛んできたボールを反射的に避ける。つまり、人間には進化の系統発生の中で培って来た反射性が維持されており、生きるとは何か、という抽象的な思考から、飛んできたボールを避けるという反射的行為まで、時間と空間の柔軟な可変フレームによって問題を捉え、知能によって解決する。これら時間スケールが違う「知能の序列」がどのように構成されているかを探究したのが「サブサンプション構造」（包含構造）である。これは一九八〇年代半ばにMITのロドニー・ブルックスによって提唱されたモデルだ（図9）[5]。現在はお掃除ロボット「ルンバ」（iRobot社）などをその典型として、ロボットの基本アーキテクチャとして敷衍している。

この考え方の根底にあるのが、知能の基本部分には反射系がある、という身体性である。たとえば「餌のにおいがある方へ直進する」という反射的知能が基底にあるとする。これによってこの生

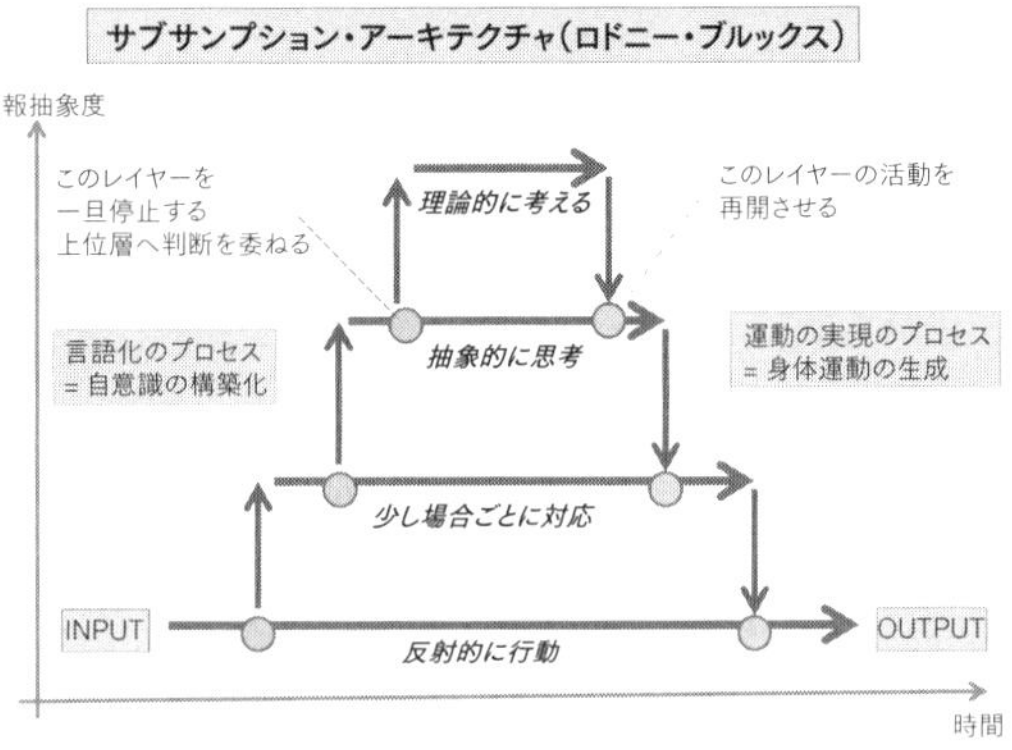

図９　サブサンプション・アーキテクチャ

物は食料を求める方向へ徘徊する。ところが「穴があれば迂回する」必要がある。この時、最下層の「直進する」という行動を抑制して「迂回する」必要がある。サブサンプション構造では上位層が下位層をコントロールする権限を持つ。またさらに、「天敵が来たら隠れる」必要がある。この時、「迂回する」ことも、「直進する」こともやめて「物陰に隠れる」。このように多層に知能のレイヤーを重ねて人工知能を作る方法を「サブサンプション構造」と言い、多層的のみならず、下位のレイヤーを囲うように上位レイヤーが作られて行くのが包含構造である。これはゲームキャラクターでも基本的に使われる構造である。「目的に向かって進む」が最下層にあって、「敵を見つけたら魔法攻撃する」がその上にあり、さらにその上に「体力が切れたら回復薬を飲む」といった具合に行動を階層的に作り上げて行く。サブサンプション構造は現代ではロボットとゲームキャラクターの知能にとって必須の技術となっている。

またさらに顕著な特徴として、それぞれのレイヤーが必要とする情報を取得する、つまり感覚情報が行動を決めるのではなく、あらかじめ決められた行動がそれをトリガーするのに必要な情報を取得するように感覚が励起される。行動が感覚を規定する。

9　世界との知能の関係性のモデル

世界と知能を結ぶモデルを「エージェント・アーキテクチャ」と呼ぶ。[2] これはロボティクス研究から発した人工知能の基本構造で、

（1）世界と知能を分けて考える
（2）世界から「センサー」によって知能に情報がもたらされる
（3）知能から「エフェクター」によって知能から世界に影響を及ぼす
（4）知能は目的や役割を持つ

という四つの条件を満たしている構造である（図10）。世界と知能の間を貫いて流れる情報の流れを「インフォメーション・フロー」と呼ぶ。ちょうど水車が水で回転するように、「エージェント・アーキテクチャ」はデータドリブ

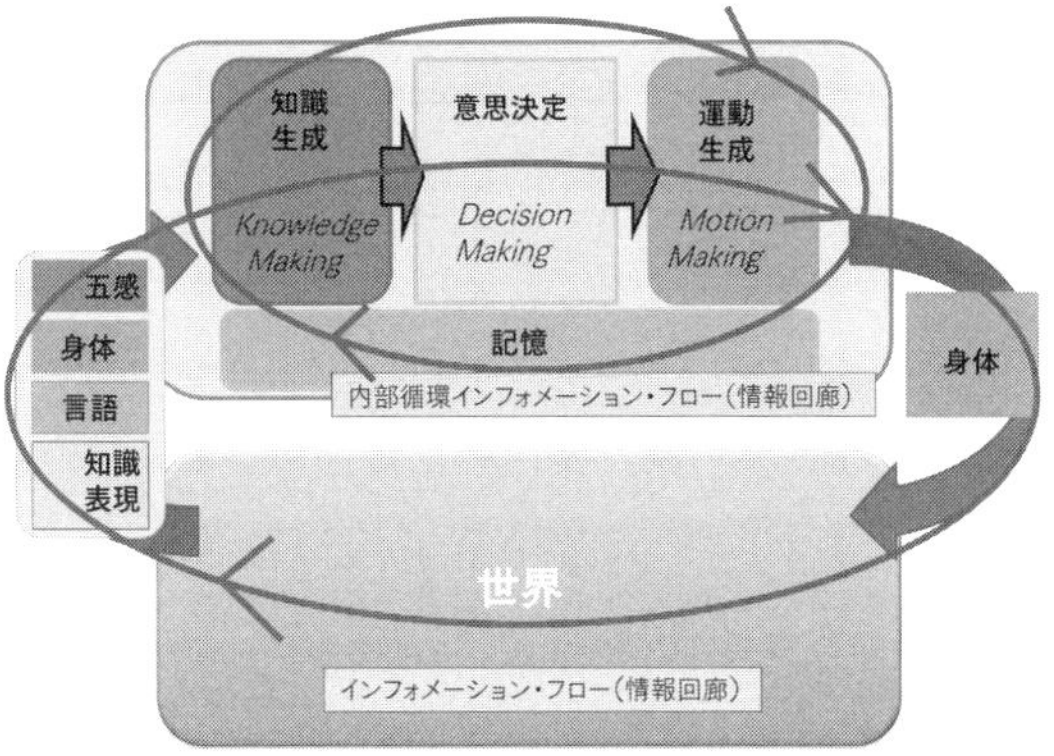

図10　ゲームキャラクターのためのエージェント・アーキテクチャ

ン的に、情報の流れによってさまざまなモジュールの機能を励起する。「エージェント・アーキテクチャ」はいわば知能の物理的な構造の表現であり、「インフォメーション・フロー」は情報的な流動の表現である。世界から情報を得る器官のことを「センサー」、逆に身体を含む知能から世界に影響を与える器官を「エフェクター」と呼ぶ。エージェント・アーキテクチャは、知能と世界をセンサーとエフェクターによって結ぶ。さらにアーキテクチャの内部には四つのモジュール（要素）があり、「記憶」「認識」「意思決定」「行動生成」である。[6] ゲームでもロボティクスでも、自律した人工知能は多かれ少なかれ、これと似た構造を持っている。モジュール構成になっているので、各モジュールをさまざまな種類に入れ替えることで、さまざまな人工知能を作り出すことができる。これは極めて機械的・構築的・要素的なアプローチである。構造のメカニクス（機械学）の中を情報のダイナミクス（運動学）が流れて行く仕組みによって知能が実現される。

インフォメーション・フローには二種類あり、世界と知能を結ぶ通常の「インフォメーション・フロー」と、知能の内部を巡る「内部循環インフォメーション・フロー」がある。「内部循環インフォメーション・フロー」は知能内部の情報を整理する役割を持ち、外界からのインフォメーション・フローが弱まった時も、たとえば眠っている間も動き続ける。[7] 人工脳が眠っている間に見る「夢」はこの内分循環インフォメーション・フローがさまざまなモジュールに蓄積された情報を整理するために起こる現象である。実際のゲーム開発では、このモジュール一つひとつをデザインして行くことによって、キャラクター全体の知能を実現する。

10　意識モデル

マシンが持つ意識をＭＣ（Machine Consciousness）と言う。これは思弁的な分野で工学とは一見関係のない分野だったが、近年では、これを人工知能の実装に結び付けようとする動きがある。ネド・ブロック（Ned Block）によると、意識には二種類がある。[8]

・P – Consciousness（Phenomenal consciousness）現象的意識（主観的体験、クオリア）
・A – Consciousness（Access consciousness）精神活動に対する意識

このうち、後者のA – Consciousnessに関しては三つの理論が存在する。一つは黒板モデル（＝ブラックボード・アーキテクチャ（Blackboard Architecture））である。[9][10] これは一九八〇年代の人工知能で多用されたモデルで、黒板という情報を読み書きする場があり、その場を介して特殊な機能に特化した人工知能（知識源（KS、Knowledge Source）と呼ばれる）がコミュニケーションすることで、全体として一つの人工知能が成立する、というモデルである。次にあるにはGlobal Workspace Theory（Baar, 1988）である。[11] これはグローバル・ワークスペースに外界からさまざまな情報が持ち込まれる。その情報の中から、まるで舞台の上でスポットライトを浴びせられるように、注目される情報に対してプロセッサーと呼ばれる小型の人工知能たちがアクセスする、というモデルである。つまり、これは意識というのは、何かの情報に対する意識であり、外界から得た知識の中で意識が注目する情報があり、意識の注目する対象に対してたくさんの小型の人工知能であるプロセッサーが連合して解説するモデルである。最後にあるのはMultiple Draft Model（Dennett, 1991）である。[12] これは、一つの事象の解釈に関して、複数の小さな人工知能が連携して、事実の記述をするモデルである。

この三つのモデルを統合すると次のような「劇場モデル」になる（図11）。まずワーキングメモリという舞台があり、そこにバックグランド（舞台奥）からさまざまな情報が登場する。情報が登場すると、舞台のどこかがスポットライトで照らされる。これが意識が注意を払っている場所である。舞台を見ているプロセッサ（小人工知能）たちがあり、スポットライトに照らされている部分を観測し、連携しながら記述する。このワーキングメモリが舞台だとすれば、この背後には別のコンテキストレイヤーが多重に存在する。ディレクターやシーンデザイナーなど、この舞台の筋書きをある程度形成するレイヤー（無意識）が存在し情報たちを演出し舞台に送り込むのである。

「劇場モデル」をもとに構築された人工知能モデルの一つが「CERA-CRANIUM 認識モデル」である（図12[13]）。このモデルが実装されたキャラクターＡＩは、デジタルゲームのＡＩのコンテスト「2K Bot Prize 2010」で見事優勝を果たした。このコンテストは少し変わったコンテストで、三次元空間の中で銃で戦うサバイバルゲームであるが、単に強ければ良いというのではなく、人間とBot（ＡＩ）が戦いながら、「いかに人間と区別がつかなかったか」という評価を行うコンテストである。複数の試合を通して人間とボットがお互いの身分を隠して参加するが、お互いが人間かボットかを判定する必要がある。結果として「人間と間違われた」回数の多いBotが優勝となる。いわばデジタルゲーム版チューリングテストである。

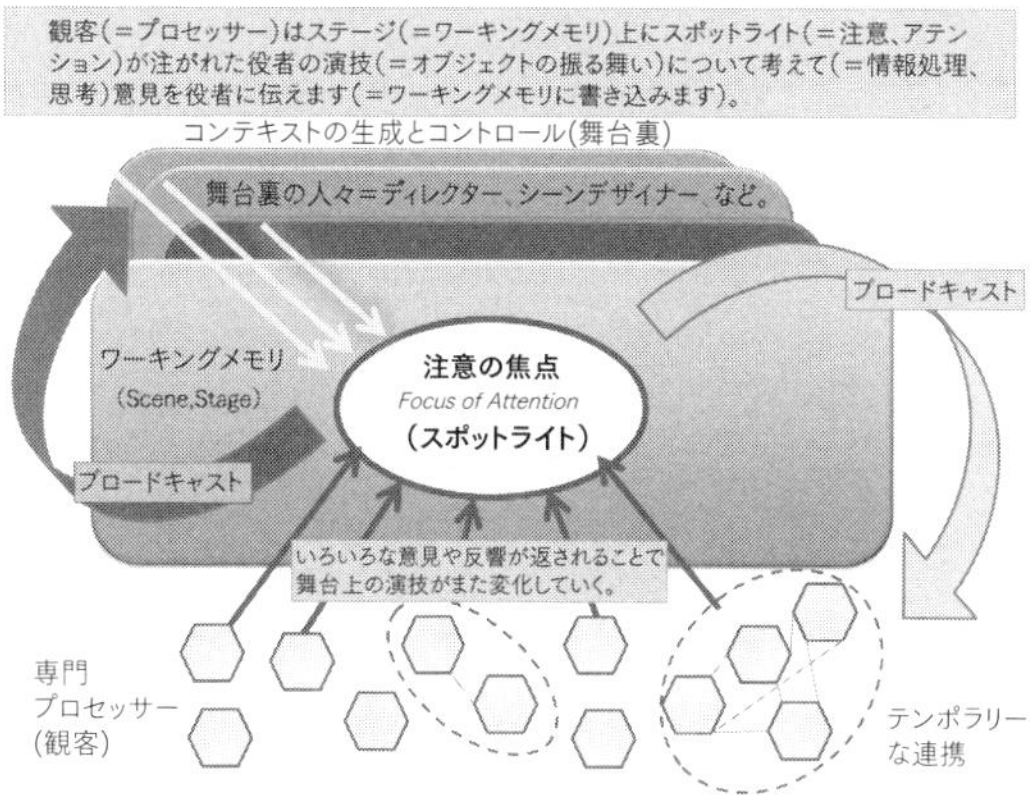

図11　意識の劇場型モデル

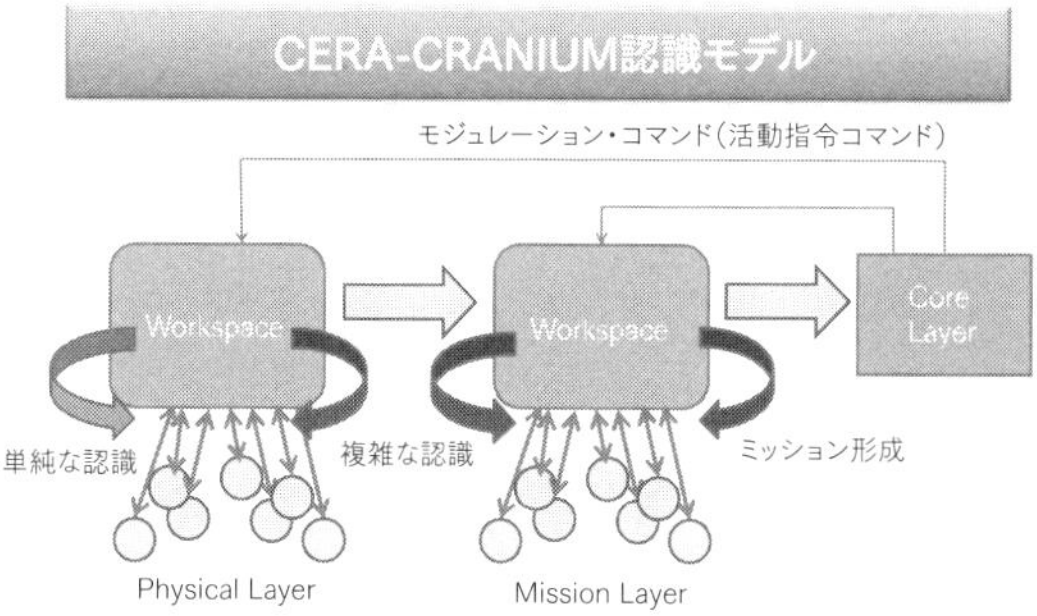

図12　CERA-CRANIUM認識モデル

11　ユクスキュルと環世界

生物がどのような知能を持っているか、という問いは重要な問いである。実際、ゲームの中のキャラクターの人工知能を作る時に基礎となるのは、人工知能の知識と、生物が持っている知能とそのモデルである。なぜならキャラクターはゲーム世界の中を生きる人工知能であって、単一の機能を持つ人工知能とは違うからである。たとえば、動物は縄張りを持っている。敵キャラクターの最も簡単なモデルは、一つの縄張りを持ち、敵プレイヤーが侵入すれば襲いかかる、というものである。また、自分の領地を巡回して守る、というのも動物の性質であるから、領地を巡回するという動作を取り入れる、ということが多い。こういった実装は「アージ理論」と密接な関係を持っている(14)。

しかし、もう一歩先に行ってみよう。「生物がどのような知能を持っているか」を問う時、ここには二つの問いが重複している。一つは生物を客観的に見て、その生物がどのような知能を持っているか、という問いである。たとえば、「ラッコは岩で貝を割ることができる」「蟻は一度通った道を覚えている」とか、そういった客観的な事実である。一つのゲームキャラクターの作り方とは、こういった事実を再現するように積み重ねることである。もう一つは、生物はどのような主観を持っているか、という問いである。その生物が固有に持つ知能から世界はどう見えており、それによってどう行動しているか、ということである。そのような生物が持つ主観的世界のことを「環世界」（Umwelt）という。

ヤーコプ・フォン・ユクスキュル（一八六四―一九四四）は生物学者であり、生物が内面から世界をどのように捉えているか、さまざまな生物の事例を通して探究していた（図13）[15][16]。「環世界」という概念はその中心となる概念である。生物は身体を持ち、身体を通して環境を認識している。生物はそれぞれ固有のあり方で環境に属しており、そのあり方（生態）に従い各対象と固有の関係を結んでいる。この関係の集合が「環世界」であり、生物は対象に対して「感覚指標」と「作用指標」を持つ。「感覚指標」とは生物がそれぞれの感覚器官に従って環境から得る特有の刺激（インパルス）のことである。動物であれば捕食対象の視覚的形状など、昆虫であれば蜜を吸う花の匂い、微小な生物であれば血を吸う対象である動物の湿気など、自身の持つ感覚が受け取る刺激のことである。それらの刺激が総合されて一つの大きな刺激となり、各細胞における反射的な運動が総合され、環境に対する特定の行動が生起することになる。このような運動が対象に対して働きかける点を「作用指標」と言う。動物であれば捕食対象の首筋や、昆虫であれば花の蜜のある場所、微小な生物であれば

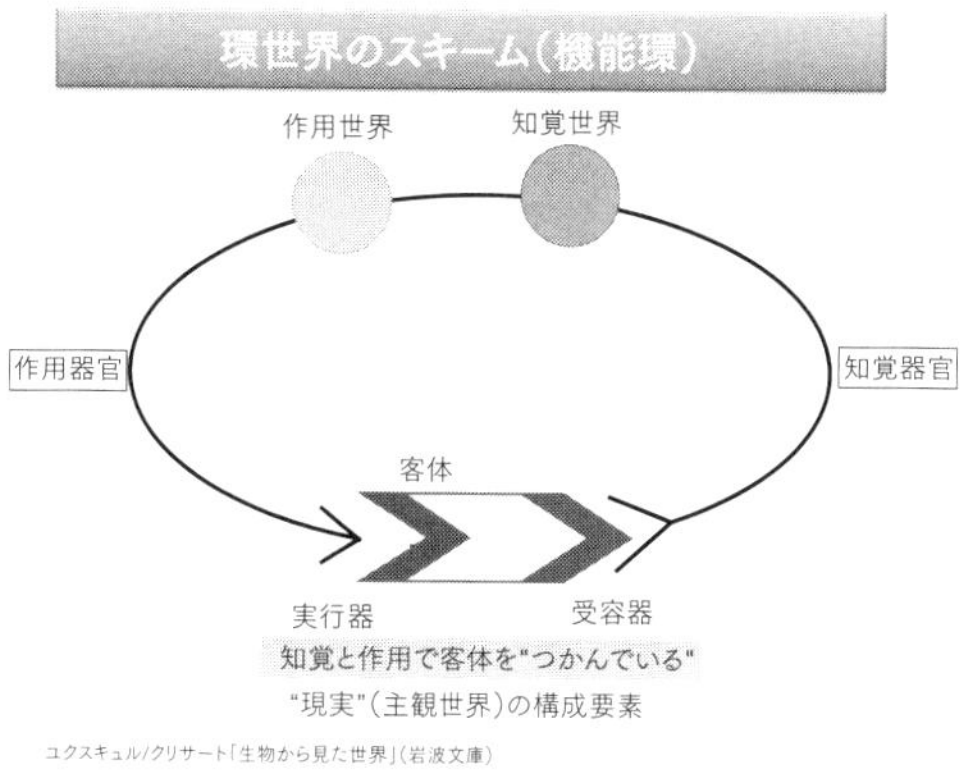

ユクスキュル/クリサート「生物から見た世界」（岩波文庫）

図13　機能環が形成する環世界

血を吸う血管の上の皮膚などである。この「作用指標」も動作の主体である生物固有の身体に依存している。蜂であれば針があり、動物であれば牙がある。このように主体は客体に対する「感覚指標」「作用指標」によって客体と特定の関係を結んでいる、比喩的な表現をすれば「つかんでいる」。「感覚指標」「作用指標」が形成する円環状のシステムを「機能環」と言う。一つの「機能環」は主体（自分）と客体との関係を記述するものであるが、客体との関係はこの機能環で固定される。「機能環」の集合が「環世界」となるが、これが生物が主体的に形成する世界であり、かつ、「かたつむりが殻から出られないように」生物が自ら作り出す世界であると同時に、自ら逃れられない世界である。また、その外に違った世界があるとさえ思えない主観的世界そのものになる。もちろん高等な生物になればより抽象的な環世界を形成するが、生物から見た世界とは基本的にその生物が形成する環世界を根底として成立する。さまざまな動物や小動物たち、人間の知能は、このような固有の「環世界」にトラップされている、世界そのものだと思い込むことで成立している。

「機能環」の主体と客体の円環構造は、「エージェント・アーキテクチャ」の図と重なる。この二つを比較し統合することで、相互に補完し合う知能のアーキテクチャが見えてくる。そして、それは自然にサブサンプション構造へ導く。「エージェント・アーキテクチャ」は説明した通り、極めて情報的かつ抽象的なアプローチである。一方、「機能環」は刺激レベルの生物の根底にある認知構造を記述したものだ。また前者は客観的なアプローチであり、後者は主観的なアプローチである。そこでエンジニアリング（プログラミング）の枠組みとしては「エージェント・アーキテクチャ」を基礎としながら、「機能環」を統合して行くことで、ゲームのキャラクターに主観的な世界を与えよう、というアプローチが考えられる。主観と客観を統合し、情報の流れに身体の固有性を持たせることで、人工知能はより生物らしい属性を獲得して行く。これはゲームのキャラクターでは特に重要なことだ。

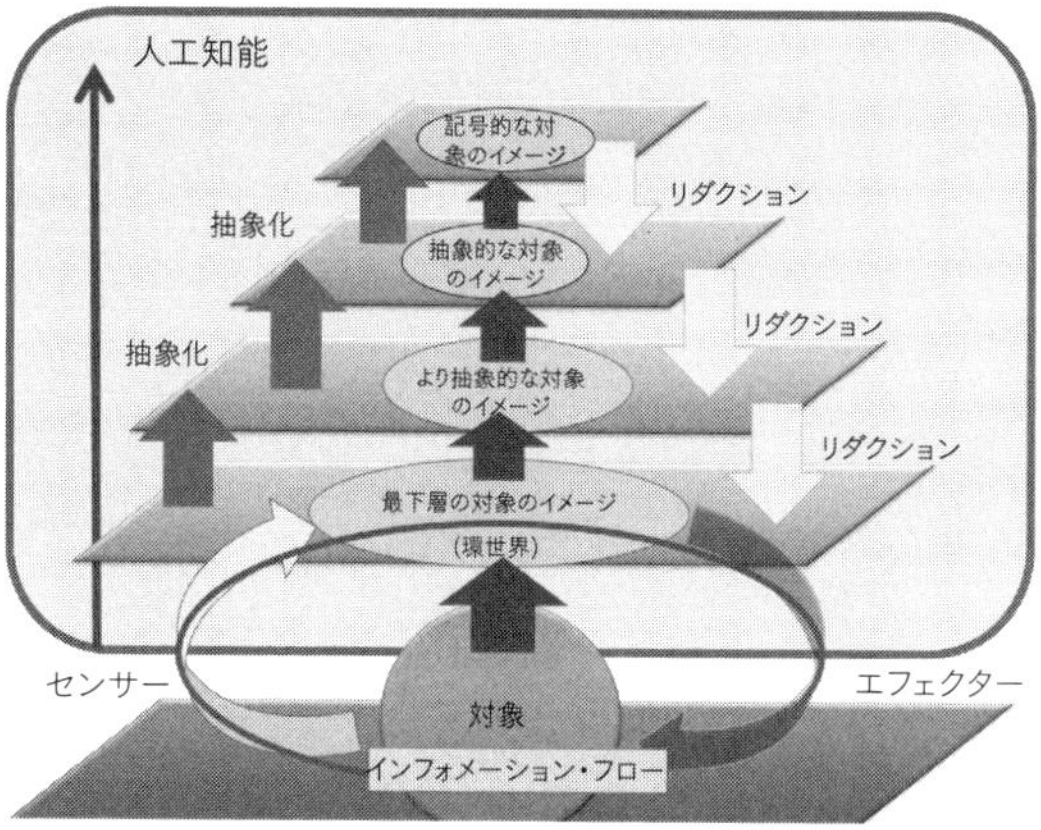

図14　環世界を含むサブサンプション構造のエージェント・アーキテクチャ

エージェント・アーキテクチャと機能環を統合したアーキテクチャは、機能環を基底構造として、その上に抽象的な認識を多層的に持つアーキテクチャとなる（図14[17]）。情報はレイヤーを登る度に抽象化され、思考もまたそれに伴い抽象的なものとなる。後述するが、生物の持つ身体も階層に従って抽象化される。

12　知識表現

生物は環境への関与の仕方によって分節化された世界を見る。何を対象として捉え（＝分節化する）、何を全体として見るかは、生物固有の身体性に依存している。蟻とゾウでは、認識する世界は違う。もし進化論を信じるならば、生物は、世界を解釈して、自分の意

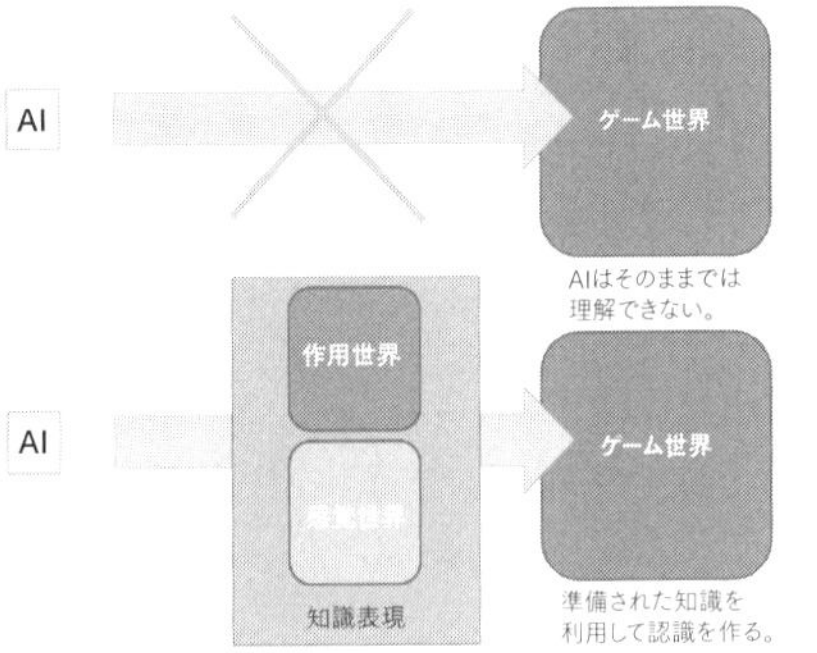

図 15　知識表現と人工知能

識に再現する無意識的な機能を何十万、何百万年という年月をかけて構築して来た。そういった世界を解釈する知能の実現こそは、実は人工知能で最も難しい部分である。しかし、これは一つのキャラクターやロボットの知能を身体と共に構築しようとする者が必ず直面する難題である。

知能を直接、世界に「さらす」ことはできない。もちろん目や耳から入る信号を解析して、世界の状況を把握するというアプローチもある。しかし、それでは不十分であるから、人工知能と世界の間に、世界を解釈するためのデータを人工的に作る。これを知識表現（Knowledge Representation）という（図15）[2]。知識表現は人工知能の最も基本的な技術である。後述するが、対象に対する知識表現は、その物を使用するため基本データと属性を、世界全体に対する知識表現は、パスデータなどの、移動可能領域や目的に応じて必要となる位置を示すものである。

13　ギブソンとアフォーダンス

デジタルゲームでは知識表現のデータを環境に埋め込む。ゲームの環境（地形や物を含めてレベルデザインと言う）に、その生物が認識するべき情報を埋め込んで行くのである。環世界の言葉で言えば客体、ゲームの言葉で言えばエンティティ・オブジェクトに、その生物が認識するべき情報を埋め込む。たとえば、部屋の中に箱があり、これは動かせる場合、「動かせる」という情報と、それをどちらに押せば動くか、というベクトル（方向）をその箱オブジェクトに持たせる。同様にスイッチがあれば、それを「押す」ことができて、それによって何が起こるかという情報を「スイッチ」オブジェクトそのものに付与する。敵キャラクターについては、それが「敵」であるという指標と、弱点ポイントを「敵キャラクター」オブジェクトに埋め込む。あるいは、地形全体の中で移動できる領域には「歩ける」という指標を付けておく。このように世界に情報を付与することで、人工知能は対象に対する知識を獲得し、行動の可能性を知ることができる。

ジェームズ・ギブソン（米、一九〇四―一九七九）の生態学認知科学ではこのような行動可能性のことを「アフォーダンス」と言う[18]。

……環境に存在する事物の「価値」や「意味」が直接的に知覚されることを示している……環境のアフォーダンスとは、環境が動物に提供するもの、良いものであれ悪いものであれ、用意したり備えたりするものである。アフォーダンスという言葉で私は、既存の用語では表現し得ない仕方で、環境と動物の両者に関連するものをいい表したいのである。この言葉は動物と環境の相補性を包含している。（ギブソン『生態学的知覚論』サイエンス社、一九八六[18]）

アフォーダンス情報は、知識表現の中で最も重要なデータである。生物学の「作用指標」、生態学的認知科学の「アフォーダンス」、人工知能の「知識表現」はほぼ同じことを指差している。オブジェクトのアフォーダンスを頼りに、人工知能は対象に対する行動を組み上げることができる。

14 アフォーダンスとゲーム

一つの例で説明しよう。あるキャラクターが部屋に入る。車、スイッチ、ドア、がある。開発中に、それぞれの知識表現を作って付与しておく（図16）。

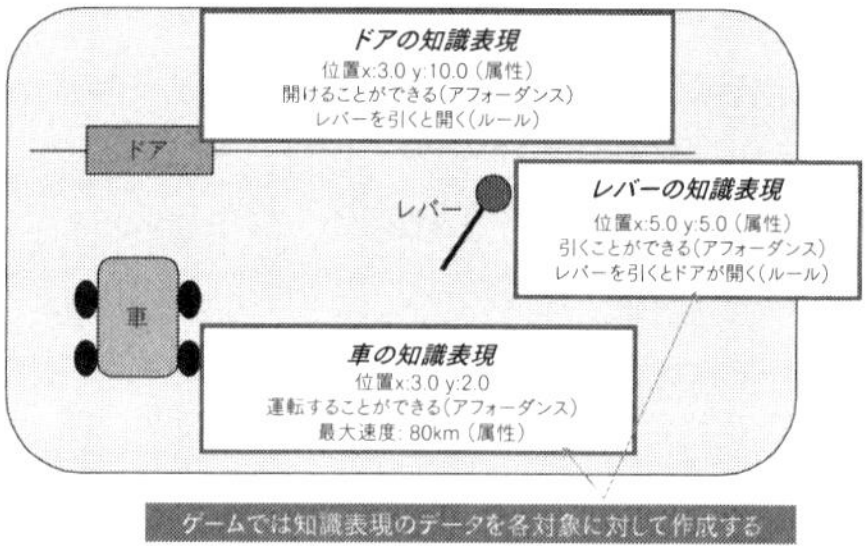

図16　知識表現のゲームでの活用

「車」……大きさは3×1・5×1メートル、座標（6.0,1.0,1.0)。形は四角、堅いので魔法弾は貫通しない。

北へ向かって「動かすことができる」車に右から「乗り込む」ことができる。

「スイッチ」……座標（1.0, 3.0, 1.0)。「押す」ことができる。「押す」とドアが開く。

「ドア」……座標（3.0,6.0,0.0)。「手動で開く」ことができない。「スイッチを押す」ことで開く。

ゲーム実行中で人工知能はこれらの情報を使って自分の行動プランを作る。キャラクターがこの部屋に入ると、その部屋に属するオブジェクトの情報を収集する。そこからすべての可能な行動のリストを得て、その行動を順序立てる。たとえば今回であれば、「スイッチを押し」「ドアが開いて」「車に乗って進行する」行動プランを人工知能は構築することができる。

デジタルゲームは主に三種類データがある。描画のための描画データ、物理のための衝突データ、人工知能のための知識表現データである。この三つのデータが揃うことで、はじめてデジタルゲームは駆動するのである。

15　ベルンシュタインと協応の原理

現在のデジタルゲームのAIにおける最も大きな課題は、アニメーション（キャラクターの運動）とAI（意思決定）をどのようにつなぐか、ということである。初期のPCゲーム、ファミコンやスーパーファミコンなど、二次元におけるアニメーションはスプライトアニメーションなど表現上のアニメーションがほとんどであった。一九九〇年代中盤から3Dゲームに移行し、キャラクターは三次元の身体とボーン（骨）、リグ（骨同士のリンク）を持つようになった。「プレイステーション2」世代（二〇〇〇〜）までは、基本的にAIが指定したアニメーションを再生する、という形でAIとアニメーションの上下関係が固定されていたが、「プレイステーション3」世代（二〇〇六〜）に入ってからは身体が環境（足元の地形や崖・壁など）や制約条件（敵の方向・所持アイテム）に合わせて、自動的にその条件に合うように変形するようになった（逆運動学（Inverse kinematics））。

しかし、あらゆる動物がそうであるように意思決定は本来、自身の身体の運動可能性を考慮に入れて行うものである。すなわち、自分の身体に応じて世界における運動可能性を知る必要がある。たとえば目の前に穴があり、動物であればどれぐらいの距離ならば飛び越えることができるかを知っている。ボールを投げる時は、どれぐらいの距離と高さまで狙えるかを知っている。枝をつかんで崖の向こう側に行けるという可能性を知っている。

また一旦、運動を開始した後も、運動は随時更新する必要がある。剣戟《けんげき》が相手に届かないと思った瞬間、歩幅を大きく変化させるとか、走っていて魔法弾が飛んで来て咄嗟に屈んで机の下を潜るとか、世界にあるアフォーダンスを精緻に活用すればするほど、キャラクターの運動は知的になって行く。

そこで、人間がどのような仕組みで知能と身体運動を結びつけているか、人間や動物の運動の巧みさはどこから来るか、という知見を取り組む必要がある。ユクスキュルの環世界は基本的なフレームを構築し、ギブソンは認識レベルの可能性を追及したが、これをより運動の面から詳細に探究したのが、ニコライ・ベルンシュタイン（露、一八九六―一九六六）である。(19)

たとえば、馬に乗りながら地面から負傷した少年を抱えて後ろに乗せる、という行為は極めて高度な運動である。その運動がいかに構築されたのか、人間の複合的な運動の生成原理を紐解いて行く。そこで彼は運動の生成には四つの生成段階があることを発見する。

レベルＡ　緊張のレベル　　身体の静的な姿勢のための微調整（動的平衡）
レベルＢ　筋－関節リンクのレベル　　関節の連合による運動の原型の生成（動作のリズム）
レベルＣ　空間のレベル　　その運動を周囲の空間に合わせる
レベルＤ　行為のレベル　　運動を連鎖させて行為を作り出す（連鎖構造）

これらはまた、人間が脊髄や骨格を獲得しながら運動の可能性を広げてきた進化の序列でもある。生物はレベルＡから序々に運動の可能性をＢに広げ、それらをレベルＣで空間の構造に従って変形させ、レベルＤで時間軸に沿って連鎖させる。これらの階層が協応して動作が構築される。時間と空間の中で運動を展開する段階を示す極めて重要な知見である。

またベルンシュタインが着目するのは「知覚と運動」の関係である。バスケットボールでゴールを入れる選手はどこを見ているか？　ドリブルをしている時、ゴールポスト前に来た時、飛び上がった時、それぞれ要求される運動が異なる。その運動が要求する情報を取得するように目を動かす。高度な運動を生成することは、感覚と運動を連動させる必要がある。運動の協応構造とは、外部への感覚、自分の身体への受容感覚の双方の情報を用いて調整をかけながら、右の四つのレベルを組み合わせて全体の運動を創造・制御することを言う。

デジタルゲームでは運動を生成しない。準備されたアニメーションを多少変形させながら「再生」するのである。これはちょうど動物が段階的に運動生成していることと、直交するアプローチである。当然、いくらＡＩの状況判断を賢くしても、環境に順応できない。身体の運動に自由性がない。結局、アニメーションのデータを作るという方法は外側から動物にアニメーションデータをかぶせるアプローチであり、動物が内側から運動を生成するとは直交する方法なのである。

16　身体に抽象化と対象の抽象化の並列性

ここで身体と対象について考えてみよう。身体の基本はもちろん物質的な身体というものがあるが、知能にとっての身体は対象であり自分自身でもある両義性を持つ特別なものである。そこで知能は身体を自分自身の一部として抽象化した形で取り込む。「抽象的身体像」を構築し、それも多段階に抽象化しながら、自己としての役割を、あらゆる階層で機能させる。

先に上げたように知能は階層構造を持つ。身体もまた、各階層で抽象化された自己イメージを持つ。それぞれのレイヤーで、その抽象化した自己と、抽象化した対象との関係が構築される。つまり、各階層での自己イメージ、対象イメージ、さらにその間の関係性、三つからなるシステムが一つのレイヤーを為し、そのシステムがさらに抽象化されることで、上位のレイヤーが構築されて行く。これを縦に見ると、自己とは身体を起源とする自己イメージの序列（シークエンス）であり、対象とは物質的対象を起源とする対象イメージの序列と捉えることができる。そして各階層における自己と対象の関係性もまた、抽象化をくり返している（図17[17]）。

知能は階層性を持って自己を含む世界全体を取り込んでいる。知能は多層的なものであり、それぞれのレイヤーはその次元における世界の認識と活動を表現している。ただ、それぞれのレイヤーのコアとなるのは、身体のイメージであって、人間や動物は、世界に自分を「投げ込む」ことによって、世界と関わる身体と自己イメージの序列を手に入れる。そこでは、人間特有の高度な抽象化が発揮され、捉え難い世界の姿がベールを剥ぐように、一層、一層、明らかになるのである。

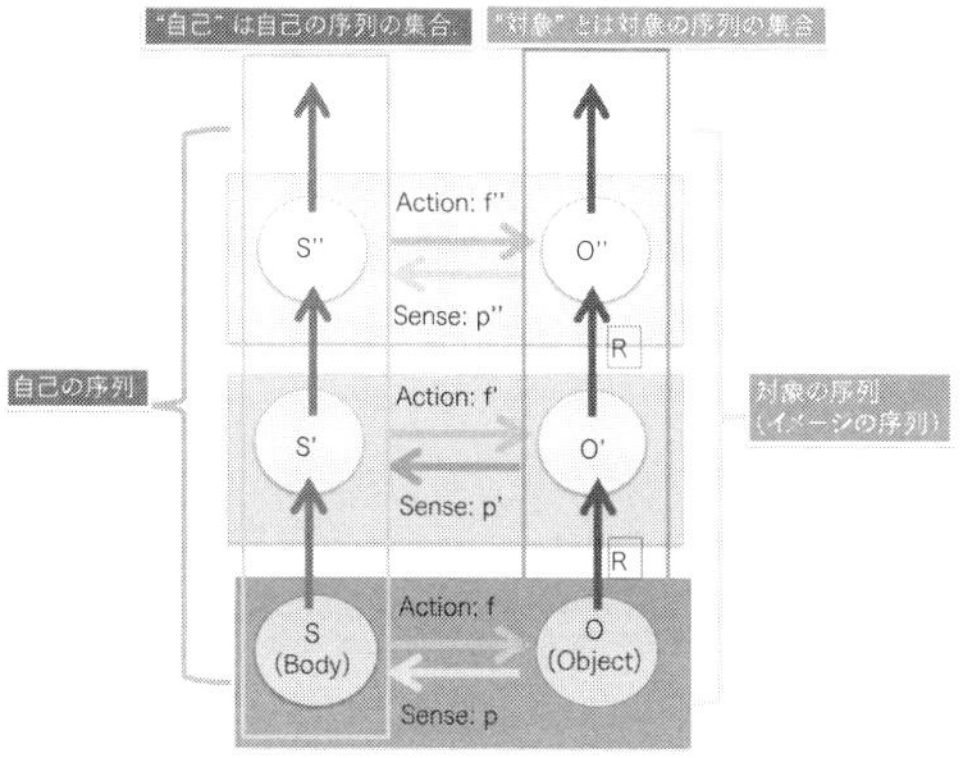

図17　知能のレイヤー構造と、それぞれのレイヤーの自己と対象とその関係性(17)

17　現象学的人工知能へ

フッサールの現象学は、デカルト的世界観を乗り越えるべく展開された。コギト（「我思うゆえに我あり」）から始まる論理的な世界を超えて、エポケーと志向性によって広がる経験世界全体を学問の射程に含めるプログラムである。この拡張は、人工知能にも大きな影響を及ぼす。人工知能が生まれたのは一九五〇年代以降のことであり、現象学が展開されたあとのことではあるが、その発展はほぼデカルト的な世界観の中で進捗してきたと言ってよい。

「人工知能」を「考える存在」であると捉えるのは、

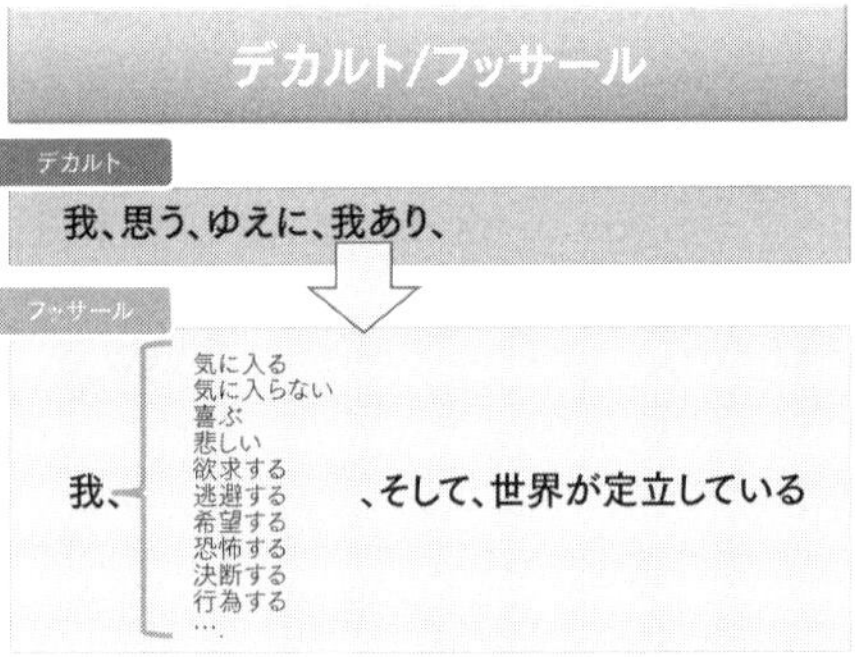

図18　デカルトからフッサールへの拡張

デカルト的な発想である。不思議なことに、どの人工知能の論文や教科書にも、人工知能は「考える存在」であるという前提が明示的、あるいは暗黙の内に仮定されている。これはなかなか気づきにくいことであるが、この制限が思惟する存在という枠に人工知能を閉じ込めて来たのである。

現象学的に言うと、「我（知能）はあらゆる志向性によって世界に関係を持つ」存在であり、「我思う」という一本の細い「我」という端点だけでなく、「我感じる」「我気に入る」「我喜ぶ」「我悲しむ」「我望む」「我怖れる」「我決断する」「我行為する」というあらゆる志向性が還元された我から世界へ向かって流れており、人工知能もまたこのような姿で捉えることで、より豊かな経験を内包する知能の構築を目指すことができる。これがフッサールが、デカルトの哲学の反省から拡張した現象学の効果である。そこで世界は思考する対象としてではなく、それぞれの志向性に応じた意味を持ち始めるのである（図18）。

現象学的人工知能は超越論的主観性から出発して、あらゆる体験を持つ人工知能である。もはや、それは人工知能という名前がふさわしくない、人工知性とも言うべきものなのである。

また、このような人工知能の現象学的転回は、知能を構築するための身体性の問題を復活させる。

経験の総体として世界を捉える志向性の発端は、ただそれが脳であるとか、身体であるとかを超えて、人間の物理的、情報的全体をもって世界と対峙するところから始まるからだ。あらゆる経験を受け入れるのは身体と知能全体であって、メルロ＝ポンティの言うように、我々は身体によってこの世界に住み着いている存在なのである（図19）[20]。

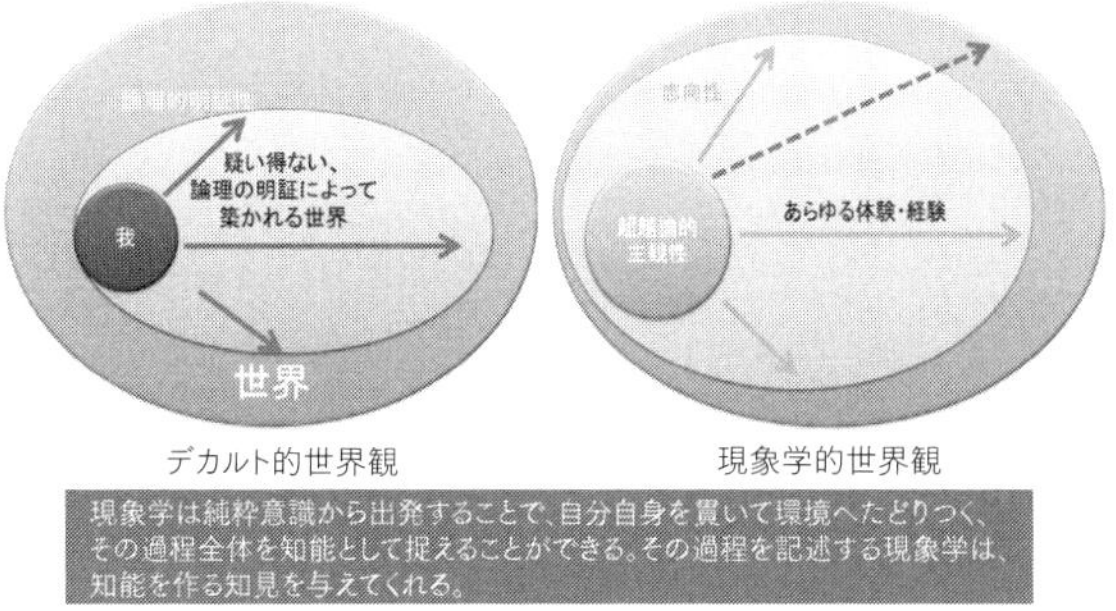
疑い得ない、
論理の明証によって
築かれる世界
我
世界
あらゆる体験・経験
デカルト的世界観
現象学的世界観
現象学は純粋意識から出発することで、自分自身を貫いて環境へたどりつく、その過程全体を知能として捉えることができる。その過程を記述する現象学は、知能を作る知見を与えてくれる。

図19　デカルト的世界観と現象学的世界観の対比

18　現象学的人工知能の構築

我々は「希望する人工知能」、「恐れる人工知能」、「喜ぶ人工知能」を構築しようとするわけである。人間が持つ経験の総体を、人工知能に対しても経験させようとするわけである。つまり人工知能の現象学的転回によって、より拡大された人工知性のためのフレームを構築したい。ここでもまず「エージェント・アーキテクチャ」から出発しよう。

「エージェント・アーキテクチャ」は思惟する存在としての知能を示している。つまり、思惟という作用が知能の中に満ちている。そこで、これらを単に考えるだけでなく、あらゆる作用を包括する「現象学的エージェント・アーキテクチャ」を構築したい。すると、意思決定と書かれていた部分は、汎用的な「作用」と書

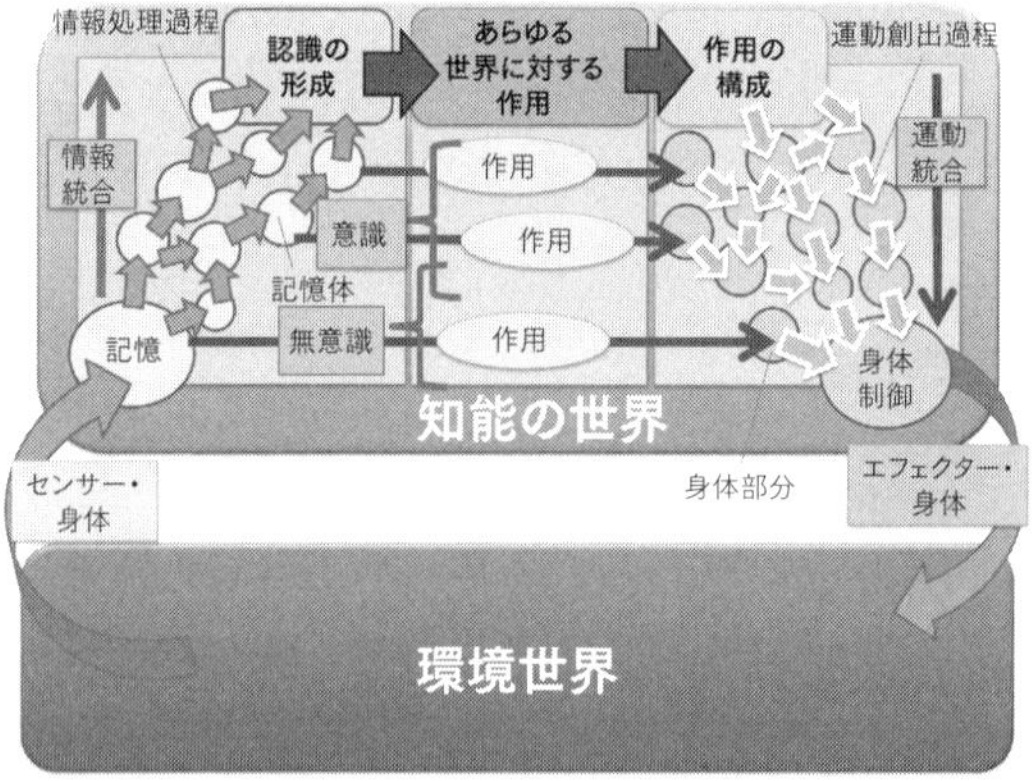

図20　現象学的エージェント・アーキテクチャ(21)

かれるべきである。作用は外へ向かうだけでなく、感情、動作、判断など対象を持つ「作用」として一般的な志向性の矢である。何かに対して思うことと、何かに対して行動しようとすることも、より深いレベルでは同じであり、自分自身の記憶などへの作用も含まれる。つまり還元された純粋意識から見れば、内面、環境を含めたもの＝対象への作用が一般的に定義されているのである（図20）。

　これを工学的見地から言えば、次のようになる。

（1）これまでは世界の対象に向かって構築していた作用、アフォーダンスや知識表現によって、知能の内部から外部の世界へ向かって構築していた作用（志向性の矢）を、さらに内面的なイメージや、身体に向かっても構築して行く。これによって内面のイメージや身体の感覚さえも知能の対象となる。

（2）知識表現という論理的な情報だけでなく、より主観的な感情、希望、怖れといった表現へと拡張する。知識表現は思考のための情報であったが、人工知能がそれ以外の精神的な活動を展開するために必要な情報を、世界に埋め込むことになる。なんとなく恐い場所や、安心できる場所など、多様な内面活動を前提とする情報を世界に付与して行く。これによって知識表現はすでに知識表現でなく、知能が持つあらゆる世界への志向性の矢を受け入れる器となる。

（3）具体的な作用の構築は、かつて意思決定アルゴリズムであったものを、より精神内部の動的な活動として機能させる。たとえば、貝殻の記憶がたくさんあれば、世界に貝殻を見た時に、知能はかつて貝殻を見た記憶を想起するだろう。またかつて傷つけられた敵を見たとき、そこには自分の古い傷がうずくのを感じるだろう。そこでは、現象学が展開するノエシス＝ノエマ的な記述がヒントとなるだろう（図20）。

19　まとめ　人間を知るための人工知能

人工知能の立ち位置はある特別な場所にある。科学でありながら工学であり、工学でありながら哲学である。科学、工学、哲学が交錯する分野であるのは、知能が自分自身であると同時に対象であり、科学的探究の対象でありながら、工学的構築の目標でもあるという、二重の両義性によるものである。それゆえに、人工知能には特有の面白さがあり、立脚点から矛盾を内包している。

それは逆に言えば、新しい科学、新しい工学、哲学に対する改革のチャンスを持っているということであり、人工知能がいかなるアプローチを取るかということは、この三分野の足元に挑戦することでもある。

また一方で、人工知能はそのほとんどの知見を他の学問に拠っており、それ自身が固有の知識を有しているわけではない。つまり、ほとんどの知識は借り物であり、それを知能という次元で組み合わせて実験する。ここで説明してきたさまざまな知識も、他の学問から借りてきたものである。これは人工知能の脆弱性でもあり、長らく人工知能が学問としての根拠性に対して批判にさらされてきた原因ともなった。総合となって初めて固有となる知的機能が発現するという意味では、極めて工学的な学問とも言える。だが、その知的な次元を支えるのは、足場となる哲学であり、哲学は直接的に人工知能の技術となることはなくても、人工知能を作る時の巨大な足場をエンジニアに提供している。また作り上げる過程、作り上げた後のテストは、科学的な探究であり、実験と応答を通して、一歩ずつ人工知能固有の知見を積み上げて行くプロセスである。

人工知能は人間の姿を映す鏡でもある。人工知能はその探究を通して人間とは何かという問いに対して、単に思惟によって考察するだけではなく、アクチュアルな工学的構築活動を通して検証し、実現して行く分野でもある。そこには科学、工学、哲学が渾然一体となった独特の輝きがあり、その輝きが人をひきつけてやまないものなのである。

（注）
（1）三宅陽一郎「ディジタルゲームにおける人工知能技術の応用の現在」『人工知能』Vol.30、No.1、pp.45-64（2015）
（2）Stuart Russell, Peter Norvig: Artificial Intelligence: A Modern Approach,Prentice Hall, Third Edition（2009）

（邦訳）『エージェントアプローチ人工知能　第二版』（共立出版、二〇〇八年）
（3）三宅陽一郎「進化と知能」（A.I.FM 2013）
http://www.slideshare.net/youichiromiyake/y-miyake-aifm201376
（4）三宅陽一郎「次世代キャラクターＡＩアーキテクチャーの構築」（CEDEC 2012）https://cedil.cesa.or.jp/cedil_sessions/view/891
（5）Rodney Brooks：“A robust layered control system for a mobile robot”, IEEE Journal of Robotics and Automation, Vol.2, No,1, pp.14-23（1986）
（6）三宅陽一郎『デジタルゲームＡＩ、デジタルゲームの教科書』（ソフトバンクパブリッシング、二〇一〇年）、第23章、pp.431-482.
（7）三宅陽一郎「ディジタルゲームにおける人工知能エンジン」『映像情報メディア学会誌』Vol.68、No.2、pp.125-130（2014）
（8）Ned Block, “On a confusion about a function of consciousness”. In N. Block, O. Flanagan, G. Guzeldere. The Nature of Consciousness: Philosophical Debates. MIT Press. pp. 375-415.
（9）H.Penny Nii：The Blackboard Model of Problem Solving and the Evolution of Blackboard Architectures, AI Magazine, Vol.7 Num.2, pp38-53（1986）
（10）H. Penny Nii：Blackboard Application Systems, Blackboard Systems and a Knowledge Engineering Perspective, AI Magazine, Vol.7 Num.3, pp82-107（1986）
（11）Baars, B.J. 1997, “In the Theatre of Consciousness: Global Workspace Theory, A Rigorous Scientific Theory of Consciousness”, Journal of Consciousness Studies, no. 4, pp. 292-309.
（12）Dennett, D.C. 1991, Consciousness Explained, Little, Brown and Co, Boston.
（13）Arrabales, R. Ledezma, A. and Sanchis, A. “CERA-CRANIUM: A Test Bed for Machine Consciousness Research”. International Workshop on Machine Consciousness 2009. Hong Kong. June 2009. Pages 105.
（14）戸田正直『感情――人を動かしている適応プログラム』（東京大学出版会、一九九二年）

(15) ヤーコプ・フォン・ユクスキュル、日高敏隆・羽田節子訳『生物から見た世界』（岩波書店、二〇〇五年）
(16) ヤーコプ・フォン・ユクスキュル、前野佳彦訳『動物の環境と内的世界』（みすず書房、二〇一二年）
(17) Y.Miyake, A Multilayered Model for Artificial Intelligence of Game Character as Agent Architecture, MEIS 2015, pp.89-92.
(18) J・J・ギブソン、古崎敬訳『生態学的視覚論――ヒトの知覚世界を探る』（サイエンス社、一九八六年）
(19) ニコライ・A・ベルンシュタイン、工藤和俊訳『デクステリティ　巧みさとその発達』（金子書房、二〇〇三年）
(20) メルロ＝ポンティ、竹内芳郎ほか訳『知覚の現象学 1、2』（みすず書房、一九六七、一九七四年）
(21) 三宅陽一郎「人工知能のための哲学塾　#Act_1 フッサールの現象学」(2015) http://www.slideshare.net/youichiromiyake/ss-53507300

以下、本章で参考とした主なデカルトとフッサールの著作を挙げておく。

ルネ・デカルト、落合太郎訳『方法序説』（岩波書店、一九七九年）
ルネ・デカルト、野田又夫訳『精神指導の規則』（岩波書店、一九七四年）
E・フッサール、渡辺二郎訳『イデーン――純粋現象学と現象学的哲学のための諸構想（I-I）』（みすず書房、一九七九年）
E・フッサール、渡辺二郎訳『イデーン――純粋現象学と現象学的哲学のための諸構想（I-II）』（みすず書房、一九八四年）
E・フッサール、浜渦辰二訳『デカルト的省察』（岩波書店、二〇〇一年）

第3章　物質と精神、思考と行動、反射と自律

1　はじめに

本章は、意識を中心的課題として、その周囲にある人工知能・哲学・生理学からのアプローチを明らかにしたい。生理学、哲学、人工知能から見た意識に関する諸問題の内容を明確にすることが目的である。意識に関する明確な定義はないが、ここでは、最大限広い意味で意識という言葉を用いる。すなわち、自意識、身体意識、対象意識の形成を対象とする。

しかし、それは安易に三つの分野を融合するということではなく、互いに知見を渡し合うことで、それぞれの分野において意識という深い問題の探求を進めたい。この三つの解説は相互に知見を分かち合いながら深化した成果とはいえ、それぞれが各分野において独立した研究解説である。そこで本章では、どこに共通の問題意識があることを解説し、この三者がどのように異なるかを明確にした後、ゲームＡＩはその問題に対してどのような技術でアプローチするかを解説する。

それぞれの分野で意識を探求する中で互いに共通する部分が存在する。ここではその共通する部分を明らかにしていきたい。

2　意識へのアプローチ、トップダウン、ボトムアップ

ゲームやロボットなど身体をもつリアルタイムでインタラクティブな自律型エージェントの人工知能をつくるには、サブサンプションアーキテクチャ［Brooks 85］のようにボトムアップに身体から知能へ向かって構築する、あるいは記号主義型のように最初から抽象的なシステムとしてトップダウンに構築する、二つのアプローチがある。概してではあるが、ボトムアップのアプローチはロボットやゲームキャラクタなど身体の動作をアウトプットとする分野においてよく使用され、情報処理を主体とする分野ではトップダウンのアプローチが取られる場合が多い。

トップダウンの知能の設計では、設計者が設計したモジュール化された知能システムが出発点となる。この知能システムを出発点として、そこから身体と環境へ向かって知能システムが展開される。この仕組みの中で意識をどのように定義付けることができるかがトップダウンのアプローチの意識の構成の課題となる。ボトムアップでは逆に身体から知能へ向かって層が積み重ねられていくが、積み重ねた層の果てに意識へたどり着けるか、最上層には意識が現れるのか、がボトムアップのアプローチの意識の構成の課題となる（図1）。

3　トップダウン、ボトムアップの背後にある哲学

ボトムアップ的なつくり方の背景には、知能を一個の反射システムとして捉える考え方がある。身体を物理的なメカニクスとして捉えると、そこには刺激・力の入力と出力の間にある装置としてみなすモデルを構築することになる。これは人工知能におけるエージェントアーキテクチャである。またベルクソンも、入力と出力が短時間に直接つながってしまうものは「物」であり、その間に多重の遅延がある機構が「知能」であると考える［ベルクソン 07］。ところが脳となると、そのような単なる反射系として捉える見方には限界がある。脳はニューロンの電子回路として見たとしても、それは非線形の内部状態を多重にもつ複雑系フィードバックシステムであり、またニューロンによる自発的発火を考えれば、そこには単なる入力以外の影響をもつからである。しかしいずれにしろ、物質系から出発することは、物理的に流れる時間によって知能がドライブされることを前提とすることになる。

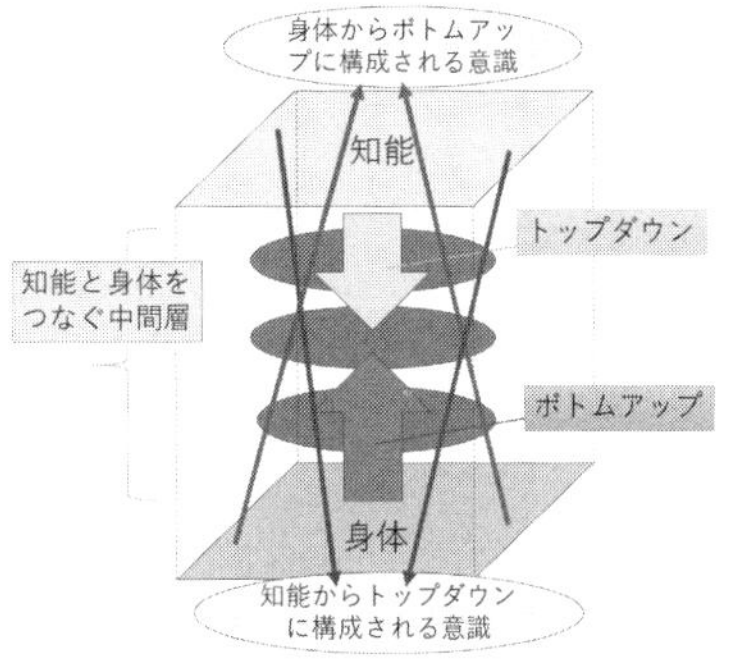

図１　意識へのボトムアップ・トップダウンアプローチ

　一方、トップダウン的な人工知能のつくり方の背景には、知能を抽象的存在として捉える見方が含まれている。それは時間を超えた定性的な存在として知能を捉える立場を出発点

とする。そこで、トップダウン的な知能の捉え方には、身体のように否応なく時間的に知的活動をドライブする基盤が存在しない。トップダウン的なアプローチは、抽象的存在から始めて身体、そして環境へ向かって連続的に知能システムを接続して構築する機構を必要としているが、身体と精神をつなぐ知的機構はまだ十分に明らかにされていないために、そのような機構を構築するのは現時点では困難が多い。

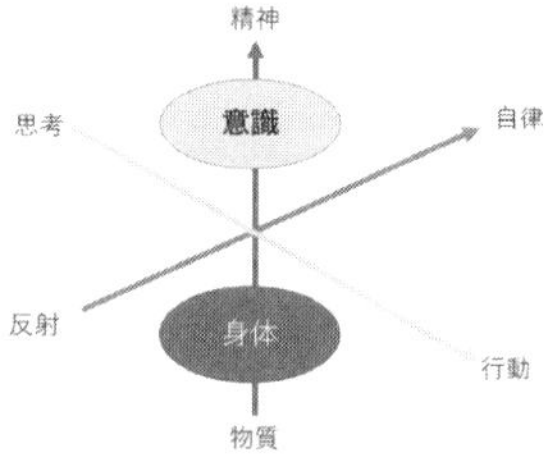

図２　物質と精神、思考と行動、反射と自律の関係

このように意識の問題には物質と精神、思考と行動、反射と自律の間にある断絶という問題が横たわっている（図２）。また時間と意識との関係を考えると、概しての議論となるが、ボトムアップのシステムにおける知能そして意識は世界に流れる時間とともに運動し、トップダウンの意識は時間を超越した存在としてある。単にプロセッサの時間ということではなく、意識が感じる時間をどのように再現するか、ということは、意識の構築にとって本質的な問題である。

４　生理学から探求される意識

生理学的なアプローチでは、細胞と刺激の連鎖としての知能があり、物質的現象から心理、意識、知能が形成されると考える。一方、心理学的なアプローチは、最初から内面の心理というシステムを仮定し、総合的なシステムとして知能を扱う。太田宏之氏の解説［太田18］にあるように、生理学の歴史においては、運動生成の機構を「反射による運動生成」、「反射だが内部状態をもつために再現性のない運動生成」、さらに「自発的運動生成」という三つの段階を経て論じられてきた。人間や動物の身体、脳の中の構造、信号の流れ、物質の伝播を調べることで、いまだ知られていない意識と知能の機構を探求しているのである。

生理学はニューロン機構の発火から意思決定が形成される過程を探求している途上にある。環境からの刺激、自発的発火、さらにニューロンの多重のループの機構、さらにノイズから、意識と意思決定のメカニズムが探求されている。太田氏の記事にあるような、生理学における反応の再現性をなくすための状態の保持と、人工知能や哲学が扱うようなシンボルのレベルにはギャップがある。前者は電気回路プログラムの比喩でもあるが、後者のシンボルレベルの記憶、エピソード的記憶は抽象的、観念的記憶である。ここには抽象的な次元と物理的次元の乖離が存在するのである。

また動物には、運動の結果に伴う学習が運動の発生を調整する機構がある。しかし、人工知能における学習はディープラーニングであっても、身体の一部分の学習を模している段階であり（たとえば視覚野、聴覚のみ、など）、動物が行うような諸感覚と全身を連合して行う全体的学習をまだ扱えていない［ベルンシュタイン03］。ディジタルゲームにおけるニューラルネットワークを用いた学習においても、格闘ゲームのようなくり返しのアクションの多いゲームは強化学習がしやすいが、ロールプレイングゲームのような長期のくり返しの少ないゲームにおける強化学習の例は現在のところ極めて少ない。

5　哲学から探求される意識

アンリ・ベルクソン（仏、一八五九—一九四一）には、外界からの刺激が生物の内部で多層的に遅延して、知能が形成される、という「遅延の理論」がある。これは、エージェントの知能モデルをつくる示唆を与えており、実際に筆者はこの理論を参考にエージェントの内部構造の設計を行っている［三宅 16、三宅 18］。平井靖史氏は、この遅延とさらにベルクソンの記憶モデルから意識に関する研究を行ってきた［平井 17a、平井 17b、平井 18］。以上が、数ある哲学者の中からベルクソンの哲学が意識との関連において取り上げられた理由である。

意識についての問題は、古来「精神か、物質か」という二元論の問題として議論されてきた。この二元論は西洋哲学の基調を成す問いであるが、この問題に対して、ベルクソンは主著『物質と記憶』の中で、極端な形而上学的観念論や、物質還元論の二極を避けて「イマージュ」という概念によって精神と物質をつなごうと試みた。生物が物事を認識するときには、生物が世界に対して働きかける志向性と、世界の側にある存在から受け取る感覚の混合によって存在が浮かび上がる。身体というイマージュが、環境の中の他のイマージュとの関わりの中で存在しインタラクションしているのである。

身体イマージュは、環境とのインタラクションにおいて、その外部からの影響（刺激・情報）が「遅延」していく構造にあり、その遅延が意識と知能の源泉であると説く。これは文字どおり、入力があって出力があれば、その間が線形につながってしまえば反射でしかないが、それらの影響が内部構造の中で非線形に渦《うず》をなし、渦どうしが内部でさらに相互作用しながら、ゆっくりとアウトプットが形成される。この入力と出力の間の「遅延」があるおかげで、生物は反射的な世界から逸脱し、自律的な知能を獲得する。そこで生物は完全には時間に隷属しない経験する時空が圧縮された「隙間」を獲得する。

平井氏の記事［平井18］で解説されるベルクソンの記憶理論は、ある時点における絶対的な過去の記憶が存在し、現時点の想起はすべてその呼出しによって行われる、とする理論である。それはまさに「生きている過去」であり、過去が干渉する。現在に対する力をもっている。世界の情報から現在という認識を再構成しようとする過程に、過去からの流れによって現在の意識が形成される。過去の総体は積み重なり絶えず変化することから、再現性のない新規的なアウトプットが可能になることは、太田氏が生理学から説明した「再現性をなくすための内部状態の変化を想定すること」と相通じるものである。

6　キャラクタ人工知能において探求される意識

ディジタルゲームにおけるキャラクタの人工知能は、二〇〇〇年以降、エージェントアーキテクチャに基づいて設計されることが多く、その中に認識モジュール、意思決定モジュール、運動生成モジュールなどを組み込んでいくことで拡張性の高いデザインとなっている（図3）［三宅15a］。環

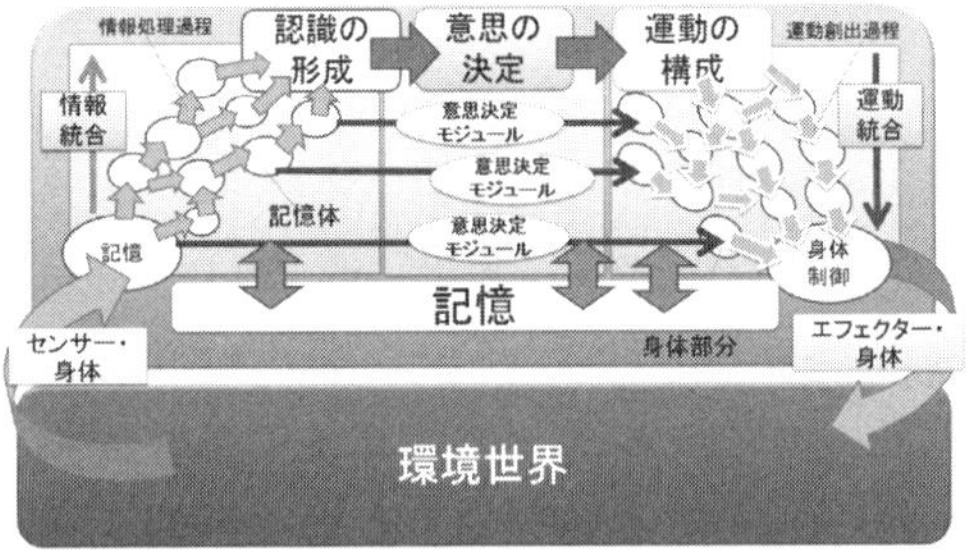

図３　キャラクタ AI エージェントアーキテクチャ

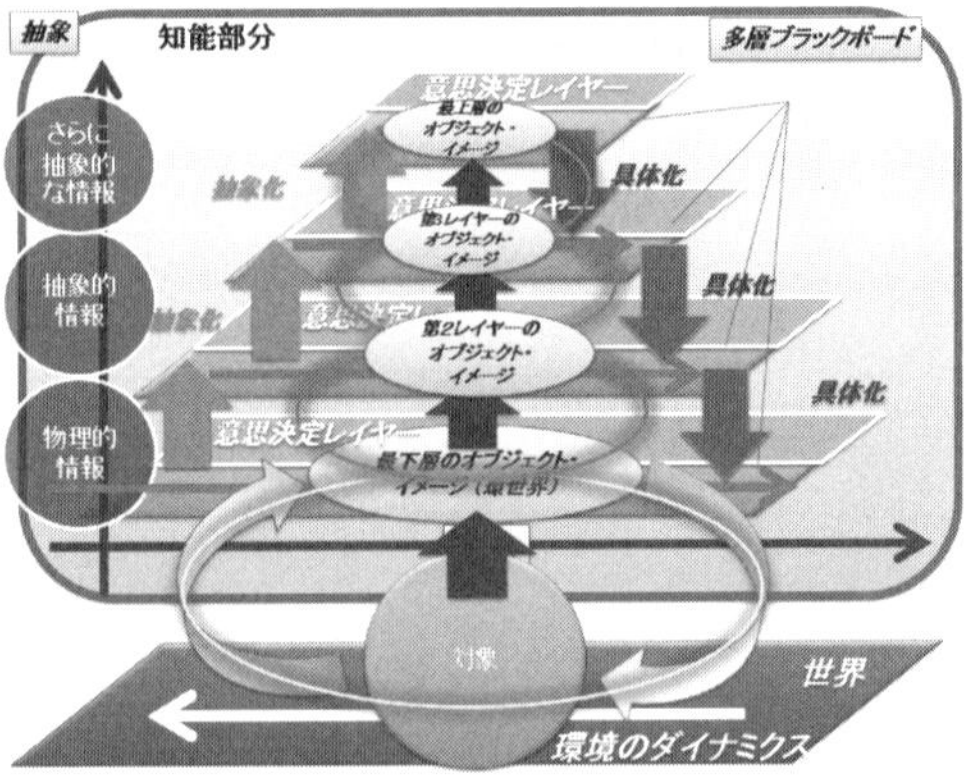

図４　多層構造のエージェントアーキテクチャ

境からセンサを通じて情報を取得し、最終的な身体運動のアウトプットを形成する。環境と知能の間に流れる情報の流れ（インフォメーションフロー）があり、この流れによって知能がデータドリブンに励起されている。

ボトムアップ的アプローチは、下層から上層へ層を積み上げる反射的な多層構造アーキテクチャ（図４）[Miyake15b] では、抽象的な意識の存在へ至る方法はいまだ見いだされていない。その理由は、身体のような物理的・機械的な連続動作と、シンボルによる記号主義的思考を接続する決定的なモデルがないからである。この多層構造はベルクソンの図（[平井18、図4]）と似ている。世界の認識の深さは自己の深さと同期して円を成す、というモデルである。ゲーム産業においても、ゲームタイトルごとにさまざまなモデルが提案されているが、離散的な抽象的思考と連続的な物理的運動をつなぐ一般的なモデルの間の深い断層が、トップダウンとボトムアップの双方のアプローチの断絶を生んでいるのである。

7　生理学・哲学・人工知能をめぐる圧縮・展開の機構

知能は外界から情報刺激を獲得するが、その空間幅、時間幅のままに思考するわけではない。空間的圧縮、時間的圧縮、あるいは時空間的圧縮が常時行われている。たとえば海馬《かいば》では数秒の事象は数ミリ秒に圧縮され、また視野角の事象は常に記号的圧縮をしつつ、圧縮された時空間において高速かつ記号的に思考され、意思決定が行われる。生理学的には、圧縮は時間的なスケールの異なる神経細胞群の再帰回路によって行われる。一方で、大脳基底核においては、圧縮された次元での運動決定を実時間に引き伸ばしつつ運動が構成される。このとき、圧縮された次元における決定が正確に現実の時空間に正確に復号・時空間マッチングされる。圧縮は記号化（コード化）であり、展開は非記号化（デコード）である。

このように知能は、現実の膨大な情報をさまざまな時間スケールで圧縮し、再び展開する。人の意識の空間やその周辺も記号化された時空間であり、現実の時間の流れを引き込みつつ、圧縮・高速で処理して未来を予測しつつ行動を再び時間の中で展開していく。このマルチスケールの圧縮、そして行動の多様な展開は、ベルクソンの遅延機構と相似であり、ここに生理学とベルクソンの哲学のつながりを見ることができる［平井 17b、太田 17］。

無意識は素早く決定し行動を持続的に構築することができるが、判断を留保し遅延すべきときには意識へ判断を保留する。またこのコード・デコードという考えは、人工知能においても多用される考えであり、三者は現実に経験する時空間を知能・身体の中に圧縮し、保持し、思考し、展開するという現象を異なる立場から描いているのである。

8　意識をめぐる哲学、生理学、人工知能の関係

哲学は研究ポリシーを決定する。デカルト的なフレームでは、対象と自己を明確に分け、その間に明確な推論を組み立てていくが、知能に関しては、その姿勢だけでは、本質的なものが抜け落ちてしまう。人工知能にとって重要な経験、意識、クオリアのような主観的に内から体験する経験を扱うためには、より広い足場をもつ哲学が必要である。それが人工知能を構築する足場として哲学が必要とされる理由である。

そのような広がった探求の空間において、人工知能は記号主義型のアプローチとコネクショニズム的アプローチをもち、前者はライプニッツの普遍記号論から大きな影響を受け、後者は生理学的知見の上に立っている［三宅 16］。コネクショニズムは、そのときに知られている身体脳の知見をモデル化して使用している。生理学は、人間存在の定義を更新する力をもち、哲学における人間の捉え方を超える。また人工知能は、哲学、生理学におけるモデルを実際にシミュレーションすることで検証することができる。この三者は人工知能の基礎として密接に結び合っているのである。

参考文献

［ベルクソン 07］アンリ・ベルクソン、合田正人・松本力訳『物質と記憶』ちくま学芸文庫（2007）

［ベルンシュタイン 03］ニコライ・ベルンシュタイン、工藤和俊・佐々木正人訳『デクステリティ 巧みさとその発達』金子書房（2003）

［Brooks85］Brooks, R. A.: A robust layered control system for a mobile robot, *IEEE J. of Robotics and Automation*, Vol. 2, No. 1（1985）

［平井 17a］平井靖史、太田宏之、三宅陽一郎「〈意識の遅延テーゼ〉の行為論的射程神経科学と人工知能研究による「拡張ベルクソン主義」アプローチ」応用哲学会 第9回年次研究大会、プログラムと予稿、pp.38-39（2017）

［平井 17b］平井靖史、藤田尚志、安孫子信編『ベルクソン『物質と記憶』を診断する――時間経験の哲学・意識の科学美学・倫理学への展開』書肆心水（2017）

［平井 18］平井靖史「心と記憶力――知的創造のベルクソンモデル」『人工知能』Vol.33、No.4、pp.508-514（2018）

［三宅 15a］三宅陽一郎「ディジタルゲームにおける人工知能技術の応用の現在」『人工知能』Vol.30、No.1、pp.45-64（2015）

［Miyake15b］Miyake, Y. A multilayered model for artificial intelligence of game characters as agent architecture, *Mathematical Progress in Expressive Image Synthesis III*、pp. 57-60, Springer（2015）

［三宅 16］三宅陽一郎『人工知能のための哲学塾』ＢＮＮ新社（2016）

［三宅 18］三宅陽一郎『人工知能のための哲学塾 東洋哲学篇』ＢＮＮ新社（2016）

［太田 17］太田宏之「空間的神経表象から時間的圧縮過程へ」平井靖史、藤田尚志、安孫子信編『ベルクソン『物質と記憶』を診断する――時間経験の哲学・意識の科学美学・倫理学への展開』書肆心水、pp.226-248（2017）

［太田 18］太田宏之「行動の原因を探求する科学の歴史」『人工知能』Vol.33、No.4、pp.499-507（2018）

II　空間をひらく

知能を解き明かすことは、知能の持つ時間と空間を解き明かすことである。人間もそうであるが、知能を持つ生物は、自分の時間と空間を感じている。これは客観的な時空間ではない。知能が持つ時空間である。この第II部では、その片方である「空間」に関して考察を深めたい。

空間というと空っぽの三次元空間、を思い浮かべられるかもしれない。しかし、生物は自分の周囲の空間を、実に主観的にユニークに作り出すのである。こちらの方角はなんとなく危険だ、とか、あの茂みの向こうは河が流れていて気持ちよさそうだとか、あの場所はいつもみんなと話せて楽しいな、とか、感情のパレットで色づけていくのである。それは意識だけでなく、無意識や、生物の身体が、あらゆる場所を評価し自分でも気づかぬうちに意味付けを行っている。そして、生物はその主観的世界（環世界）を通じて判断を行い、行動を誘発している。生物の行動を生成するのは、厳密な客観情報ではなく、ある意味歪曲した主観世界であり、逆に言えば、必要な判断や行動を行うための舞台が無意識化で形成され、意識はその上で判断や行動生成を行うのである。

しかし、話はそこで終わらない。人間は環境に働きかけ、大きく空間を変えてしまう力がある。そして空間を作り出すことで自己を変容させる。そして再び環境を変容させる。環境と自己の変容を繰り返す中で、複雑な生き物になってしまった。生物と空間は絶え間ない相互作用の中でお互いを存続させている。だから知能を考えるときは、その知能の周囲の空間と共に考えねばならない。

第４章「地図を求め、地図を持ち、地図を作る」は物語における地図について考察している。物語における地図は時間の流れと共にある。本章の主旨は「物語のある地点の意味とは、過去からの経緯、現実の状態、未来への展望が混合したものである」ということである。たとえば、「危険な森を抜けて小高い丘に建つと、目指していた城が遠くに見える」という情景を物語は作りたいのである。この丘は、危険な森を抜けてほっとして、丘に登った遥か向こうに目的地の城が見え始めた、という体験のデザインと共にある。そのために地図をデザインする。そこには読み手やプレイヤーが辿るべき経路が設計され、その感情に起伏が計算される。現象学という哲学で言えば「物語上の重要な地点は、過去と未来を把持する」のである。本書の中でも最も一般的で読みやすい章である。

第５章「２D、３Dからメタバース、スマートシティ、そして…」について。バーチャルビーイング、そのまま訳すと仮想生命体だが、ここでは主にデジタルキャラクターのことを指している。今でも、そして、これからはなおのこといっそう、都市の中でデジタルキャラクターたちが動きまわる。デジタルサイネージから、ＡＲから、日本の都市の隅々までデジタルキャラクターで満たされて行く。そうなったときに、「都市は物理空間とバーチャル空間が重なったものとして生まれ変わる」。現実の座標とメタバースの座標は同期され、現実は物理空間と仮想空間が重なったものとなるだろう。さらに、キャラクターは人と人の関係の中に入り込み、拡張していくだろう。そうやって徐々にバーチャルビーイングは人間とその社会を変容させていく。そして、バーチャルビーイングにおいて日本は圧倒的な先進国である。

第6章「都市が人工知能になるとき」は本書の中核を為す内容である。人工知能が都市であること、都市が人工知能であることはいかに可能だろうか？　本章で言いたいことは「最も遠い二つのテクノロジーのシナジーの驚き」である。「都市という最も重く大きなものに、質量を持たないエンターテインメントにおけるデジタルゲームのAIの知見が応用することで、これまで見過ごされてきた都市の人工知能の可能性が明らかになる」ことをお伝えしたい。

第4章　地図を求め、地図を持ち、地図を作る
——デジタルゲームの世界設計

1　はじめに

人は時間と空間と共にある存在である。一般的な時間でも空間でもない。自分の身の周りの空間と、自分が生きている時間である。人は自分に関連する空間と時間から自分を作り出す。自分の周囲の空間がまるで自分自身であるかのように、自分の周囲の時間が自分自身であるかのように、人は生きる。自分の周りの土地の広がりが、自分の周りの時間の広がりが自分自身を作っている。それは郷土愛とか、自己愛でもなく、人間の普遍的な性質である。故郷が懐かしいのは、それが自分自身であるからである。だから自分自身が少し壊れた時は、故郷に行くことで自分を再生することができる。『風と共に去りぬ』（マーガレット・ミッチェル、一九三六）の中盤では、ヒロインのスカーレット・オハラが故郷のタラに帰って、夢の中で自分自身とその土地のつながりを取り戻し再生す

る、というシーンがある。人は自分の根ざす土地と、我が身を投げ出す時間の流れと共にある。

そして、もう一つ「自分をこの世界にマッピングすること」は、人の知的衝動の根源である。地図は我々の存在の場所を指し示す。「世界を知り、己を知ること」は、地図の中に己の場所を刻むことである。しかし、その衝動を満足させることは難しい。世界は広く深く果てがない。我々は星図を持ち、地球儀を持ち、日本地図を持ち、県や市の地図を持つ。元素記号の周期表を持ち、人体解剖図を持ち、地質分類図を持ち、遺伝子の塩基配列図を持つ。物質から知識へ、知識からビジョンへ、目まぐるしく変換される認識のトンネルは、さまざまな地図を連結する。地図とは人間の認識と知識であり、世界について知り得たことは、巨大な一枚の地図になるだろう。一方で、地図は行為の可能性も示す。地図は行為を生む。不完全な海図でも、人を航海に突き動かすには十分であった。行為が示されるところ、人はその行為を試みる。

人は行為と座標の中から、自分が何者であるかを知ろうとする。


我々はどこから来て、どこへ行くのか？

我々の行動し得る領分はどこまでなのか？

我々は一体何者なのか？


だからこそ人は地図を求め、地図を持ち、地図を作る。地図とは人間のアイデンティティである。

しかし、世界は無限で取りとめがない。自分を探求するにも予行演習が必要だ。それがゲームであり、物語である。

つくみず『少女終末紀行』（新潮社、二〇一四―）は終末を迎えた世界で二人の少女が旅する話である。カナザワという人物はその世界で地図を作り続ける。地図を作る、という行為は、結局その中心にある自分自身を定義する試みだ。世界と自分は不可分で、世界の概形を知ることなしに、自分自身を知ることはできないのだ。これは現象学的態度である。

アーサー・C・クラーク『2010年宇宙の旅』（一九八二）の最後は、モノリスたちが集まって木星が新しく恒星となる。そこで示される言葉は「これらの世界は全てあなた方のものだ」である。新しい場所、新しい地平を人にもたらすこと。新しい土地と新しい地図を与えること、それがゲームである。

2　ゲームにおける地図

ゲームはユーザーのアイデンティティを規定する。「あなたは勇者」であり、目的を「世界を滅ぼす魔王を倒すこと」であるとする。ゲームはその目的に沿って進行する。さらにゲームが発展すると、その目的からそれた文脈を入れるようになる。メダルを集めたり、村人の捜索を手伝ったり、カジノをしたりである。さらに発展すると、「あなたは勇者」をひっくり返して、主人公のアイデンティティを問う「勇者でない」物語になっていく。精神的彷徨をゲームが内包していくのは、一九九五年以降、エンターテインメントでは頻繁に見られる。つまり、ゲームの中でも、自分とは何か、という問いを問い、そのために世界の全体像を知る、という方向にゲームはシフトして行く。ゲームとは人に新しく行動可能性を示すことである。現実とは異なる空間だが、人が行動できるもう一つの現実を人に与える。ゲーム空間の地図は、現実の地図同様に、人が行動し得る可能性を示すものである。

3 レベルデザインとゲームマップ

デジタルゲームには「レベルデザイン」という言葉と、「ゲームマップ」という言葉がある。「レベルデザイン」はゲーム開発の専門用語で、あまり世間一般で使わないが、ゲームのステージのデザイン全般を指す言葉である。地形、ギミック（仕掛け）、敵キャラクターの配置と挙動などを含む。レベルデザインを行う職業をレベルデザイナーと言う。一方で「ゲームマップ」とはゲームのステージをトップビューから見た俯瞰図、あるいはサイドビューから見た断面図である。初期のゲーム、2Dゲームのほとんどは、レベルデザインとゲームマップは同義であった。しかし、九〇年代初期から始まる3Dゲームでは、レベルデザインとゲームマップは明確に分離されることになった。レベルデザインは起伏のある実際のステージのことであり、ゲームマップとはレベルデザインをより簡素な形で2Dマップとしたものである。

レベルデザインにおいて何より考えなければならないのは、ユーザーの体験である。それは現象学的探求である。ユーザーがプレイする体験を毎回表現し、レベルデザインを改善していく。プレイしやすさだけがすべてではない。ゲームの手触り、ユーザーの行動のリズム、メニューの見やすさ、敵の難易度、ゲームのリズムを調整していく。そこには無数のノウハウが存在し、それがゲームデザインである。ゲームデザインとは、ユーザー(人間)の世界がいかに定立していくかを見るか、という現象学の探求そのものである。一方、ゲームマップとはレベルデザインを俯瞰的に見た形状である。そこには体験というよりも、幾何学的正確さが求められる。一九七〇年代、一九八〇年代において、「地形=ゲームマップ」であった。2Dゲームにおいて、ゲーム画面がゲームマップでありプレイ画面であったのである。たとえば、ゲーム攻略本に載っているゲームマップは画面をキャプチャーしたものを繋ぎ合わせたものであった。

4　デジタルゲームにおける地図

デジタルゲームにおける地図はユーザーの行動の可能性を示すものであり、その可能性はユーザーが操作するキャラクターの成長の道筋を示すものである。ユーザーはゲームを始めた時にその世界の広がりや深さをさまざまに示される地図によって知る。地図にはさまざまな種類があり、地形マップや魔法習得の系図、キャラクター相関図、スキルの発展チャート、クエストの順番を示すクエストマップ、技術発展ツリーなどである。そのような地図の総合的な集積としてユーザーのおかれている場所と可能性が明確に定義され、それと同時にユーザーが自由に行動できる空間と時間の可能性が示される。空間と時間がその世界で可能な行為を定義する。このようにゲームにとって地図はゲームプレイの可能性を明確にユーザーに届ける意味を持っている。地図はゲームデザインの時間－空間的構造を示すものである。

ゲームにおける地図のスケールは、ユーザーの行動範囲を示すために、特に重要である。たとえばファンタジーRPGでは、ユーザーが歩くことを想定したマップのスケールで地図が示される。あるいは、宇宙を舞台にしたストラテジーゲームなどでは、星系図などが示され、宇宙船で移動することが想定される。地図のスケールがゲームのスケールを示すものであり、またそれはゲームの世界観を示すものでもある。

ゲームのグラフィックの技術が十分でなかったころでさえ、ゲームのマップは説明書などで精緻にユーザーに提供されていた。今日のようにグラフィクスがリッチになった状況では想像が難しいが、かつてのゲームの空間的リアリティはグラフィクスよりも地図によって示されていた。そこにはユーザーの想像を刺激するマップが示され、その想像を繋いでいくために逆にユーザーのプレイがあった。

ロールプレイングゲームの起源であるテーブルトークRPGでは、ゲームマスターによって地図が示される。参加するプレイヤーは地図とゲームマスターの語りによって、ゲーム空間を想像し、その想像を通じてゲームに参加する。ゲームの実態はユーザーの想像の中にあり、目に見えない形でゲーム世界が共有されていた。そうであるから、テーブルトークRPGはリプレイ小説として、自分たちの頭の中で想像した世界を小説の形で残したわけである。水野良『ロードス島伝説』（角川文庫、一九八八）はリプレイを元に生まれた小説である。

『ウィザードリィ』（サーテック、一九八一）や『ブラックオニキス』（BPS、一九八四）といった初期のゲームはむしろテーブルトークRPGが提供していたよりもシンプルなマップの表示しかなしえなかった。その代わりを音楽やインタラクティビティによってユーザーの想像力をかきたてていた。

5　レベルデザインとゲームマップ

九〇年代に入りグラフィクスが発展し、ゲームが2Dから3Dに移行したときにはそれまで画面上にあった「地形＝ゲームマップ」であった状況がマップと描画が異なるものとして存在するようになった。3D空間はリアルなキャラクターが運動する3D空間として描画され、たとえば2Dマップは画面の左上の四角いウィンドウやメニュー画面など補完的情報として表示されるようになった。そのような地図的表現とゲーム世界の表現の分離はユーザーの想像力をむしろ抑制することになり、より美しいグラフィクスを求めるような動きとしてゲームが発展していくことになる。マップ表現と地形の分離をうまく利用したのが『世界樹の迷宮』（アトラス、二〇〇七）であり、ゲームの進行と共にユーザー自らがマップを形成していくという、かつての遊び方がゲームに内包され人気を博したのであった。

２Ｄシューティングはゲームの最も基本的な型である。ゲーム開発の研修や体験では、２Ｄシューティングを作らせる場合が多い。縦方向にスクロールしながら地形が変化していく型を縦シューティング、横にスクロールしていく型を横シューティングと呼ぶ。２Ｄシューティングにおいては「地形＝ゲームマップ」である。縦型シューティングの代表は、『スペースインベーダー』（タイトー、一九七八）を始めとして『ゼビウス』（ナムコ、一九八三）などがある。横シューティングの代表は『グラディウス』（コナミ、一九八五）、『ダライアス』（タイトー、一九八六）などである。縦型シューティングはレベルを上空から見るため、マップの上を飛んでいる、という感覚が強くなる。縦シューばかりすると、縦に長い世界を理解するのに慣れてしまい、しかも、毎回同じパターンで敵が出てくるために、目をつぶってもゲームをプレイできるようになり、最後にはゲームをプレイする想像をすることができるようになる。

縦シューティングをプレイすることは地図を読むことと似ている。一定のスピードで、ところどころに目をやりながら、ゲームマップを進行していく。まさにそれはゲームマップを体験することである。体験となるためには能動的行為が必要で、それがたまたまシューティングという行為である、とも言える。「情報を体験に変える」のが、ゲームの本質である。

６　欲望を喚起する地図

物語、特にゲームやファンタジーに付属する地図は正確さよりも、読む者の創造や欲求を喚起するものでなければならない。ミステリーの地図は推理を成立させるためにロジックの可能性を制限するためにあるが、ファンタジーの地図は想像の可能性を広げるためにある。そこでマップは誇張や本来地図としては必要のない情報まで掲載される。たとえば、砂漠にモンスターの絵が描かれる、港には船が描かれる、城や祠《ほこら》や橋が大きく描かれる、となれば冒険者はそこに行かざるを得ないだろう。つまり、地図はこれから来る体験を予感させるものでなければならない。

もう一つ地図が表現しなければならないものは世界観である。たとえばJ・R・R・トールキンの『指輪物語』(一九五四—一九五五)では魅力的な地形とキーとなる建築が地図の上に表現されている。それは地形の表現というよりも、これから起こるドラマとその世界観を示している、C・S・ルイスの『ナルニア国物語』(一九五〇—一九五六)にも見開きの地図が付属している。『指輪物語』が街道や山脈を地図で見せつつ迂回した経路をたどるのに対して、『ナルニア国物語』の地図は各拠点がクローズアップして書かれている。

二〇世紀のアメリカを代表するノーベル文学賞作家ウィリアム・フォークナー(一八九二—一九六七)は「ヨクナパトーファ」という架空の地方(郡)を想定し代表作となる長篇を含む一三篇を残している。また自筆の地図も残した(図1)。フォークナーの「架空の街を題材にして連作を紡ぎ出す」という技法は、同じく二〇世紀のアメリカを代表する作家シャーウッド・アンダーソン(一八七六—一九四一)の架空の田舎町を舞台にした連作『ワインズバーグ、オハイオ』(一九一九)から学んだことが知られている。フォークナーが世に知られることになった『ポータブル・フォーク

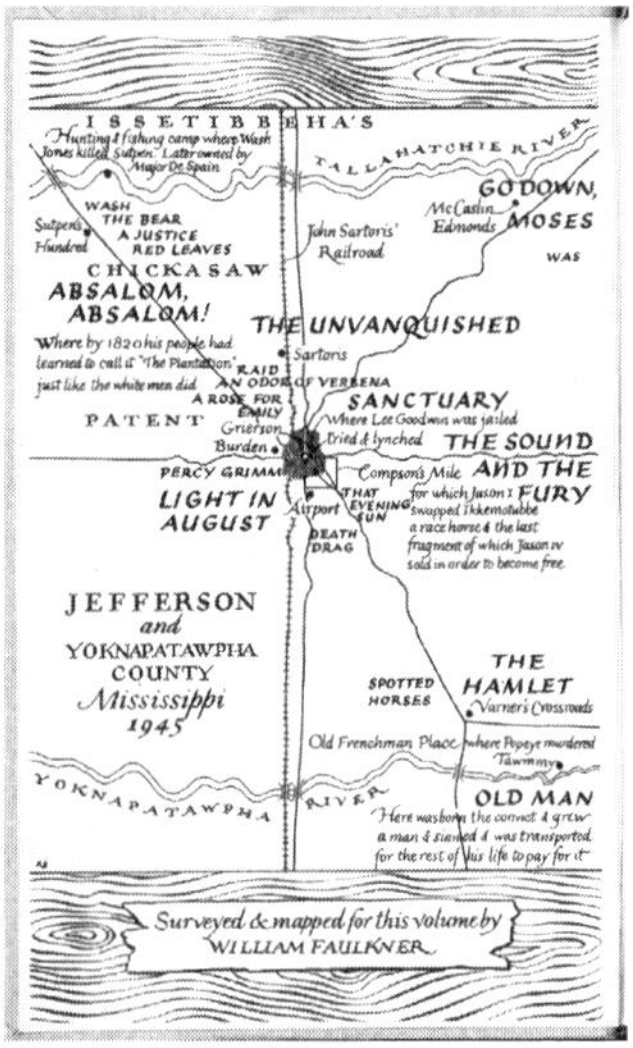

図1　1946年に The Portable Faulkner のための製作された「ヨクナパトーファ」地図
http://faulkner.iath.virginia.edu/media/resources/MANUSCRIPTS/WFMAP14.html

ナー』（*The Portable Faulkner*, 1946）はフォークナーの短篇や長篇の抜粋が掲載されているが、この時に製作された地図には、彼自身の直筆による地図の上に各作品が展開される場所が示されている。この架空の土地がフォークナーをして物語を書かせしめたとも言える。

村上春樹『世界の終りとハードボイルドワンダーランド』（一九八五）には「世界の終り」という夢の世界の地図が示されている。「ハードボイルド」の方は八〇年代の東京で地図はないが具体的な地名が散りばめられている。地図があることでリアリティが増す。夢と東京が同じ重みを持って現れるために地図はリアリティのおもしとなる役割を果たしている。

ポール・オースター『ガラスの街』（一九八五）は探偵になりすましたミステリー作家が、ある人物を追跡し、軌跡を地図上にマッピングすると、ある単語の組み合わせが浮かび上がる、という仕掛けになっている。ニューヨークという都市を真上から見る視線が導入されることで、ニューヨークが持つ都市の垂直性が感じられ物語に深みを与えている。

小野不由美『十二国記』（一九九一―）シリーズは、中心の周りにある十二国の地図が掲載されている。その秩序だった地図から、この物語を貫く高い秩序と、それぞれの国を物語の中で訪れたいという欲求が喚起される。

野崎まど『タイタン』（二〇二〇）は人工知能と対話をしながら旅をする物語であり、人工知能と仕事と人間を巡る思索の旅でもある。巻末には、北海道からシリコンバレーまで、アラスカを経由し太平洋沿岸を迂回する地図上の経路と各章に対応するポイントが示されている。この経路が通常、たどるものでないこと、またそれぞれの思索のまとまりが、地図上のポイントとしてつなげられることで、主人公たちがいかに遠く長い対話の旅をしたかが明示されている。

7　地図を利用するゲーム

ゲームの中には地図をそのまま利用するゲームもある。『インコグニト』（アレックス・ランドルフ、一九八八）はベネチアの地図の上で四人のプレイヤーが仲間の一人を探すゲームである。残りの二人は敵なので、すれ違いながら体形や特徴から仲間を特定していく。

『スコットランドヤード』（ドイツ・ラベンスバーガー社、一九八三）はロンドンのマップの上で一人の犯人を他のプレイヤーが追い詰めるゲームである。一定のターン毎に居場所を明らかにする必要があり、ロンドンの街を縦横に使いながら逃亡と捜索が展開していく。

『信長の野望』（コーエー、一九八三―）シリーズは日本地図を分割して土地の属性を与えた領土単位で戦闘や政治、統治が行われ、日本統一を目指していく。プレイヤーはどの大名からでもプレイできる。

『桃太郎電鉄』（ハドソン、一九八八―）は日本各地をめぐりながら、物件などを購入しつつ収入を増やし、相手を妨害しつつ、それぞれのゴール地点にたどり着くことを目的とする。

『蒼天の白き神の座』（パンドラボックス、一九九八）は架空の山脈「カムコルス山脈」の五つの山に登頂を目指すシミュレーションゲームである。レベルデザインはデフォルメされた山の斜面とルートからなり、天候や資源、体力を鑑みながら登頂を目指す。当時のグラフィクスではアクションゲームに耐え得るリアルな山脈のレベルデザインを表示するのが難しかった。『デス・ストランディング』（コジマプロダクション、二〇一九）ではリアルな山脈をレベルデザインとしたアクションゲームが可能となった。

『アサシンズ クリード ユニティ』（ユービーアイソフト、二〇一四）は一六世紀のパリを三次元のレベルデザインとして再現した。『ペルソナ5』（アトラス、二〇一六）は渋谷を中心とした山手線沿線を雑踏を含めてゲームの中のレベルデザインとして再現している。『東京ザナドゥ』（日本ファルコム、二〇一五）は立川（東京）の駅前を中心にレベルデザインとして再現している。

8　地図を作るゲーム

デジタルゲームかアナログゲームかを問わず、ゲームの中には地図を作るゲームが一定の割合である。

『カルカソンヌ』（クラウス＝ユルゲン・ヴレーデ、二〇〇〇）は手札の地図の断片をつなぎわせて、できるだけ大きな城の囲いを作った人が勝つゲームである。ゲームの終了時には、さまざまな城壁が出来上がり、毎回、形が違う。『お邪魔者』（フレデリック・モイヤーセン、二〇〇四）は手札の通路を出し合うことで、金鉱にたどり着く経路を構築したり、また妨害したりするゲームである。ゲームの最後には、ダンジョンが出来上がる。

かつてデジタルゲームの黎明期には、方眼紙の上にダンジョンの地図を鉛筆で書きこんでいく「マッピング」という作業があった。前述した『世界樹の迷宮』（アトラス、二〇〇七）はマッピングをゲームに取り込んだゲームであり、ダンジョンを進みながらDS、3DS（任天堂）の画面にタッチペンでダンジョンの形や情報を書き込んでいく。『ペルソナQ』（アトラス、二〇一四）もまたダンジョンを探索してマップの形状と攻略に必要な印をつけていくゲームである。

『ゼルダの伝説』（任天堂、一九八六）は地上のフィールドのマップはなく、全体の中の相対的な位置が示される。ダンジョンに入ると、通った部屋とつながりだけが自動的にマッピングされるが、ダンジョンの地図を手に入れるとダンジョンの形とボスキャラクターの部屋が赤く表示される。『スタークラフト』（ブリザード、一九九八）では、ゲーム開始時にはマップ全体は暗いが、自探索機がたどり着いた場所は表示されるようになる。

『ネオアトラス』（アートディンク、一九九八—）シリーズは、世界地図を完成させることで、ゲーム開始時には部分的にしか世界は見えていないが、船団を未確定領域へ派遣することで、空白が埋められていく。報告は絶対的なものではなく、プレイヤーの信じる、信じない、で大きく結果が変わっていく。

『シムシティ』（マクシス、一九八九―）シリーズはユーザーが街に住宅や工場、発電所などを置くことで街が発展していくゲームである。最初は空き地しかないが、そこに道路を敷き、施設を置いていく。置いた施設によって人口や経済の発展、公害がシミュレーションされる。『A列車で行こう』（アートディンク、一九八五―）シリーズは鉄道を中心とした都市発展ゲームで、鉄道を施設し人の流れを作り出すことでさまざまな問題をクリアしていく。

9　現象学とゲームマップ

エンターテインメントにおいては、描いたものの重みで、描いていないものの重みを予感させることが重用である。これは、特に『指輪物語』を始めファンタジーでよく取られてきた手法であり、たとえば「古には魔法があり、魔法の力を取り合って大きな衝突があった」とか「この遺跡はかつて存在した種族の海を望む城壁であった」などという文章で、詳細には描かれない過去の時間に重みをつけていく。空間においても同様である。

ゲームマップのデザインパターンとして、ユーザーの想像力を喚起する、という特徴がある。これは、有名な例では、スタート地点から次の城が見える、最終地点の城が見える、などのデザインである。人間は予測する生き物である。見知らぬ建物を見れば、おのずと展開を期待する。その期待の喚起が、ゲームプレイを続ける動機となる。つまり、ゲームマップは現在見せているものから、次に来たるであろう展開を予感させるものでなければならない。現象学的に言えば、すでに見ているマップの体験の中に、これまでたどってきた道の余韻が残っている、同時に、次のマップの体験への期待が混在している。それはちょうど、フッサールが音楽について考察したことと同じである。

「メロディの知覚」の場合、われわれは、〈今、与えられている音〉と〈通り過ぎた音たち〉とを区別し、前者を「知覚されている」と呼び、後者を「知覚されていない」と呼ぶ。その他方で、われわれは、メロディ全体を――ただその今点だけが〔右の意味で〕知覚されている点であるにもかかわらず――知覚されているそれ、と呼ぶ。われわれがそのように呼ぶのは、単に、メロディの延び広がり（Extention）が、〈知覚する〉〔という作用それ自体〕の延び広がりのなかで、〔その知覚作用の延び広がりと〕一点一点対応するように与えられているからというだけでなく、把持的な意識の統一性が、〔一方で〕経過し去った音たちをなおそれ自体〔として〕意識のなかで「しっかりと保持して」おり、しかも〔他方で〕継続的に〈統一的な時間客観すなわちメロディに関係づけられている意識〔それ自体〕〉の統一性を産み出しているからである。（エトムント・フッサール『内的時間意識の現象学』谷徹訳、ちくま学芸文庫、二〇一六、原著一九二八）

つまり、メロディに対する意識とは、現在だけでなく、過去の音の流れ、来ることを予感する音からなる。これを寺前典子氏は以下のように表現する。

そして現在化領域こそ、諸体験が現出する〈今〉を含んでいる。この時間領域は、「予持(Protention)」、「原印象(Urimpression)」、「把持(Retention)」から成る。われわれの意識は、常に原印象すなわち、ありありと現れている事象の〈今〉に在る。しかし、そこに向かう前に事象を予持し、その後にはいま過ぎ去った事象を把持している。…受け手は、把持‐原印象(＝意識)‐予持という「現在化領域」の中でメロディーを聴いているのである。そして、音楽の流れの中にある受け手は、一連の音が主題であることを知るや、もっとも理想的なケースでは、それがどのように展開し回帰するのかを予持しつつ音楽の流れに没入する。(寺前典子「音楽経験の現象学的分析」『フッサール研究』第一〇号、二〇一三、九四頁)

過去からの流れを「把持」し、現在の印象を持ち、これからの流れを「予持」することでメロディの意識が形成される。地図もまたこれまでたどって来た旅路の経験を把持し、これから進む先に予感される経験を予持することで、地図の意識が形成される。たとえば、「さんざんモンスターとの戦闘を森の中で行い、ようやく這い上がった丘の上に立ち、これまでたどってきた森の反対側に目的地である絶壁にそびえ立つ朝日に輝く城を見上げる」喜び、あるいは「長いダンジョンを出ると、小川の流れる平和な村にたどり着く、そこには今夜ゆっくり休めるだろう宿屋が安らぎを約束するように建っている」ということを、ゲームクリエーターは言葉ではなく、ゲームマップとして表現するのである。このように言葉以外の仕組みやマップによってユーザーに語りかけることを、ゲーム製作では「ナラティブ」（Narrative）と呼ばれる。

10　地図の境界をめぐって

地図に示される世界の向こうには何があるだろうか。地図の果てとはどこだろうか？　多くのRPGでは、世界の果ては、逆方向の世界の果てとつながっていて、ループ構造になっている。あるいは『ヘイローウォーズ』（アンサンブルスタジオ、二〇〇九）ではマップの端へ行くと、マップを線対称に反転した地形が広がっている。追加の地形ポリゴンが要らず、世界を広く見せるための技術である。

『指輪物語』のラストでは、主要な人間以外のキャラクターたちが「灰色港」から旅立つ。このエンディングは、「中つ国」の終わり（端）ではなく、物語と現実の境界を示している。『はてしない物語』（ミヒャエル・エンデ、一九七九）は、現実とファンタジーの世界が錯綜する。常に二つの世界の境界が示唆されながら物語が進む。

物語の境界も、ゲームの地図の境界も、読者の、そしてユーザーの存在の境界と関係している。もし物語がなければ、ゲームがなければ、読者も、ユーザーも存在しない。物語とゲームに時間と空間の広がりがあるからこそ、読者もユーザーも存在し得る。だから、ゲームと地図の境界は、人の自我のある一面を映している。

11　迷子になること

冒頭に地図がゲームにユーザーを誘うと述べた。しかし、地図が最終的なアウトプットになるゲームでは、何がユーザーをゲームに誘うのだろうか。それぞれのゲームをよく見ると、世界の地図がまったく与えられていないわけではない。大雑把であったり、断片であったりしながらも、世界の姿の一部が公開されており、その解像度を高めていくことがユーザーの作業として残されている。

地図を求めるのは生物の本能でもある。私はかつて大規模RPGで地図の出し方がわからず、果てしなくRPGの世界をさ迷ったことがあった。幾多のクエストをクリアすれども、地図は入手できず、二〇時間も過ぎたころにセレクトボタンで地図が出ることがわかった時は拍子抜けしたものだ。しかし、その二〇時間は、本当に楽しい時間であった。船を手に入れたばかりだったので、たどり着けるあらゆる場所のミッションをこなして地図を求め続けた。そして、頭の中でこういう地図ではないかと描き続けたが、あまりにも世界は広大だった。「途方に暮れる」瞬間、私はそのゲームに深くいたのだと思う。地図を見ると安心できる。だが、地図のない不安は限りなく現実に近い。

『ベルリン・天使の詩』などで知られる映画監督のヴィム・ヴェンダースは、「最高の贅沢とは知らない街で迷子になることだ」と言った。将棋棋士の羽生善治氏は「迷子になっている状態というのが最も知能が活性化している状態だ」という主旨を述べた。ゲームの中で地図を持たず迷子になることは、最高の贅沢である。

地図は地形を反映するだけではない。さまざまな可能性に満ちている。『時の迷路』『文明の迷路』『進化の迷路』『昆虫の迷路』（ＰＨＰ研究所）など「遊んで学べる迷路絵本」シリーズの作者、香川元太郎氏は、さまざまなテーマを迷路として表現する。迷路であるおかげで、ページを開くと迷路を解くという、アクションが提供される。読者にアクションを与えて、またそのアクションの中に仕掛けをしておく。スタート地点からゴールまで迷路をたどると、思わぬ発見の驚きが感動を与える。

人は不安から自分を位置づけたいと思う。インターネットの世界に目を向け、インターネット、すなわち検索エンジンが提供するものから、自分の位置を探ろうとする。そして、自分の位置をわかったつもりになり、同時に失望する。だが、それは世界の一部に過ぎず、多くの場合、間違った場所に人を導く。我々がこの世界で配置されている場所、配属されている宿命、我々の生きる意味。それは常に世界全体と共にある。遠くでも、深くでも、高くても、低くても、学問でも、想像の世界でも、自分で方角を決めて自分で迷い続ける限り、常に世界はその人のものであり、同時に世界がその人の座標を教えてくれる。自分の存在を世界の側から定義できる。

12 現象学的ゲーム論

長らく住み慣れた土地は、自分そのもののような気がする。人間は世界のさまざまなものと関係を結びつつ、自我を形成している。それはゲームでも同様だ。ゲームでさ迷い尽くした場所は、まるで自分自身のような気がする。『アクアノートの休日』（アートディンク、一九九五）、『巨人のドシン』（任天堂、一九九九）などで有名なゲームクリエーターで大学教授の飯田和敏氏は、『グランセプトオートV』（ロックスター・ノース、二〇一三）を三〇〇時間遊んだ後に、「自分が街そのものになったようだ」という言葉を残している。

デジタルゲームの世界と人間は溶け合って、新しい自我を構成する。新しい世界は、新しくその人の可能性を構成する。ゲームで新しい自分の存在の形を与えられること、そして、そこから現実の自分を組み直すこと、それがゲームの可能性である。

ゲームマップは、旅行中の部屋と似ている。旅行者が一度荷物を広げてみたくなるように、生きているとどこかに自分を思いっきり広げてみたいという気分になる。そんな時ゲームは、現実から離れた、もう一つの世界でその人の内面にあるものを一度、広げてみせる効果を持つ。

日本人の自我は、ある程度のスケールで完成されているマップが適している。それが日本人の自我の形なのだろう。しかし、欧米では、オープンワールドと呼ばれるシームレス（途切れることなく広がったレベルデザイン）に数キロメートルから数十キロメートル四方のマップの大きさが求められる。それが欧米の自我にあったスケールなのだろう。ある程度、レベルデザインは荒削りでも許される。

ゲームマップが広く複雑になればなるほど、プレイヤーの自我の差まで考慮に入れる必要が出るほど、ゲームは繊細な娯楽になりつつある。

第5章　2D、3Dからメタバース、スマートシティ、そして…
――人間と空間の拡張

1　バーチャルビーイングの概要

バーチャルビーイングが出現するのは、デスクトップコンピュータ、ラップトップコンピュータ、タブレット型コンピュータなど個人が視聴するスクリーンや、VR／ARなどの専用機器、あるいはディジタルサイネージやプロジェクションマッピングなど多人数が同時に見えるスクリーンや壁面などである。

バーチャルビーイングは対人的な会話の実現に重きが置かれているが、それだけではない。バーチャルビーイングを複数含んだ場を用意し、それによって知的な会議やアイディア出しを促進する場を用意する、たとえばメタバース内でも専門的な知識をもつバーチャルビーイングや面白いことを話せるバーチャルビーイングと会話の場をつくることで、ビジネス上のブレーンストーミングや楽しい会話の場を実現することができる。また人狼など会話を軸に行うゲームの補充人員を務めることもできる。このようにバーチャルビーイングは仮想空間、仮想空間とつながれた物理空間に新しい価値を与える。

なお本章で「キャラクタ」とは、2D／3Dでつくられた外見をもつキャラクタのことを指すこととする。また「仮想空間」は、ディジタル空間内でつくられたキャラクタの属する2D／3D空間のことを指すこととする。仮想空間に対して「物理空間」は、人間が属する空間のことを指す。

バーチャルビーイングが活躍するのは仮想空間だけではなく、物理空間においてもスマートシティと人をつなぐインタフェースとしての役割を果たす。バーチャルビーイングは、次世代インタフェースの標準の一つとなると予想される。

バーチャルビーイングには二つの方向がある。一つはバーチャルビーイングそのものとして成熟することである。これは人工生命やゲームのキャラクタＡＩの技術である。一方で、バーチャルビーイングは人と対峙して、物理空間にある人や状況を把握して、それに対して反応する、という方向をもつ。この仮想空間と結ばれた物理空間は、社会のさまざまな場所を新しく変貌させる。

最もわかりやすいのがバーチャルアイドルである。コンサート会場の舞台には、ガラスなど投影するスクリーンしかなく、そこにバーチャルアイドルが投影される。歌の間はプログラムされた動きや顔の表情などが等身大で投影される。歌が終わるとセリフを言う。時には観客とコールアンドレスポンスを行う。さらに凝った場合には、オーディエンスからの質問に応える。その場合はリアルタイムで振付けと声を当てる。たとえば、二〇一二年には『イーハトーヴ交響曲』（作曲：冨田勲、大友直人指揮、日本フィルハーモニー交響楽団）が上映され、東京オペラシティの舞台の上に初音ミクが投影され、音楽に合わせて踊るパフォーマンスがなされた［冨田12］。「ＡＲＰ」（ユークス）は、ＡＲ技術によって舞台の上に投影され、歌のみならず、歌の合間には司会者を間にはさんで観客と会話の応答を行う［平野21］。

このようにバーチャルビーイングは仮想世界から物理世界を変容させる力をもち、仮想世界と物理世界をつなぐ役割をもつ。

2　バーチャルビーイングの定義論

「バーチャルビーイング」の定義を行っていく。「バーチャルビーイング」の定義は、人工知能の定義と同じく確定が難しい。本章ではバーチャルビーイングを定義することを通じて、バーチャルビーイングの本質を表現することを目的とする。

①バーチャルビーイングの作り手、受け手

「バーチャルビーイング」の定義は現在のところ曖昧であり、その理由は「バーチャルビーイング」が、作り手が行う定義とともに、受容する側の受取り方にも依存するからである。バーチャルビーイングの作り手はディジタルサイネージや携帯電話のスクリーンなどのメディアにバーチャルビーイングを発信するが、受け手からはそれがＡＩで駆動しているのか、あらかじめつくり込まれたものなのかを必ずしも区別することはできない（図1）。またコンピュータグラフィックスの進化によって、外見からは人間と区別ができない。受け手からすると、バーチャルビーイングとリアルビーイング（人間や動物）との区別のつかない状況が起こり得る。そこがまた「バーチャルビーイング」という言葉によって仮想的な存在であることを強調せざるを得ない状況をつくり出している。バーチャルビーイングの作り手は、ゲーム開発会社、通信会社、個人クリエータなど多様である。受け手は多くの場合、消費者である。

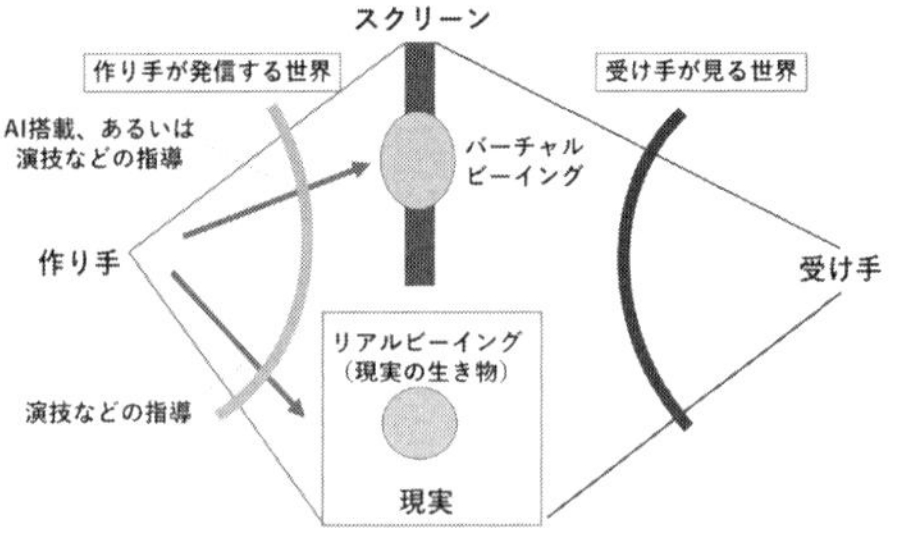

図１　バーチャルビーイングの発信と受容

②バーチャルビーイングの狭義と広義の定義

「バーチャルビーイング」という言葉は、人工知能と同じように狭義と広義の意味をもっている。

広義の意味は、以下の三つの条件を満たすものである。

（1）キャラクタなど姿をもって動作している。

（2）必ずしもＡＩが搭載されていなくてもよいが動的に駆動している。

（3）ゲームやメタバース、携帯端末、ＸＲ（ＶＲ、ＡＲ）、配信サイトのような仮想空間で活動する。
たとえば、これらに当てはまるのは以下のようなものである。
(a)コマーシャルや映画などの映像などで現れるキャラクタ
(b)VTuberなどの人間が操作するキャラクタ
(c)ディジタルサイネージなどで一定の反応を繰り返すキャラクタ
(d)ゲームキャラクタ
(e)バーチャルアイドル
一方、バーチャルビーイングの狭義の意味は、右の三条件に加えて、さらに以下の二つの条件を満たすものである。
(4)リアルタイム・インタラクティブなシステムである
(5)AIが搭載されている
たとえば、これらに当てはまるのは以下のようなものである。
(f)バーチャルペット
(g)バーチャルクリーチャー
(h)ディジタルサイネージなどでやり取りをするキャラクタ
(i)AI含んだゲームキャラクタ
(j)対話型キャラクタ

（k）商店で売り買いを補助するキャラクタ

ここに提示した例は、特に二〇〇〇年以降発展した分野であり、これらの総称としてバーチャルビーイングという概念が必要となったと考えらえる。より詳細に「バーチャルビーイング」という言葉が台頭した原因には、三つの要因があると推測される。

（A）技術的要因：ゲームエンジンの普及とコモディティ化によって、ゲーム産業以外の産業でも比較的容易に、かつ低コストでキャラクタを作成し動作させることができるようになった。ゲームエンジンの無償化は二〇一〇年以降の大きな変化であり、Unity3Dシリーズ（Unity Technologies）、Unreal Engineシリーズ（Epic Games）など、現在でも無料でダウンロードして用いることができるエンジンが複数ある。

（B）社会的要因：社会的な場に仮想空間が普及した。ゲームや特殊なアプリケーションを用いない人でも、都市を歩けば、さまざまなバーチャルビーイングがスクリーン越しに現れ話しかけてくる。あるいは、携帯端末の画面から話しかけてくる状況が生まれた。仮想空間が、個人のもつスクリーンからディジタルサイネージや大型電子掲示板、インターネット上の大規模配信サイトなどに広がり、その上にキャラクタの姿を伴ったエージェントが現れるようになった。

（C）メディアの変化：キャラクタは多くの場合に、イラストやセルアニメーションから、3Dモデリングされたキャラクタをモーションデータによって動作させるようになった。ディジタルキャラクタを動作させる仕組みは、いくつかの方法が存在する。大別すると、スクリプトによってあらかじめ予約された動作と会話をさせる、あるいはAIで反応する、である。さらにこれらのハイブリッドなど、複合的な状況が発生している。広義のバーチャルビーイングは、その内部の実装にとらわれることなく、必ずしもその背景にAIを必要としない。技術的制限から解放され、さまざまな媒体に自由に表現されるキャラクタという立ち位置を得た。「バーチャルビーイング」はそれゆえに技術やノウハウの集積から成立したというよりは、さまざまなメディアに現れるキャラクタの総称としてつくられた概念である。

これらの要因は二〇〇〇年代二〇一〇年代に発展してきたものであるが、二〇二〇年以降の新型コロナ感染症下の状況で、いずれも大きく加速することとなった。

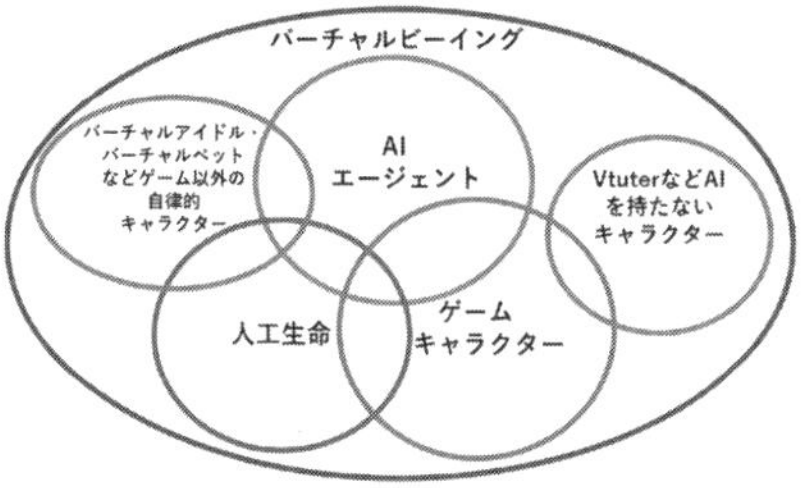

図2　バーチャルビーイングのカテゴリー

③バーチャルビーイングのカテゴリー

広義のバーチャルビーイングは、「エージェント」（Agent）、「人工生命」（A-Life, Artificial Life）、「ゲームキャラクタ」（Game Character）を含む（図2）。「バーチャルビーイング」はこれらの概念を含みながら、研究室のコンピュータやディジタルゲームの中から解放されて、社会的な場、公的な場に解放されたキャラクタたちであり同時にその背景となる技術を問われない存在として世の中に流布し、世間の人々の前にあたかも人や生物のように現れた存在である。それは技術デモではなく、背後に商業的な意図をもって現れる存在である。

3　バーチャルビーイングの歴史

前章で述べたように、バーチャルビーイングの台頭の背景には、仮想空間の拡大がある。そこで、本章では仮想空間の拡大とバーチャルビーイングの発展の関係について、それぞれの年代ごとに説明する（図3）。

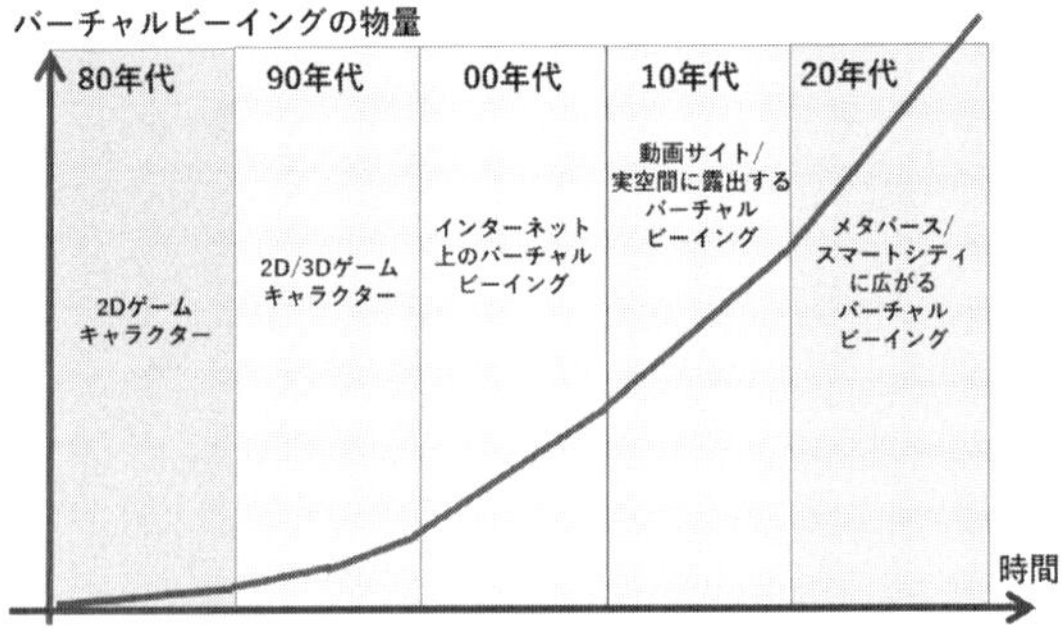

図３　バーチャルビーイングの歴史

①八〇年代におけるバーチャルビーイング

八〇年代に仮想空間といえばＣＧの世界やディジタルゲームが主であった。七〇年代中旬から始まるアーケードゲームの隆盛、家庭用ゲームの普及の背景には、そこにだけ仮想空間の広がりが、二〇二〇年代の仮想空間に比べればはるかに規模の小さい２Ｄ仮想空間に、人々の注意を集める大きな吸引力があった。また同時にそれはディジタルデバイスそのものが少なかった時代に誰もが安価で触れるメディアであった。またキャラクタ表現はドット絵であったため、キャラクタ表現はセルアニメーションのほうが大きな表現力をもち、ゲーム産業はアニメ産業の表現力を見ながら徐々にそこに追いつこうとさまざまなピクセル表現を試すこととなる。

アニメーションに比べてディジタルゲームがもつインタラクティビティがユニークなものであったため、ゲームキャラクタという概念は広く社会に浸透することとなった。３Ｄ表現はまだ高価で一般的なものではなかった。この時代のバーチャルビーイングは、ほぼゲームキャラクタや研究におけるエージェントがメインであったが、それらも単純なロジックをもつ存在であった。

②九〇年代におけるバーチャルビーイング

九〇年代前半にはＣＧの表現力の向上があった。２Ｄ表現は解像度が上がり、九四年を前後して３Ｄ技術がゲーム産業を中心に社会に導入されていった。誰もがパソコンとインターネットをもつような社会に変化していく時期でもあった。九〇年代後半にはインターネットがあり、ディジタルゲームは多人数が同時に接続できるオンラインゲームへと発展しＣＧは３ＤＣＧの時代となった。ここから二〇一〇年まで毎年のように３ＤＣＧのクオリティはアップすることになる。しかし、九〇年代にはゲーム機上ではキャラクタは主に３Ｄキャラクタとなったものの、インターネット上や物理的環境でも３Ｄ表現が難しかった。特にバーチャルビーイングと呼ばれる存在はゲームキャラクタと研究におけるエージェントであった。キャラクタのみを表示するディジタルディスプレイが広く街中に存在することはなく、通常の映像を流すディスプレイの用途がメインであった。

③二〇〇〇年代におけるバーチャルビーイング

〇〇年代は3DCGとディジタルゲーム、インターネットが融合する急速な発展期であった。MMORPG（Multi-Massive Online Role-Playing Game）はその技術の集大成の分野である。ディジタルゲームの人工知能もこの時期に大きく基礎が築かれた。〇〇年代はまた、蓄積されたディジタルゲームの技術がゲームエンジンという形でパッケージングされた時期であった。急速なディジタルコンテンツ製作ツールと、マシンパワーの向上によって誰もがキャラクタをつくれて、発信できる時代ができあがっていった。商業作品以外でも、同人ディジタルクリエイションが隆盛したのもこの時期である［三宅 三］。秋葉原やコンベンションセンターのみならず、さまざまな大都市の商業施設などにディジタルサイネージが設定され、そこにキャラクタが現れるようになった。さらに、ゲームエンジンの普及はリアルタイムでインタラクティブなコンテンツの製作と発信を可能にした。ゲームエンジンは八〇年代から発展した技術であるが、それはあくまで各開発会社の中で限定されるか、ゲーム会社向けにミドルウェアの形で販売されていた。しかし、〇〇年代にはその枠を超えて、リアルタイムでインタラクティブなキャラクタを表現する基盤として広く社会に普及していった。

④二〇一〇年代におけるバーチャルビーイング

〇〇年代のゲームエンジンの激しい競争は、各ゲーム会社内のゲームエンジンの開発競争を加速させ、市販のゲームエンジンの無償化をもたらした。現在、世界を席巻する二大市販ゲームエンジンはUnity3D（Unity Technologies）シリーズとUnreal Engine（Epic Games）シリーズであるが、一定の商業的利用を超えるまでは無償化されている。同時に二〇一〇年代はキャラクタがディジタルゲームの中だけでなく、ディジタルサイネージやネット上、携帯端末上などで活躍するようになった。これらは「3Dキャラクタをリアルタイム・インタラクティブ」に動かすソフトウェアであったが、多くの場合、ゲームエンジンを用いている。ゲーム以外の目的では、たとえば商品のディスプレイや新車のインタラクティブな紹介（角度・色を変える）などに使用された。またゲームエンジンの販売元も「ゲームエンジンの「非ゲーム」（Non-Game）への応用」が標榜されていた時期でもあり、実際世の中にゲームエンジンを基礎とするデモンストレーションが広がっていった［小野 15］。

⑤二〇二〇年代のバーチャルビーイング

二〇二〇年代前半は伝染病の流行から始まった。この天災は結果として社会のディジタル化と仮想空間化をもたらした。ここでいう「社会の仮想空間化」とは、物理空間を介さず、インターネットやメタバースを通じて社会が回るシステムへと変化することである。このような現象は人を部屋の中でスクリーンに釘付けることになり、オンラインで社会を回す仕組みが徐々に整備されることになった。そこで社会の仮想化の進捗に応じて、普段キャラクタに接することがない層にまで、キャラクタの露出は広がっていった。たとえばオンライン会議システム「Zoom」（Zoom Video Communications）では動物のキャラクタに扮することができる機能が用意されている。VRChat は、キャラクタに扮してVR空間に没入し談話を楽しむサービスである。また、直接人と出会うことが難しい状況の中で、オンラインゲームの需要も高まった。このような仮想化空間は、同時に現実空間でもキャラクタが露出するスクリーンが徐々に整備されていった。

このようにディジタルキャラクタの出現から四〇年にわたる継続によって、バーチャルビーイングは技術的実現、かつ社会的な受容を得るに至った。この現象はゲームエンジン、インターネットなどの技術的変化と、社会におけるインターネットとディジタルデバイスの普及といった社会的変化のもとに起こったことである。

4　物理空間・メタバースを拡張するバーチャルビーイング

バーチャルビーイング（VB）に対する社会における意識が高まったのは、ディジタルゲーム以外に、普段、社会活動や生活を営む場でバーチャルビーイングと接する機会が多くなったからである。バーチャルビーイングの普及に必要な要素は、バーチャルビーイングの性能とともに、バーチャルビーイングと自由にインタラクションする場、人とバーチャルビーイングがフランクに接する場である。そのようなバーチャルビーイングと接する機会の向上がバーチャルビーイングの社会的進出の可能性を広げる。たとえば「ANUBIS ZONE OF THE ENDERS: M∀RS 渋谷上空ARバトル」（KONAMI Cygames 2018）では、渋谷109とMAGNETの屋上展望台で、パッドのスクリーンごしに、渋谷中心街で戦闘するロボットを見ることができる［西川 18］。

バーチャルビーイングには、一方向のコミュニケーションではなく、双方向のコミュニケーションが実装される場合が多い。カメラビジョンによる認識や、音声の認識、また触覚による認識など、仮想側から現実側の情報を取得する。

ディジタルゲームは、ディジタルゲームの空間が仮想空間としてつくられる。人間のプレーヤは身体動作をコントローラなどゲーム機が提供するインタフェースに限定し、仮想空間内のエフェクタ（分身となるキャラクタなど）を動かすことで、身体性を捨ててゲーム内世界に入り込む。VRゲームはより身体を用いるが、同様である。一方で、バーチャルビーイングは現実空間のほうへ進出しようとする特徴ももつ。

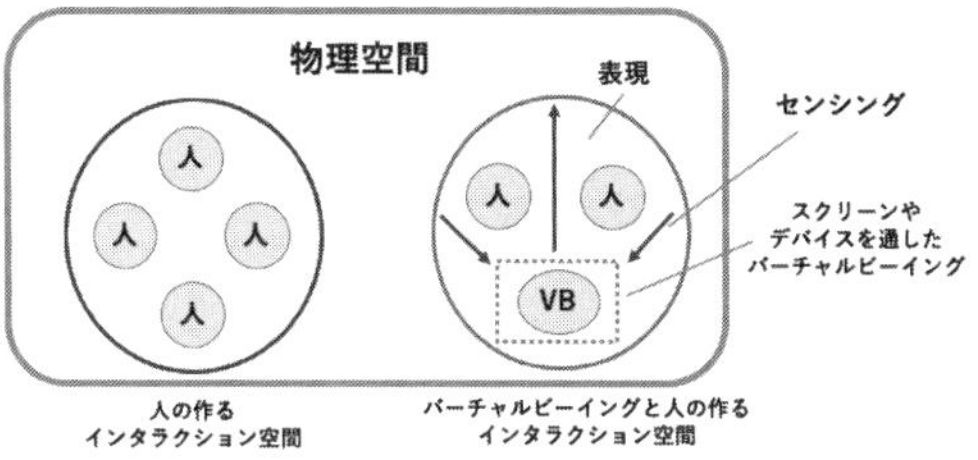

図4　バーチャルビーイングがつくるインタラクション空間

人は人とインタラクション空間を形成する。それは当人たちを囲う空間である。バーチャルビーイングもまた人とインタラクション空間を形成する（図4）。バーチャルビーイングが投影された地点を中心に、バーチャルビーイングがセンシングする領域全体がバーチャルビーイングと人とのインタラクション空間となる。そのインタラクション空間は人と同様にバーチャルビーイングと人をつなぐ空間でもある。

たとえば一枚のディジタルサイネージであってもそこにカメラ、マイク、匂いセンサ、触覚センサなどを搭載すれば、ディジタルサイネージ周辺の空間を認識することができる。また、ロボット機能をもつスクリーンであれば移動が可能である。バーチャルビーイングはそれら周辺の空間をインタラクション空間に変化させ、その空間に含まれる人々やその空間全体に作用する。作用された空間は「仮想世界と接続された物理空間」となる。たとえばメタバース空間のバーチャルビーイングであっても物理世界の空間をセンシングし、そこにリアルタイムに作用することが可能である。この場合、作用は物理デバイス、たとえばロボットやオーディオ機器、ライト、携帯電話などを通じて行われる（図5）。映画『アイカツ！ミュージックアワード』（BNP/AIKATSU、二〇一五）は、映画と連動したスマートフォン向けのアプリ「アイカツ！みんなでおうえんアプリ」が配布され、劇中のキャラクタのライブを、ライブシーンに合わせて色やデザインが変わる「サイリウム機能」によってスマートフォンを振り、応援することができた［AnimeRecorder15］。また、「冴えカノ」加藤恵Project（SME、二〇一六）では、「水槽プロジェクション」技術とバーチャルビーイングからの発話、また聞き取りによって、バーチャルビーイングとの双方向コミュニケーションの場が実現されていた［佐藤16］。

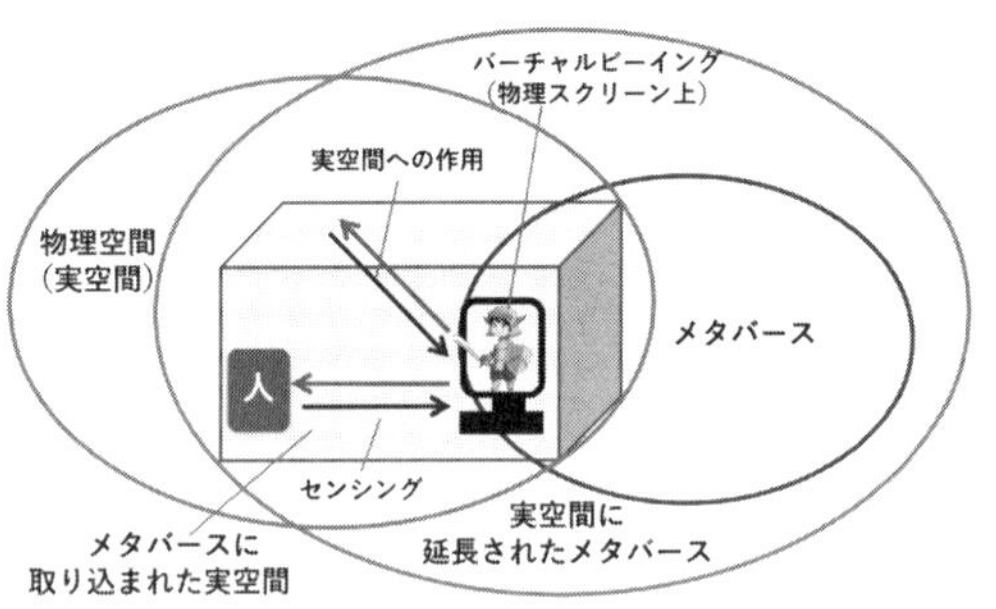

図5　バーチャルビーイングがつくり出す空間

仮想世界と接続された物理空間はこれから増加すると予想される。特に、スマートシティにおいては都市空間全体にAIによる観測が、程度の差はあれ、はりめぐらされる。その場合、バーチャルビーイングはスマートシティ全体のシステムと人をつなぐキャラクタ・インタフェースとしての役割をもつ（図6）。

5　バーチャルビーイングのアーキテクチャ

バーチャルビーイングの内部アーキテクチャは、二つの特徴をもつ。第一に、対話やインタラクションから相手（人間）を理解しようとする点である。第二に自分自身を相手に向かって表現する点である。この対人に対する理解と表現の機能は、バーチャルビーイングが物理世界の人と接する強さが強いほど、質の高いものになる。そのため、エージェントアーキテクチャの上に言語エンジンや音声エンジンなどさまざまな機能が搭載される（図7）。

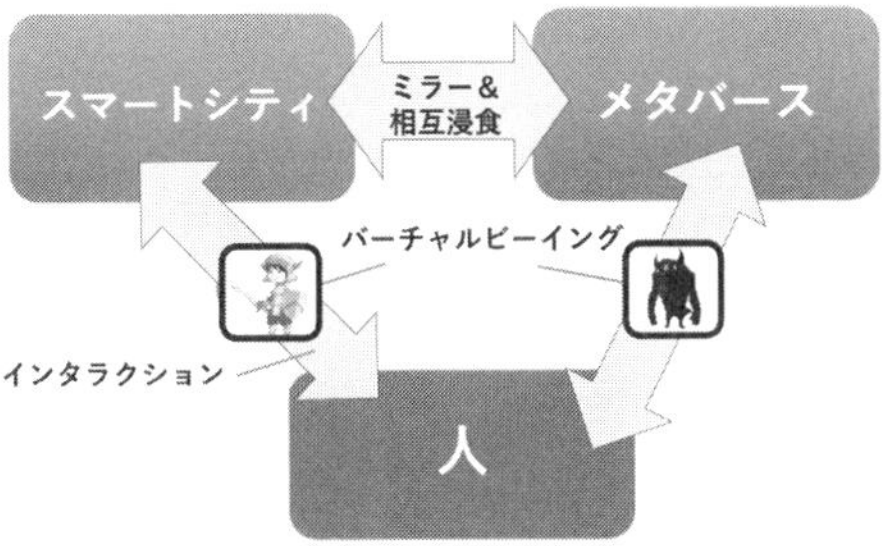

図6　スマートシティ、メタバースとバーチャルビーイング

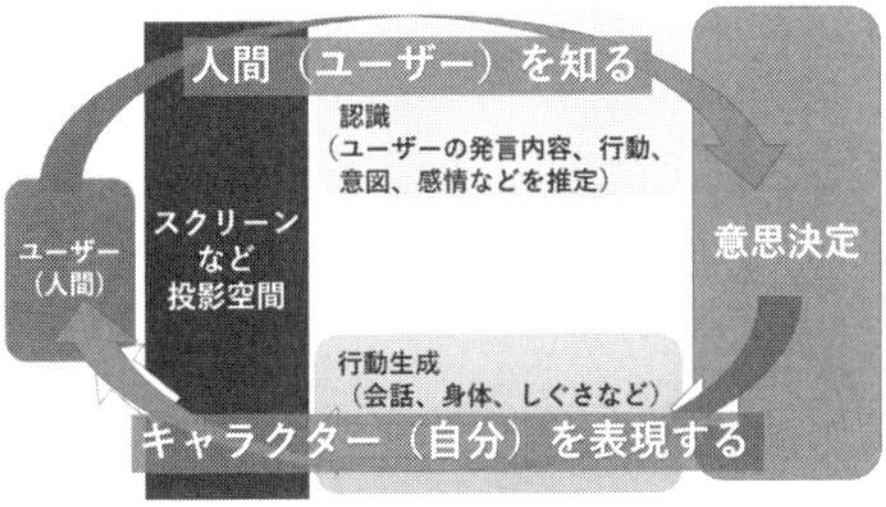

図7　バーチャルビーイングのエージェントアーキテクチャ

バーチャルビーイングのアーキテクチャは、大きく三つの部分へ分かれる。センサをインプットとする認識部分、意思決定部分、エフェクタをアウト

プットとする自己表現部分である。

バーチャルビーイングの認識部分の最大限の設計としては、マルチモーダルであることである。ここでマルチモーダルはカメラ赤外線などによる視覚、マイクによる聴覚を主として、それ以外に触覚デバイス、力学センサなどである。このようなセンサから入力された情報をもとに意思決定を行う。

次に意思決定、行動生成の部分は人に向かって自己を表現していくプロセスとなる。ここでの意思決定はどのようなコメントをするか、どのような仕草をするかなど、相手に対する反応を決定する。そこから具体的に各モジュールがアウトプットをつくっていき、エフェクタに渡される。

前半の認識部分は「相手・状況を理解する」ことを目的とし、後半の自己表現部分は「自分を表現する」プロセスである。この自己表現部分の機能はバーチャルビーイングが言葉を話す、身振り手振りをする、などである。通常のゲームキャラクタの場合は、単なるアクションではあるが、バーチャルビーイングの場合は、コミュニケーションする相手（人間）に対する自己アピールである。

認識部分で重要なのは、相手（人間）とその発言の意図を理解することである。特に、単なるエージェントではなくバーチャルビーイングといった場合には、自己を表現する力と、バーチャルビーイングそのものがもつキャラクタ性が問われる。

このバーチャルビーイングに要求されるキャラクタ性、つまりキャラクタとしての個性・魅力こそは、バーチャルビーイングをディジタルコンテンツとして成立させる内容であり、ディジタルゲームが育んできた知見でもある。バーチャルビーイングがバーチャルビーイングとして個性をもつこと、パーソナリティをもつこと、嗜好をもつこと、これによってバーチャルビーイングはコンテンツとしての自律性をもつようになると同時に、受け手の世界の中に「キャラクタ」として生きることになる。つまりユーザから見た場合、一つの独立した動的存在として認知されることになる。

6 未来予想――バーチャルビーイングによる人間の拡張

メタバースの発展の一つの方向は、スマートシティのディジタルツインとしての発展である［三宅 21、三宅 22a、三宅 22b］。この発展上の未来では、物理世界はスマートシティとなり、それと対をなす仮想空間はメタバースとなる。この二つの世界が融合した新しい現実を人は生きることになる。ここでは、バーチャルビーイングの社会への浸透で可能となる未来の予想について述べる。

①人とその分身としてのバーチャルビーイング

スマートシティとメタバースによって社会構造が二重化される場合、人は自らの存在をバーチャルビーイングとして拡張する必要がある。物理的身体はスマートシティの中にあり、自分の分身となるアバタ（キャラクタ）としてのバーチャルビーイングによってメタバースを生きることになる［三宅 22c］（図８）。

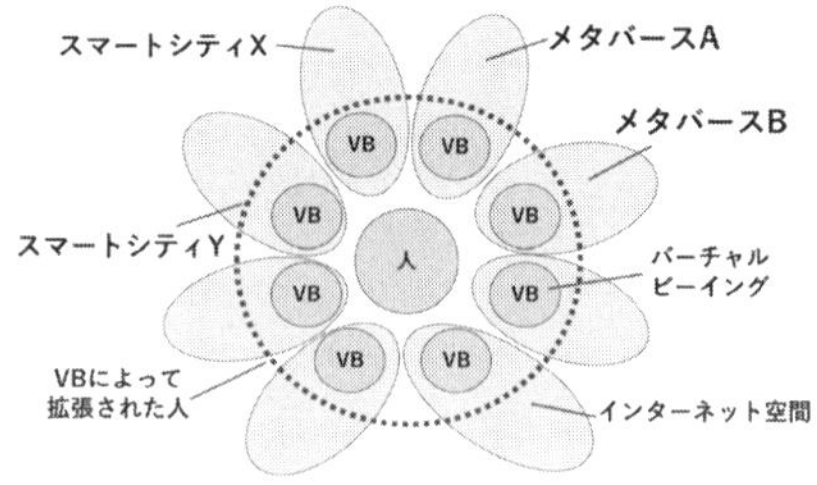

図８　バーチャルビーイングによる人の拡張

たとえば物理的な街を歩くのと、メタバース内の移動が同期される、あるいはメタバースで自分が不在の場合でも、人工知能を搭載したバーチャルビーイングが自分の代わりに受け答えしてくれるなど、である。現在、人はインターネット空間に自ら参加しているが、バーチャルビーイングなどによって、それぞれのメタバース、それぞれのインターネット空間に対してバーチャルビーイングによって参加するモデルが考えられる。こういったモデルの場合には、それぞれのメタバース、それぞれのインターネット空間に対するバーチャルビーイングが構成され、人はそれぞれのメタバース、インターネット空間のバーチャルビーイングによってそのメタバースへ参加する。バーチャルビーイングの中身はＡＩかもしれないし、また本人自身であってもよい。また、ハイブリッドであってもよい。たとえば、普段はＡＩで駆動しているが、ある時間には本人が操作している、などである。一つのバーチャルビーイングに対して、ＡＩと人の間でスムーズな操作権の移行がなされる。

②バーチャルビーイングどうしのコミュニケーション

人とその人のバーチャルビーイングによる集合体によって、人の存在は拡張される。人単体の活動ではなく、人とその人の複数のバーチャルビーイングによる活動全体が、その人の社会活動として社会的に認識されるようになる。このような人の拡張によって、人と人のコミュニケーションもまた、ダイレクトな「人－人コミュニケーション」に加えて、新しい間接的な「人－VB－VB－人」コミュニケーションが加えられることになる（図9）。

このようなコミュニケーションは、バーチャルビーイングどうしのコミュニケーションが人どうしのコミュニケーションの拡張となることを意味している。当人どうしのコミュニケーションでなくても、目的が明確な場合には、バーチャルビーイングどうしのコミュニケーションで達成される。つまり、人工知能どうしのコミュニケーションによって合意するプロセスは、マルチエージェント研究の中で探求されてきた成果を応用することが可能である［伊藤 10］。コミュニケーションの維持と促進はバーチャルビーイングに任せておき、最終的な承認は当人によるものにすれば、バーチャルビーイングを、議論の詳細を詰めて合意を形成するために活用することが考えられる。

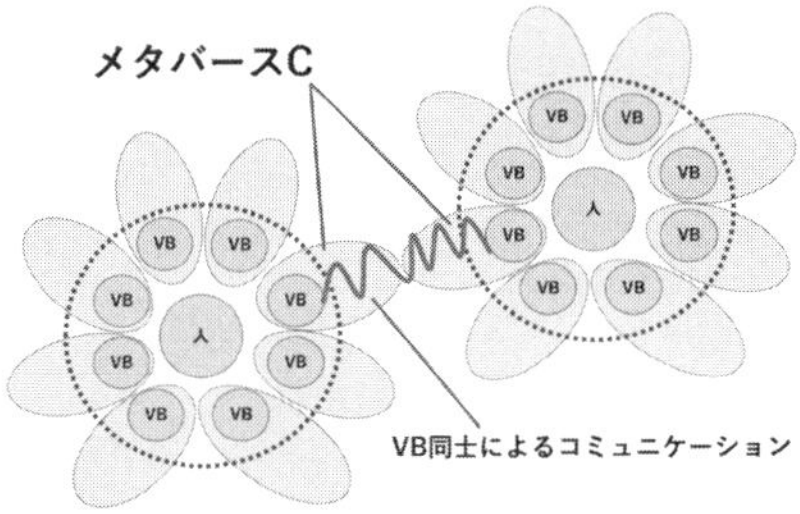

図9　バーチャルビーイングどうしのコミュニケーション

③バーチャルビーイングによるネット空間の変化

自分の分身であるバーチャルビーイングと自らが一つのシステムとしてインターネット空間に存在するようになることで、インターネット自体が新しく構造化される未来が予想される。インターネット空間に直接人が関与するのではなく、常にバーチャルビーイングによる持続的な活動がなされており、場合によっては人が操作する、という形に変化することになれば、人がインターネットに張り付いて操作やSNSやゲームをしている状態から、インターネットに間接的に参加し、必要な情報やコネクションはバーチャルビーイングによって取得される状態へと移行することが可能となる。

社会全体が仮想化され、バーチャルビーイングによる社会的活動が行われると、人は労働なしに、ある程度、持続的な社会を実現することになる。そのような社会では人が仕事の責任のすべてを背負うことなく、バーチャルビーイングが仕事の持続性を最低限担保し、その仕事をよりエンハンスメントする存在として人間が関わることとなる。特に人口減少の激しい日本においては、人的資源の観点からバーチャルビーイングによる持続可能な社会の実現が必要である。

④バーチャルビーイングによる持続可能な社会

③で述べたように、バーチャルビーイングによって社会を動かすことができるようになれば、人の関与なしに社会活動を維持することができるようになる。この場合、バーチャルビーイングはエージェントと同義である。バーチャルビーイングと人間がいつでも代替可能な存在として社会に参与するためには、バーチャルビーイングによる仕事は常に人に代替できる形で定義されなければならない。バーチャルビーイングによる社会活動の一群を人が一時的に行うことができる、すなわち、常にバーチャルビーイングの仕事を人が「乗っ取る」ことができるようにデザインすることに

より、人なしでも動く社会システムをエンハンスメントする形で、人が社会参加をするシステムが可能になる。そうなった場合には、人は現在のように企業の社会的活動を持続させる責任の一端をバーチャルビーイングに移譲する形で業務を行うようになる（図10）。

7　まとめ　新しい現実

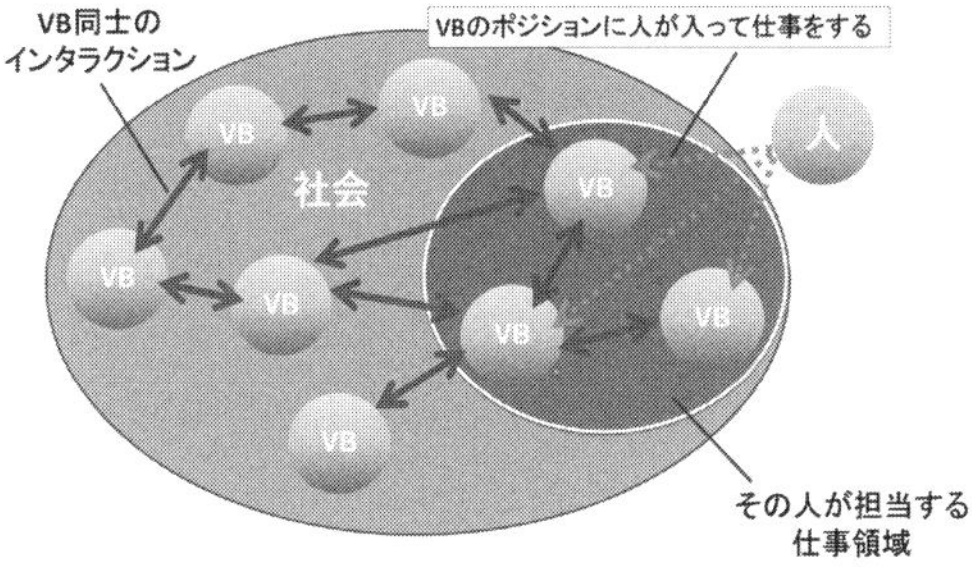

図10　バーチャルビーイングを含んだ社会の形

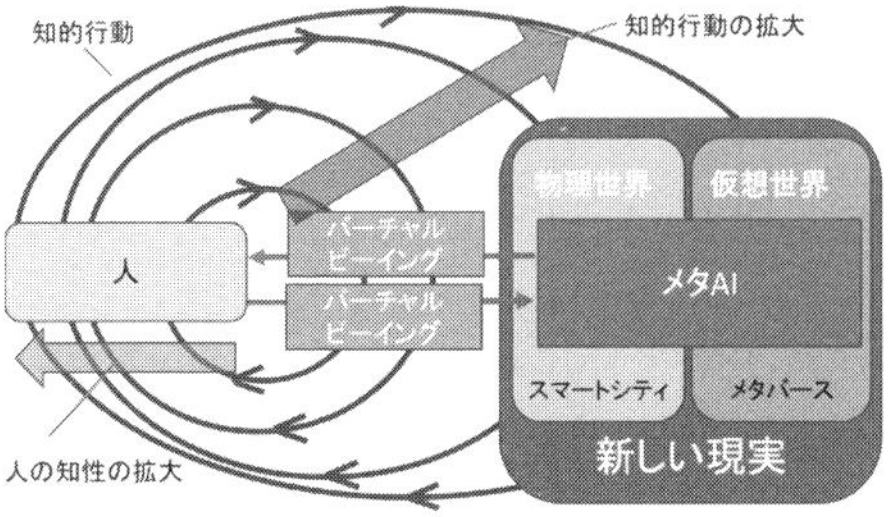

図11　人の知性の拡大とスマートシティ、メタバース

バーチャルビーイングの社会への浸透は、単にバーチャルビーイングの導入のみならず、バーチャルビーイングを取り囲む世界ごと社会へと浸透することである。バーチャルビーイングが活動する世界とは物理世界ではスマートシティであり、仮想世界ではメタバースなどである。これから人はスマートシティとメタバースが融合した新しい現実を生きることになる（図11）。スマートシティとメタバース、双方にわたる人工知能をここでは「メタＡＩ」［三宅15、三宅20］と呼ぶこ

とにすると、全体を統括するメタＡＩは、それぞれの人にはバーチャルビーイングのようなインタフェースを通して語りかけることになる。

バーチャルビーイングの浸透は、人の現実世界を変えると同時に、人の存在の在り方を変化させることになる。それはまた、人の意識のもち方を変えることになると予想される。すでにディジタルデバイス、インターネット、ＳＮＳ、オンラインゲームなどが、さまざまに人の環境を変え、意識を変容させてきたが、バーチャルビーイングはそれらディジタル技術の一つの集大成として一つの段階を超えることであり、日本の新しい社会と人の在り方の基本要素となるだろう。

参考文献

［AnimeRecorder15］『アイカツ！ ミュージックアワード』と連動したアプリ『アイカツ！ みんなでおうえんアプリ』配信決定。スマートフォンがサイリウムに変身、Anime Recorder（2015）https://www.anime-recorder.com/16/87934/

［平野 21］平野晶麗「ALiS ZEROにおけるライブへの取り組み」CEDEC（2021）https://cedil.cesa.or.jp/cedil_sessions/view/2361

［伊藤 10］伊藤孝行「マルチエージェントの自動交渉モデルとその応用」『知能と情報』Vol.22、No.3、pp.295-302（2010）

［三宅 11］三宅陽一郎「日本における同人インディーズゲームの技術的変遷」『デジタルゲーム学研究』Vol.5、pp.57-64（2011）

［三宅 15］三宅陽一郎「ディジタルゲームにおける人工知能技術の応用の現在」『人工知能』Vol.30、No.1、pp.45-64（2015）
［三宅 20］三宅陽一郎「大規模デジタルゲームにおける人工知能の一般的体系と実装」人工知能学会論文誌、Vol.35、No.2、pp.B-J64_1-16（2020）
［三宅 21］三宅陽一郎「『メタバース』の世界」『JOSYORI』ＩＰＳＪ情報処理カタログ（2021）
［三宅 22a］三宅陽一郎「ディジタルゲームＡＩ技術を応用したスマートシティの設計」『人工知能』Vol.37、No.4、pp.436-445（2022）
［三宅 22b］三宅陽一郎「メタバースの成立と未来――新しい時間と空間の獲得へ向けて」『情報処理』Vol.63、No.7、pp.e3-e36（2022）
［三宅 22c］三宅陽一郎「メタバースによる人の意識の変容」『現代思想』２０２２年９月号（2022）
［西川 18］西川善司「ANUBIS ZONE OF THE ENDERS: M∀RS 渋谷上空ＡＲバトルを体験」Applive Games（2018）https://games.app-liv.jp/archives/380803（２０２３年５月21日確認）
［小野 15］小野憲史「画像電子学会がセミナー「非ゲーム分野でのゲームエンジンの活用」を開催」メディア芸術カレントコンテンツ（2015）https://mediag.bunka.go.jp/article/post_407-3792/
［佐藤 16］佐藤和也「ソニー「冴えカノ」加藤恵 Project で見た〝最先端技術でキャラの魅力を拡張する研究〟」、CNET Japan（2016）https://japan.cnet.com/article/35080205/
［冨田 12］イーハトーヴ交響曲 Blu-ray、日本コロムビア、https://columbia.jp/hatsunemiku/about.html

第6章　都市が人工知能になるとき
――人とスマートシティ

1　はじめに

本章ではディジタルゲームの人工知能の技術を応用したスマートシティの人工知能のデザインについて考えていきたい。都市の人工知能のデザインをいかに成し得るか、つまり、スマートシティにおけるＡＩとは何か、という問題に対して、ディジタルゲーム空間の人工知能化技術を応用したデザインを提示する。これによって、これからのスマートシティ設計・開発の研究の基礎を提示する。

まずディジタルゲームＡＩ技術の中心的構造である「MCS-AI動的連携モデル」（MCS-AI dynamic cooperative model）を用いたスマートシティの人工知能のアーキテクチャを紹介する（図1）。「MCS-AI動的連携モデル」は、「メタＡＩ」（Meta-AI）、「キャラクタＡＩ」（Character AI）、「スパーシャル

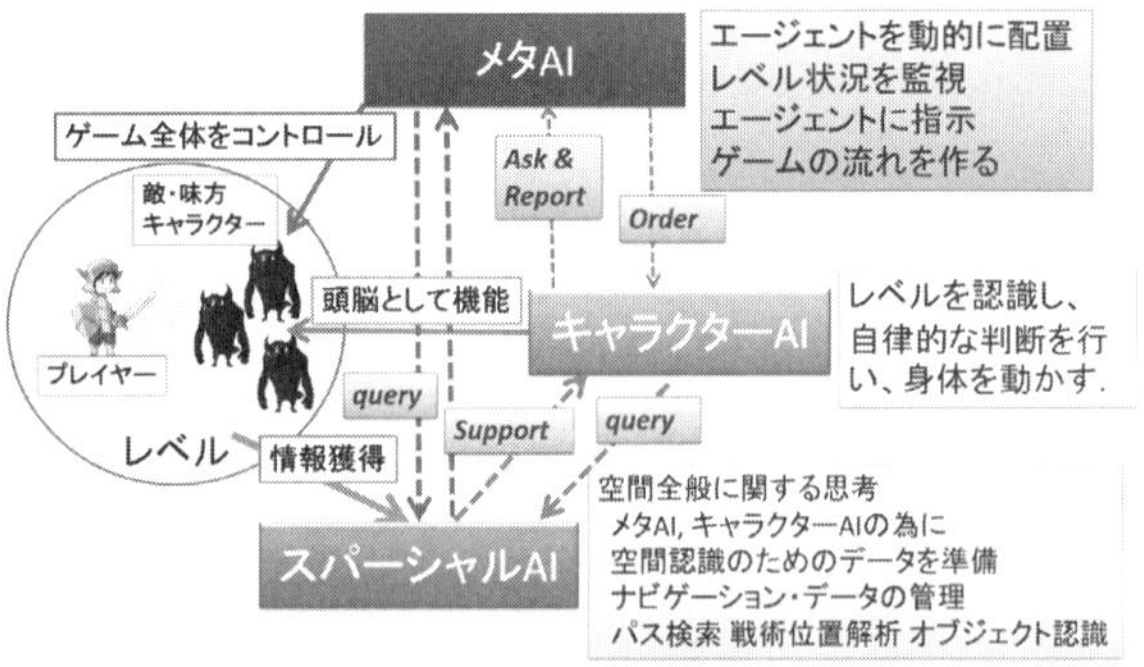

図１　MCS-AI 動的連携モデル

AI」（Spatial AI）が自律的に動作しつつ連携するモデルである［三宅 20a、三宅 20b］。本デザインに基づいたシミュレーション実験の研究も行われている［石政 21、石政 22］。

ディジタルゲームは、「MCS-AI 動的連携モデル」によって、ゲーム全体を「知能をもつ空間」へ変化させる［三宅 20c］。特にメタAIは、ユーザのゲーム内外の動向を認識し、ユーザの心理を推定しつつ、ゲーム展開をユーザの適性や心理に応じて変化させる［上段 16、里井 19］。このような、ゲーム空間全体の知能化は、ゲーム産業が四〇年にわたり培ってきた技術である。空間の知能化というアイディアは、他の任意の空間にも応用可能であり、スマートシティという都市空間においても応用可能である。

スマートシティの人工知能、すなわち、都市全体を一つの人工知能として、そのエージェントアーキテクチャを考えると、都市全体の人工知能は、MCS-AI 動的連携モデルにおけるメタAIに相当する。都市の人工知能としてのメタAIのアーキテクチャには大きく三つの領域があり、都市の状態データを集約するセンサリング機能と、都市の知能としてその行動の意思決定機能、そして都市の人工知能が実効的に都市に力を行使するエフェクタの機能である。データを集約する機能は、都市のもつビル群、交通、広場など、さまざまなアセットの情報を収集し整理する機能である。都市の知能の意思決定は、都市の未来、近未来に対する行動決定である。エフェクタは、都市の実行機能であり、都市に影響を与える。

このように都市を一個のエージェントと捉えると、通常のロボットやゲームキャラクタとエージェントアーキテクチャのフレームは同様であるが、内包するモジュールの内容が大きく異なる特徴をもつ。個としてのエージェントは身体をもち、その周囲の局所的空間と短時間を支配するが、都市全体の人工知能は都市空間の大局を長時間にわたって制御する。これはスマートシティにおける人工知能の基本的性質であり、本章を通じて、その詳細な設計を描いていこう。

2　MCS-AI 動的連携モデル

この節では「MCS-AI 動的連携モデル」の概要を説明する。ディジタルゲームはゲーム空間（3Dあるいは、2D）の中でプレーヤに多様な体験を与えることを目的とする。ディジタルゲームＡＩの役割は、体験の多様さを確保するところにある。ディジタルゲームＡＩは「メタＡＩ」、「キャラクタＡＩ」、「スパーシャルＡＩ」からなり、これらは自律的に動作しつつ分散協調［石田 96］する。この三つの自律的人工知能の動的連携モデルを「MCS-AI 動的連携モデル」と呼ぶ。ディジタルゲームＡＩは、この三者の連携の仕方によって、さまざまなユーザ体験を生み出す［三宅 17］。

メタＡＩは、ゲーム全体を俯瞰的に観測して、ゲームの諸要素（キャラクタ、オブジェクト、地形、天候など）をコントロールすることで、ゲーム全体の流れをつくり出す［三宅 19］。キャラクタＡＩはキャラクタの頭脳であり、そのキャラクタの周囲を認識し、意思決定し、行動を生成する。スパーシャルＡＩはパス検索などキャラクタの移動経路の計算を行う「ナビゲーションＡＩ」(Navigation AI）を含み、目的に沿った地点の検索（隠れるポイント、攻撃ポイントなど）、敵味方勢力図の作成、など空間全体に関する解析とその情報をメタＡＩ、キャラクタＡＩに伝える役割をもつ。

三つのＡＩの関係は以下のようである。メタＡＩはスパーシャルＡＩから提供された情報を使用する、あるいは、必要な情報をスパーシャルＡＩにクエリを発行して取得しつつ、キャラクタＡＩに命令を与える、また、キャラクタＡＩからの行動提案を許諾・拒否する。キャラクタＡＩはスパーシャルＡＩから提供された情報を使用する、または、必要な情報をスパーシャルＡＩにクエリを発行して取得しつつ、自らの意思決定を行うのが基本であるが、メタＡＩからの命令、あるいは承認が必要な場合はメタＡＩとコミュニケーションしつつ意思決定を行う。

MCS-AI 動的連携モデルの三つのＡＩが、どのような動的協調を生み出すかについて、複数のデザインパターンがあり、このデザインパターンの探求が、本モデルの多様な可能性を引き出す［三宅 22a］。

MCS-AI 動的連携モデルはディジタルゲームだけではなく、現実空間においても応用可能である。

メタAIはまた、現実空間における卓球ロボットに実装されたケースがある［中山21］。次節では、都市空間における本モデルの応用について考えたい。

3　スマートシティための MCS-AI 動的連携モデル

右のようなディジタル空間におけるAIの仕組みは、現実のスマートシティにおける人工知能のモデルとして応用することが可能である。「メタAI」は都市全体を俯瞰し、都市の状態を把握し、都市に対して、エージェントを動かす。ここでいうエージェントは、ロボット、ドローン、ディジタルサイネージやビッグビジョン、携帯機上のキャラクタを通じて都市に実効的な影響を及ぼす人工知能である。たとえば、ロボットやドローンが事故を発見する、人が密集する危険な場所を検知して交通整理を行う、横断歩道を監視する、積極的にお年寄りや身体の不自由な方のサポートサービスを行う、などである。キャラクタAIは、都市で動作する右記のさまざまなエージェントの頭脳である。そこには、個々の事例において人間と協調して動作する要件も含まれる。また、スパーシャルAIは、都市のさまざまな空間的な特徴を抽出する。都市の空間的な状況を認識し、メタAI、キャラクタAIに知らせる役割をもつ（図2）。

都市は大規模な構造体であるため、その人工知能の全体構造には階層的な構造を導入する必要がある。都市全体の人工知能から各区の人工知能、各ビルディングの人工知能、末端の人工知能という序列である。このような階層構造を導入すると同時に、それぞれの層が独立に動作するサブサンプションアーキテクチャを導入する［三宅14］。各層は独立に動作するが、上位の層は下位の層を制御する権限をもつ。このようなアーキテクチャによって、それぞれの層が、それぞれの層のスケールと立場から都市を認識し、アクションを施すことになる。

また、都市の構造はアクターネットワーク（Actor Network）構造［ラトゥール19］によって構成される。これは都市をお互いに作用し合う要素のネットワークとして捉えることである。この構造については①で述べる。また都市全体の人工知能のアーキテクチャに含まれる三つの人工知能に関して、②〜④において詳細を述べる。

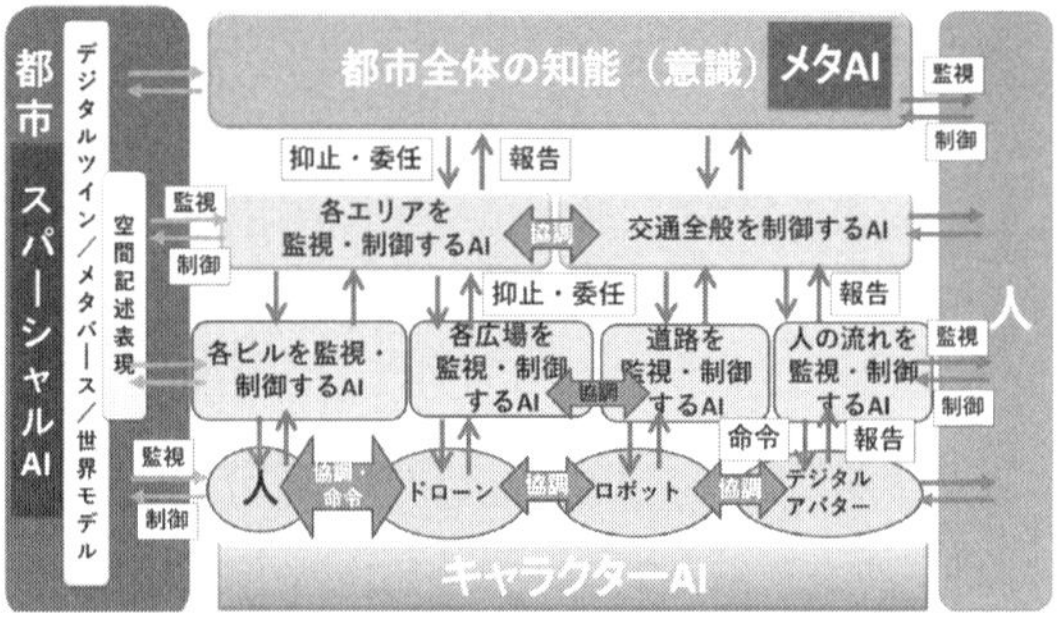

図2　スマートシティにおける AI アーキテクチャ

①スマートシティのもつアクターネットワーク構造

メタAI、キャラクタAI、スパーシャルAIは自律型エージェントであり、本モデルは、自律型マルチエージェントの動的連携モデルである。一方で、都市に存在する、建築、物、場所（広場、公演、道路など）を、知能をもつアクターとして、それらが連携するネットワークを構築する。これはスマートシティそのものを構成するアクターネットワークであり、これらの相互のネットワーク構造が都市の神経網として、都市全体の身体的構造が形成される。ここでいうアクターは同時にエージェントでもある「アクターエージェント」である。スマートシティのボトムアップ構造は、アクターによるネットワーク構造であり、トップダウンには、エージェントによるMCS-AI動的連携モデルである。

ロボット、ドローン、人、ディジタルサイネージ上のキャラクタなどは都市に所属しつつ独立した動的に運動する主体である。一方で、アクターエージェントは、動的な運動機能をもつものもあるが、都市そのものを形成する要素である。アクターエージェントは動的・静的な都市環境の要素として存在し、相互ネットワーク構造によって都市の人工知能の基本的な性質を決定する（図３）。

たとえば、物をアクターエージェントとして設定し、物自身に位置と状態を報告させることで流通のシステムをメタＡＩがリアルタイムに把握できるようになる。また建築をアクターとすることで、ビルの状態の情報を集約することができる。またビルどうしのコミュニケーションを可能にする。ある空間（アクター）の人口密度が指定したしきい値を超えた場合、あるゲート（アクター）を開放する、空調（アクター）が自動動作する、などである。アクターネットワークは都市の諸要素を有機的に連携させるシステムである。メタＡＩ、キャラクタＡＩ、スパーシャルＡＩは自律的エージェントとして都市の動的な知的運動を担当するが、都市のアクターネットワークは、都市の内部構造を定義する。以下、アクターエージェントはエー

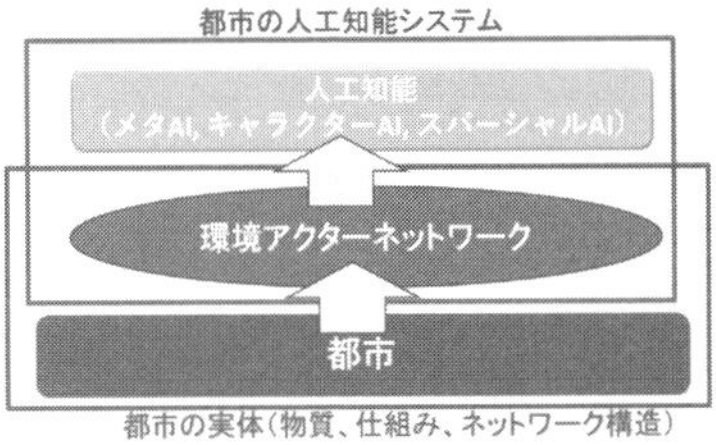

図３　アクター、メタAI、キャラクタAI、スパーシャルAI

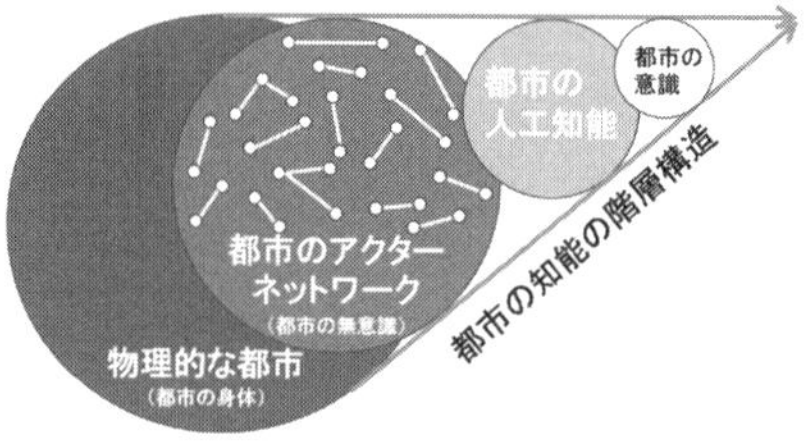

図４　都市の知能の階層構造

ジェントと区別するために、「環境アクター」と呼ぶ。

都市の知能の階層構造は、物理的な都市から始まり都市の環境アクターによる都市のアクターネットワーク、そして都市の人工知能、最後に都市の意識のように、都市の知能は階層的に構築される（図４）。人間の知能とのメタファーを対応付けると、順に都市の身体、都市の無意識、都市の知能、都市の意識、のように都市の知能が形成される［Kirwan20］。ここで、都市のアクターネットワークが、無意識に例えられるのは、上位の都市の人工知能に知られることなく、都市の運動として環境アクター群の連携によって問題を解決する場合が多いこと、さらに都市のつながり方・広がり方を認知する場であるからである。また将来的には、このような知的階層の上に、都市の意識を形成することが期待される。

②都市のメタＡＩ

都市のメタＡＩは空間に知能を宿らせる「空間型ＡＩ」（空間型知能）である。空間型ＡＩについては④において一般論を解説するが、都市における空間型ＡＩとは、都市の部分空間に宿る人工知能である。最も大きな空間としては、たとえば東京都全域が考えられる。次に各区、各ビル、各公園、各道路などである。これらの空間知能化は、それぞれの空間を監視するカメラやセンサ群による空間状態の把握、空間に対するエフェクタによって構成される。空間に対するエフェクタは多くの場合、ロボットやドローン、そして、人である。空間知能は空間状態の改善のために、それらに命令・報告を行う。また空間知能はロボットやドローンに空間情報を渡し、その空間における移動や行動を支援する。人に対しても同様である。

都市のメタＡＩは通常のエージェントアーキテクチャと同様に、センサ、意思決定、エフェクタ、身体をもつが、その内容が通常のロボットやエージェントと異なるが、その内容が通常のロボットやエージェントと異なる点は、そのスケールが都市全体に広がっているところである（図５）。メタＡＩの身体は、物理的な都市全体である。また都市に張り巡らされたアクターネットワークは、都市の神経網に相当し都市の知能の無意識な構造を形成する。またメタＡＩのセンサは都市全域に張り巡らされたセンサ群、環境アクターからの情報、さらにスパーシャルＡＩが提供する情報群からなる。メタＡＩはこれらのセンサ情報を統合して認識と世界モデルを形成する。またメタＡＩはエージェント群やアクター群に指示を行うことで、都市自身を動作させ、都市を囲う環境に影響を与える。メタＡＩの意思決定は、長期的な意思決定を基本とするが、危急の場合は短期的な意思決定を行うことで、災害や事件に対処する。長期的には都市全体のＱｏＬ

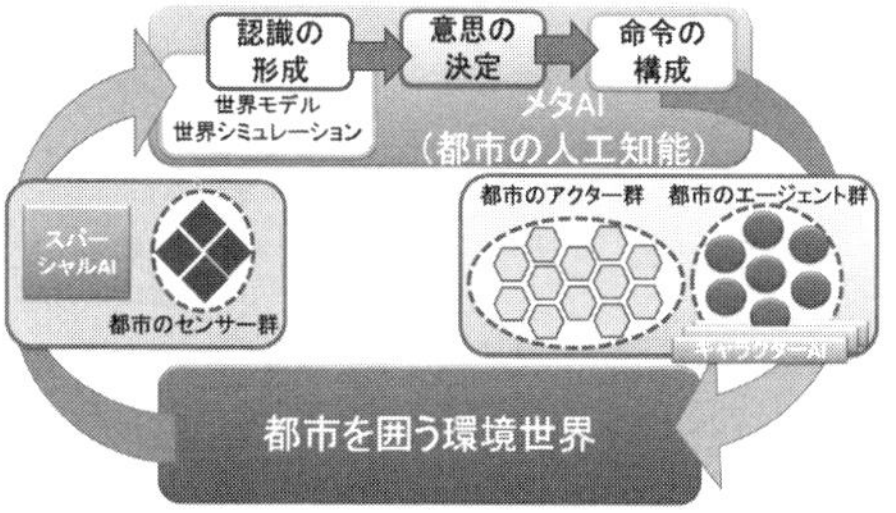

図５　メタ AI のエージェントアーキテクチャ

（Quality of Life）と経済的な利益を最大化するようにプランを立案して実行する。

③都市のキャラクタＡＩ

キャラクタＡＩは、個々のエージェントのもつ知能である。エージェントＡＩと同義である。思考と記憶をもち、センサによって情報を収集することで認識を形成し、意思決定を行い、身体を動かす。

都市においては、キャラクタＡＩが宿るのはロボット、ドローン、バーチャルキャラクタなどメタＡＩが指示するエージェントたちである。メタＡＩから命令指示されたエージェントは、そのミッションをそのキャラクタＡＩを用いて実行する。エージェント群はマルチエージェントシステムとしてエージェントどうしの連携のほか、人との協調も行う。

キャラクタＡＩが担うのは、メタＡＩから指定された区域の保全、あるいは事故やその可能性のある場所における活動である。メタＡＩが都市全体を大局に観測し、長期的な意思決定を行う一方で、キャラクタＡＩはその身体の周囲の領域について居所的に短期的な意思決定を行う。そのため、与えられた領域に関しては、メタＡＩより詳細に認識し、自分自身のアクションをデザインする。

④都市のスパーシャルＡＩ

スパーシャルＡＩは、人間の脳でいえば、空間認知機能部分である。自律的に自己と環境の関係を空間的に認識し、その情報を蓄積し、メタＡＩ、キャラクタＡＩに伝達する。スパーシャルＡＩは歴史的には、キャラクタを空間誘導するナビゲーションＡＩから発展した人工知能である［三宅15］。ナビゲーションＡＩは、まずゲームマップでキャラクタが移動できる領域を多角形メッシュ（ナビゲーションメッシュ）か、ウェイポイントの連結グラフによって埋め尽くす。これはナビゲーションデータと呼ばれる。現在の地点から目的地点への経路検索は、この連結グラフ上でリアルタイムにA*パス検索することによって行われる（図6）。

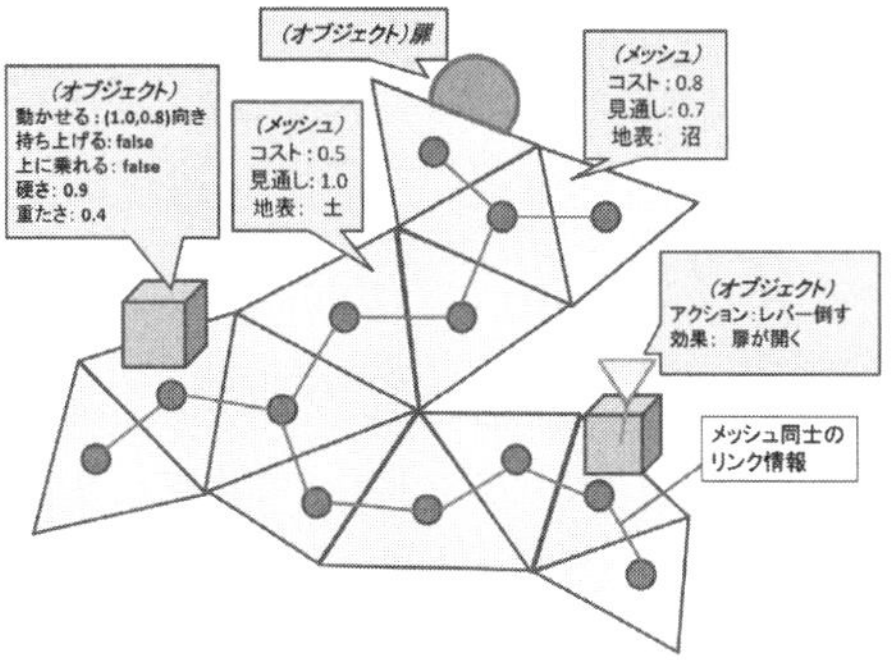

図6　ナビゲーションデータメッシュとその上の情報

このナビゲーションデータにより詳細に地形情報を反映することで、より地形情報を加味したナビゲーションを行うことができる。たとえば、ナビゲーションメッシュ上に地表情報（土、雪、アスファルトなど、横に崖があるか、など）を埋め込むことで、経路検索において地表情報をコストに反映することができる［三宅08a］。このような位置に依存した情報は位置依存情報（location-based information）と呼ばれる［Schwab08］。またディジタルゲームでは、ゲーム内の地形・空間に関する情報全般を世界表現（ＷＲ：World Representation）と呼ぶ。世界表現は知識表現の中で地形空間に特化したものである［Millington19］。

スパーシャルＡＩは、右記のようなナビゲーションＡＩを基

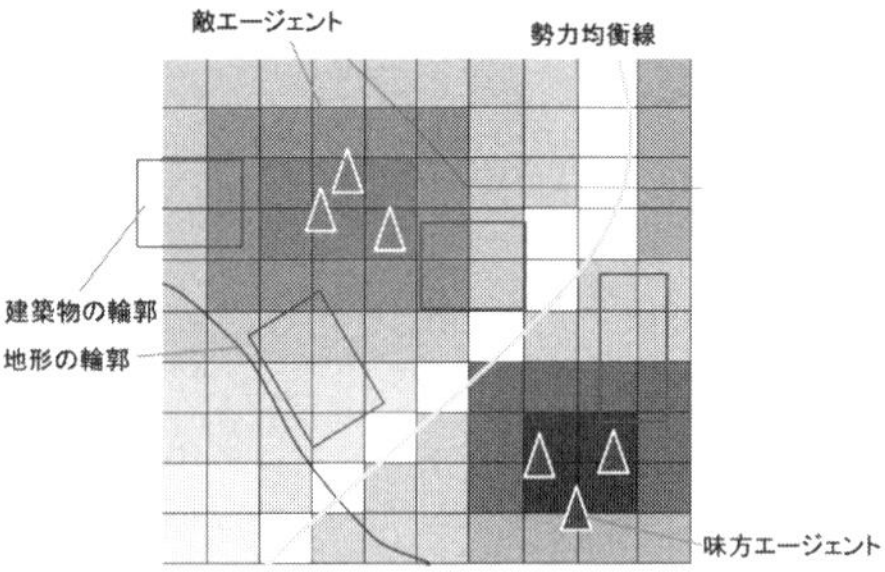

図7　影響マップと勢力均衡線

礎として、空間に関する思考を集約した自律型人工知能である。目的に適ったポイントの検索（位置検索）、リアルタイムに全体状況を把握する影響マップの使用などナビゲーション以外の空間検索も行う。影響マップは空間を単位空間に分け、それぞれの単位空間における特定の指標（たとえば人口密度気温、経済活動率など）を計算したマップである［長谷17］。ゲームでは敵を熱源、味方を冷却源とした温度マップをつくり、勢力均衡戦（フロントライン）を計算する場合に用いられる（図7）。

都市においては、人の流れや、建築の状態、空間や大気の状態を認識し所持し、メタＡＩ、キャラクタＡＩに常に自律的に情報提供を行う。都市の状態変化をリアルタイムに認識し、各種センサ群を管理する。スパーシャルＡＩが都市において基盤とするデータは、『PLATEAU』［国土交通省20］のような現実空間のディジタルツインであり、この基盤データの上にさまざまな位置依存情報を積み重ねていく。

4　スマート環境アクター

スマートシティを支える技術の一つに、空間・オブジェクト・ポイントなどに人工知能をもたせる「空間型ＡＩ」がある。これは環境アクターの一種であり、自身の管理する空間を認識し、意思決定を行い、影響を与える。特に、その空間においてエージェントを制御する機能をもつ空間型ＡＩを「スマート環境アクター」と呼ぶ。ゲーム産業では一九七〇年代からゲーム開発の歴史を通して一貫して使用されてきた技術である。

ディジタルゲームでは空間やオブジェクト（ゲーム内の物体）に知能を宿らせる「スマートオブジェクト」（Smart Object）の手法が八〇年代から取られている［三宅 20d］。これはディジタルゲーム特有の手法として発展してきた。特にディジタルゲームでは、大きな負荷をもたせることができない群衆を構成する個々のキャラクタ群の制御に用いられる。

通常、エージェントはオブジェクトを認識することによって、オブジェクトを操作する。しかし、現実世界のロボットでもゲーム世界のキャラクタでも、身体とオブジェクトが接する操作にはさまざまな物質的形状やモーションプランニングの問題がつきまとう。そこで、キャラクタがオブジェクトを操作するのではなく、オブジェクトがキャラクタを操作するように制御する手法がスマートオブジェクトである。

たとえば、ロボットにせよキャラクタにせよ、ドアノブを回してドアを開ける、という動作は精密な位置合わせを必要とする。そこで、ドアのほうがキャラクタを操作することで、キャラクタに「ドアを開けさせる」。ドアはプレーヤが手を伸ばすべき位置、キャラクタの立ち位置、動作アニメーションを所持しており、このデータを用いてドアを開けるキャラクタを制御する。

また「スマートロケーション」（Smart Location）は、キャラクタを制御するポイントである［Skubch19a、Skubch19b］。たとえば、ロールプレイングゲームの街の中でＮＰＣ（Non-Player Character、プレーヤ以外のＡＩ制御のキャラクタのこと）に立ち話をさせたい場合は、あるポイントがそこに集めるべき人数、アニメーション、立ち位置などを所持しており、プレーヤが近くに来ると、その座標に近い三体のＮＰＣに指令を出して立ち話をさせるなどである。このようにスマート環境アクターたちがＮＰＣを操作することで、特定の動作を特定の場所でＮＰＣにさせる、複数のＮＰＣを連携させる、ＮＰＣのキャラクタＡＩを向上させる（図８）。

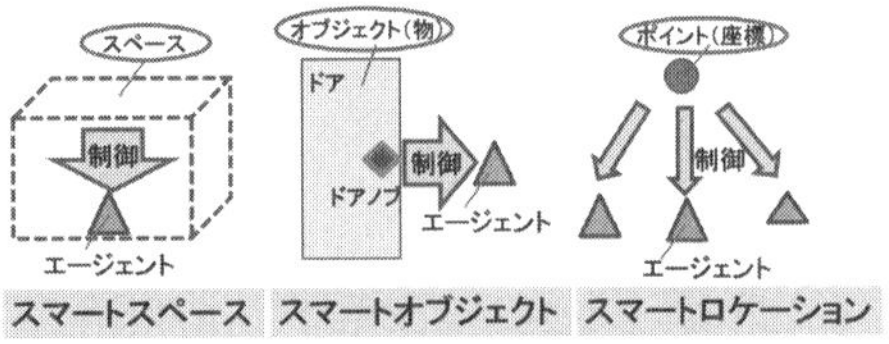

図８　スマート環境アクターたち

一般にスマートシティにおいてエージェントを制御する環境アクターを「スマート環境アクター」と定義する。このスマート環境アクターの制御によって、個々のエージェントがドアを開ける、という動作を行う知能をもつ必要がなく、キャラクタＡＩへの要求を下げることができる。スマート環境アクターは、スマートスペース（Smart Space）、スマートオブジェクト、スマートロケーションなどの種類をもつ。スマートスペースは部屋やホールなどの一定の空間に知性をもたせることである。たとえば、スマートハウス内の各部屋、オフィスにおける会議室、デパートのホールなど、その空間における人の位置、声、インタラクションを集めて、状況を理解しつつサービスを行う。たとえば、会議室では会議の参加者や議論の記録を自動的に生成する。

①主客転換制御

スマート環境アクターがエージェントを制御する場合、完全にエージェントの挙動をスマート環境アクターが請け負う場合もあるが、一般には、エージェントが主となって自律的な行動を行うモードと、環境アクターが主となってエージェントを制御するモードが動的に切り替わりながら制御される。これを主客転換制御と呼ぶ（図9）。

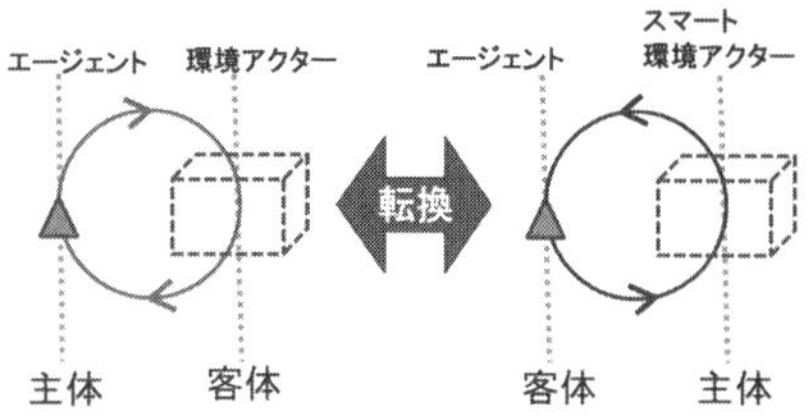

図９　主客転換制御

ディジタルゲームでは、この主客転換制御が頻繁に行われる。ＮＰＣが梯子の下に来るまではＮＰＣが主となる動作（梯子《はしご》の下のポイントにパス検索をして移動する）であるが、梯子を登る動作は環境アクター、ここでは梯子がＮＰＣを制御し梯子と位置合わせをしつつ登らせる。梯子を登りきると、再びエージェントが主となって動き出す。

メタＡＩは各スマート環境アクターとコミュニケーションをし、都市の状況に応じて、スマート環境アクターが行う制御モードを変更することで、エージェント群の挙動をコントロールすることが可能となる。たとえば、災害時においては、スマート環境アクターに通常とは違った挙動、たとえば制限速度の解除、人間への接近距離の変更などを許可することで、エージェント群の動作モードを変更することが可能である（図10）。

　スマートシティにおいてはロボットがさまざまな場所で動作しなければならない。しかし、場所ごとの複雑さに対応させるためには、ロボットは高度な地形解析能力と空間認知能力を所持し、身体を巧みに動作させなければならない。一方でその場に埋め込まれたスマート環境アクターがロボットを制御する場合、環境アクターがその地形を解析し、そこに来たロボットをその地形に合わせて制御すれば、ロボットの性能にかかわらず、地形に合わせた行動をさせることができる。

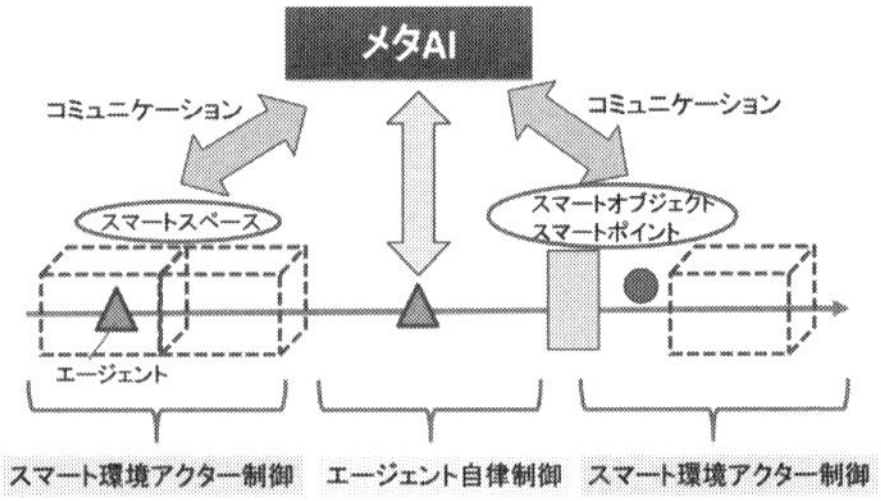

図10　主客転換制御とメタAIによるモード変更

　主客転換制御は、それぞれの場に知性を埋め込んでおくことで、その場の知的な活動を可能にする。都市全域に、スマート環境アクターを埋め込むことで、都市空間全域でエージェント群に知的な運動をさせることが可能となる。環境全体がスマートになることで、「スマート環境」（Smart Environment）が実現される。スマート環境は、スマートシティＡＩの基盤である。「スマート環境」は「スマートテレイン」（Smart Terrain）と呼ばれることもある［Abercrombie14］。

②空間記述表現

　スマート環境アクターたちは、実際の都市空間において、たとえば、ロボットやドローンに対して、スマートスペース、スマートオブジェクトが制御を行うことで、その場所特有の動作を行わせることができる。また、環境アクターとエージェントの間のプロトコルを統一化することで、都市の中でどのようなロボット、ドローンのエージェントでも、統一した制御を実現することが可能となる。

　人工知能のための環境を表現する知識表現は、世界表現と呼ばれる。ナビゲーションデータ上の位置依存の空間記述、またスマート環境アクターによる空間制御も、広義では空間を記述する世界表現の一つである（図11）。スマートシティにおいて空間記述表現を統一することは、スマートシティ内で活動するエージェントの開発に高い汎用性をもたらす。そこで、スマートシティにおける空間記述を統一しようという活動が必要である。この共通基盤は「コモングラウンド」(Common Ground)［豊田 22］と呼ばれる。コモングラウンドは、会話情報学において提唱された概念であり［西田 22］、そこからスマートシティへと応用された概念である。

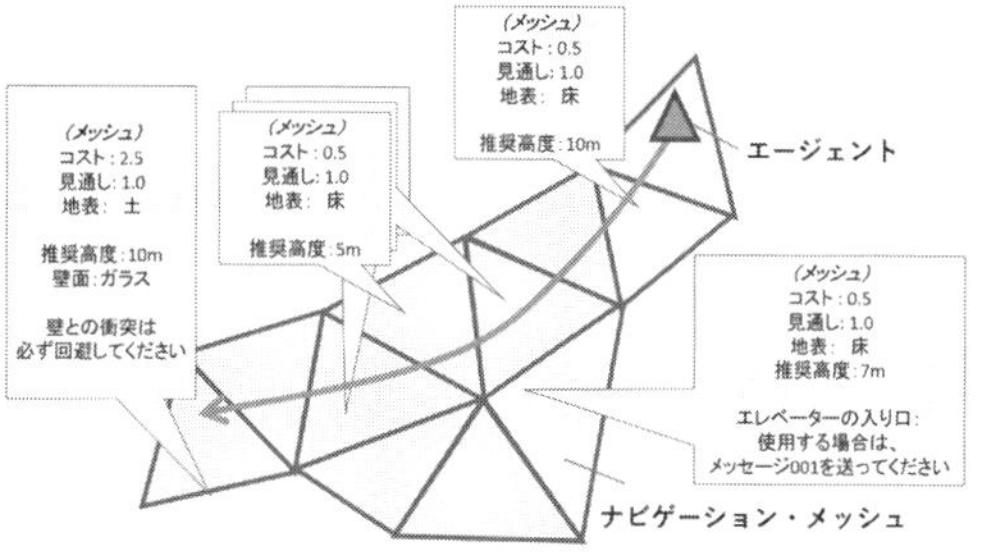

図11　空間記述表現の一例

　空間記述表現は「空間地形情報」、「オブジェクト情報」、「アフォーダンス情報」からなる［三宅 08b］。「空間地形情報」は空間の物理的な性質である。広さ高さ、つながり方（トポロジー）、壁や地面の材質（マテリアル）などである。次に「オブジェクト情報」はその空間がもつオブジェクトのリストである。たとえば、部屋であればドア、ソファ、窓などである。最後に「アフォーダンス情報」は、空間・オブジェクトに対して許容される行動である。部屋であれば「歩く」、フィールドであれば「走る」、また食べ物オブジェクトであれば「食べる」、道具であれば「持つ」、「振る」などである。このような空間記述表現によって、都市のもつエージェントはスマート環境アクターから空間情報を与えられることで空間の性質に沿った固有の動きをそれぞれの空間で行うことが可能となる［高橋 17］。

このような空間記述表現の実装は、ゲームエンジンを通じて行われる。次節で述べるように、各エージェントが現実空間のディジタルツインをもち、そのディジタルツインをゲームエンジンから使用することで空間内の具体的な動作の詳細を決定する。

5　都市メタAIがもつ世界モデル

メタＡＩの都市を囲う環境に対する認識の形成は、メタＡＩが「世界モデル」（World Model）をもち、その上の世界シミュレーションをもつことによって実現される。ここでいう世界モデルとは、現実の都市の構造と運動を予測できるシミュレーションモデルであり、ディジタルツインとも呼ばれる。このシミュレーションモデルは、学習から得られる世界の予測であり、必ずしも正確な予測ではない。メタＡＩはこのモデルによって都市の未来を予測し意思決定の判断に活用する。

①メタバースとスマートシティの関係

この都市の「都市モデル＝ディジタルツイン」は、メタバースである。現実の都市の状態と同期することで、リアルタイムに都市の状態を反映する。この現実の都市空間とディジタルなメタバースが鏡面の関係にあり、この両者を総合してミラーワールドと呼ばれる。単に静的な構造を移すというだけではなく、動的な運動までミラー（動的同期）するためにはシミュレーションが必要である（図12）。

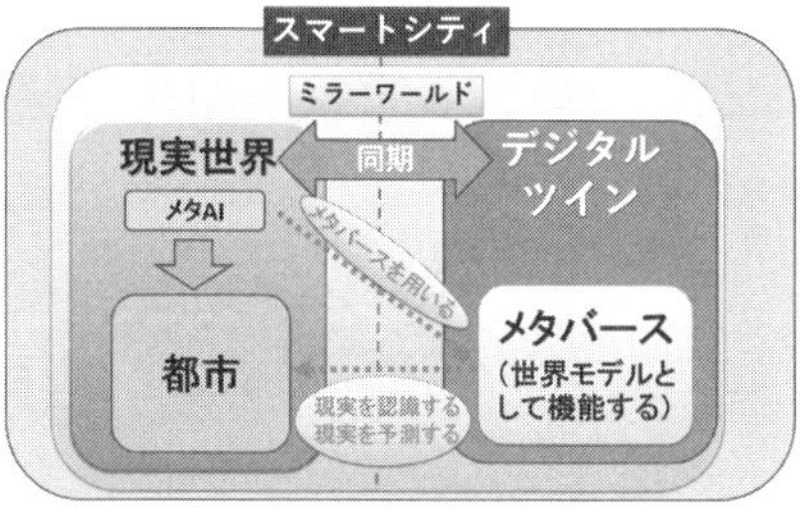

図12　ミラーワールドとしてのスマートシティ

このディジタルツインの動的同期を用いて、メタＡＩは都市の現在の状態を把握する。ディジタルツインは都市のもつ建築、物、空間からなり、メタＡＩはそれぞれについての知識とシミュレーション能力をもつ。たとえば、現在の道路と車の状況から、未来の交通状態を予測する、現在の人の流れから密集による混乱を予測する、気象状況から都市の機能を制限する、あるいはミクロには、局所的な犯罪を予測する、犯罪を追跡することが可能となる。メタＡＩにおいて、認知空間とはシミュレーション空間である。

メタバースにはメタバース自身を拡大していく水平構造と、現実と接続する垂直構造の二つの方向があり、後者において都市のメタバースが現実の都市と接続することで、メタバースに新しい価値をもたらす［三宅22b］（図13）。たとえば、ある広場がメタバース内にあるそっくりな広場と同期している場合、広場の様子はメタバースから随時確認できる。ときには、それはディジタル監視カメラからの映像を画像認識で解析することによってなされる。メタバースから実際の広場へ語りかける、現実の広場にいる人間と一緒に遊ぶことができる、メタバースと共同してイベントを開催するなど、メタバースはスマートシティと接続することで、現実空間のもつ価値を含んだミラーワールドを構成する。

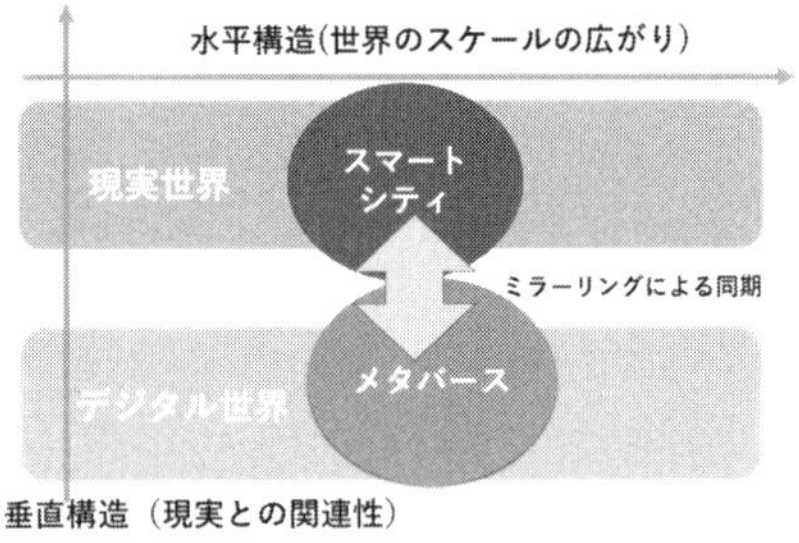

図13　現実世界、ディジタル世界の垂直構造

②ゲームエンジンの応用

三次元空間をシミュレーションする技術は、長年、ゲーム産業で開発されてきた。ゲームエンジンは、３Ｄグラフィクス、物理エンジン、ＡＩ機能、オンライン機能、作成ツールなど、ゲーム開発の基本機能を搭載したソフトウェアシステムである。特に近年は、市販のゲームエンジンとしてUnreal Engine（二〇〇四―）［Epic04］やUnity3D（二〇〇五―）［Unity05］が広くゲーム産業を超えて利用されている現状にある［Gregory18］。

ゲームエンジンを基礎としてメタバースが構築され、ゲームエンジン内で都市のシミュレーションが可能となっている。また最近のディジタルゲームの傾向として、シームレスに数十キロメートル四方を探索する「オープンワールド型」ゲームが大型ゲームの主流となっており、それに合わせてゲームエンジンも大規模な世界を内包しシミュレーションする方向に進化している。

ゲームエンジンの特徴はインタラクティブでリアルタイムなシステムであるところである。このことは、メタＡＩが都市の未来をリアルタイムにシミュレーションする必要に適合している。また、ゲームエンジンには、キャラクタＡＩのための機能が充実している場合が多く、特に経路検索や位置検索などスパーシャルＡＩの機能はデフォルトで実装されており簡単に利用することが可能である。

都市のエージェントが、ゲームエンジンを利用する方法は以下のようなステップである。

（1）現実空間を３Ｄスキャンしてディジタル空間データを構築する

（2）ディジタル空間データをゲームエンジンに取り込む

（3）エージェントの観測データから現実空間の座標とディジタル空間内の座標を同期する

（4）ゲームエンジン内における意思決定によってエージェントを動作させる

ディジタルツインのデータをゲームエンジン内で使用することで、現実の環境に沿った意思決定を行うことができる。さらにゲームエンジン上での意思決定を、現実空間で適用することで、複雑な現実空間での運動を行うことが可能となる（図14）。一方で、都市のメタＡＩには、さらに都市の大規模な変化を学習する機能が必要であり、世界モデルの獲得が必要である（図15）。

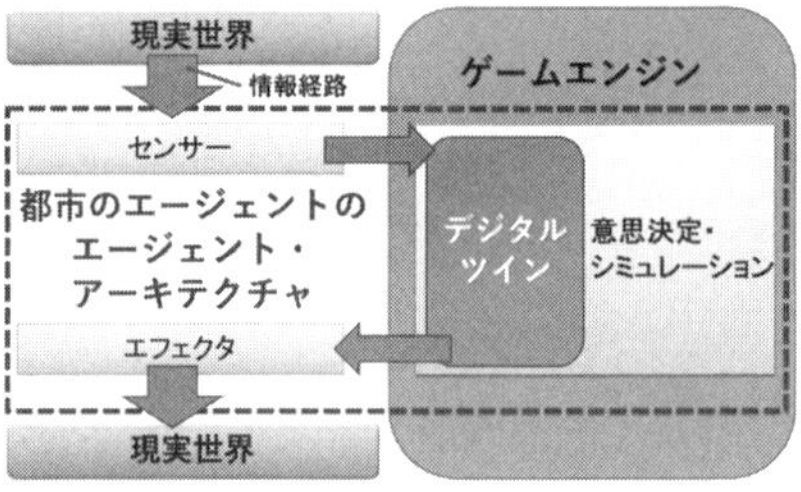

図14　都市エージェントとゲームエンジン

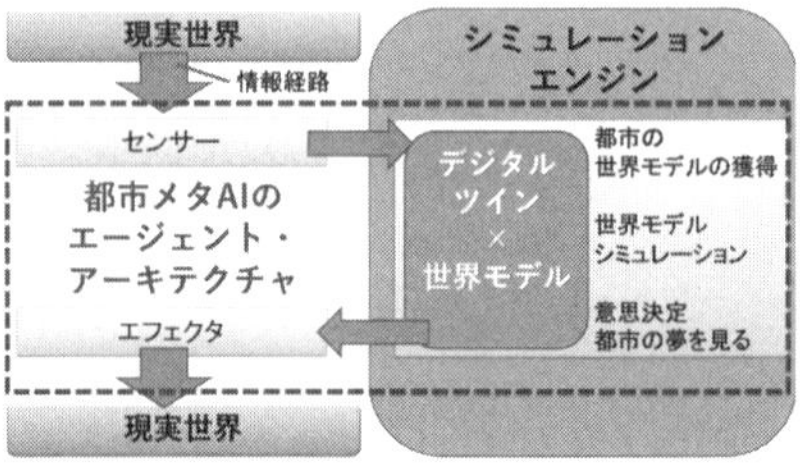

図15　都市メタ AI のエージェントアーキテクチャ

③都市の世界モデルの形成

あるＡＩが世界モデルをもつとは、そのＡＩが対象とする世界の状態から、それに続く状態を予想するモデルを内部にもつことである［Ha18］。

都市のメタＡＩには都市の未来を予想する能力が必要である。そこで都市のメタＡＩは、現実世界から世界モデルを獲得できるように設計されなければならない。特に大規模な都市では、都市の部分的観測情報からも、都市の状態を予想し行動を選択する必要がある。

世界モデルには、そのような部分的観測を通して、ある程度内部モデルから世界全体を再現し、行動を組み立てることができる［Eslami18］。また世界モデルは、そのＡＩ内部だけで世界をシミュレーションする、つまり「夢を見る」ことが可能である［Hafner20］。そこで、都市のメタＡＩは、真夜中など比較的観測負荷が低い時間には、昼間の都市の観測情報をもとに都市をシミュレーションする、つまり都市の活動を夢見ることが可能である。

また都市の世界モデルは、一つの視点によるものだけではない。エージェントが都市を動き回ることで、都市全体の地図をつくり上げることができる［Gregor19］。都市のメタＡＩ、また都市のエージェントたちは、都市を複数の視点から観測する。そこで生成される都市の世界モデルは一つだけではなく、さまざまな視点から都市を想起することが可能となる。都市のメタＡＩにおける世界モデルの獲得はこれからの研究テーマである。

6　スマートシティ構築へ向けた六つのマイルストーン

これまで説明したスマートシティの人工知能のアーキテクチャを実現するための開発マイルストーンとして、以下のようなシナリオが想定される。

（1）エージェントのゲームエンジンを用いた運動動作

現実空間において、その空間に対応するディジタルツインを作成し、ゲームエンジンに取り込み、エージェントが自律的に動作を構築する実装と検証を行う。これはMCS-AI動的連携モデルにおけるキャラクタＡＩの実装に相当する。

（2）環境アクターネットワークの実装と検証

環境アクターによる小規模なネットワークを構築し都市の状態をリアルタイムにモニタできているかを検証する。エッジコンピューティングの性能向上、監視カメラの性能の向上、５Ｇ環境の整備は、環境アクターの整備のインフラとなる。

（3）スマート環境アクターの実装と検証

スマート環境アクターの効果を実証する。スマート環境アクターによるロボット、ドローンの特定の空間内の制御テストを行う。

（４）メタＡＩとスマート環境アクターの連携

メタＡＩからスマート環境アクターに命令し、スマート環境アクターによるエージェントの制御モードを変更する検証を行う。これによって、それぞれのスマート環境アクターが管理する空間におけるエージェントの挙動が変更されることを実証する。

（５）スパーシャルＡＩの構成

スパーシャルＡＩは、都市とそれを囲う環境全域を、グローバルに観察し、自律的に情報を収集する。最も大きな視点では、ビルの屋上などからの俯瞰型カメラ群による撮影データ、衛星からの都市全域のスキャンデータの更新、などが考えられる。微視的には、環境アクター群からの局所的なデータの集積によって、局所的な状態をつなぎ合わせた大局データが構成される。スパーシャルＡＩはこれらのデータを統合し、新しい情報を抽出する。この情報集積と統合・抽出によって、都市全域のデータが構築更新されることの検証を行う。

（６）都市のメタＡＩの構成

メタＡＩのエージェントアーキテクチャに沿って、メタＡＩを構築する。センサ群、スパーシャルＡＩによって都市全域にまたがるセンサを構築し、都市と囲う環境の状態を認識する。そして、都市の未来をシミュレーションによって予測し意思決定を行う。さらに意思決定されたプランを実行するために、エージェントや環境アクターに命令する。

都市の人工知能全体のシステム構築のための概略を示した。スパーシャルＡＩの構築には、最も多くの工程を必要とすると予想される。

7　展望　人を理解するスマートシティ

本章では、スマートシティの設計について考えてきたが、今後は人間の心理の理解を考慮することで、スマートシティの中身、具体的なサービスの質についての研究を推進する必要がある。

都市の人工知能の本質は、人間を深く理解するところにある。都市は社会を実現する装置であり、間接的、かつ直接的に人とのインタラクションをもつ。そこで、円滑に都市が機能するためには、スマートシティが人を深く理解する。つまり、人の行動を予想することが必要である。特に、群衆はパニックになりやすく、都市は人の心理を理解したうえで、人を誘導する必要がある。また、スマートシティのもつ付加的な人へのサービスの展開においても、人の購入意欲や、人の気分の転換の仕方などを考慮したうえで、ビジネスを展開する必要がある。ディジタルゲームをメタＡＩで面白くするには、メタＡＩがユーザのインプットからユーザの心理状態を推定する必要がある。同様にスマートシティが人間の都市生活の質を高めるには、人間を理解する必要がある。その雛形として、ディジタルゲームのメタＡＩは、生体センサによってユーザの心理状態を推定し、ゲームを動的に変化する実例がある［Booth09a、Booth09b］。人は箱庭のゲームの中で人工知能を研究してきたが、スマートシティでは都市の中で人を研究することになる。スマートシティは人工知能に人を理解させる試みでもある。

今後一〇〇年、二〇〇年をかけて人類が月面や他の惑星に都市を築くときには、都市の周囲の過酷な環境の中で人が暮らさなければならない。スマートシティは都市の中で人工知能を守る役割をいっそう強くし、より高度な知性と人間への理解をもち、広がっていく世界への理解を深めることになると予想される。

参考文献

[Abercrombie14] Abercrombie, J.: Bringing BioShock Infinite's Elizabeth to Life: An AI development postmortem, *GDD 2014, AI Summit* (2014), https://www.gdcvault.com/play/1020831/Bringing-BioShock-Infinite-s-Elizabeth

[Booth09a] Booth, M.: Replayable Cooperative Game Design: Left 4 Dead, GDC (2009) https://www.valvesoftware.com/ja/publications.

[Booth09b] Booth, M.: The AI Systems of Left 4 Dead, AIIDE (2009) https://www.valvesoftware.com/ja/publications

[Epic04] Epic Games: Unreal Engine, https://www.unrealengine.com/

[Eslami18] Eslami, S. M. Ali, Rezende, D. J., Besse, F., Viola, F., Morcos, A. S., Garnelo, M., Ruderman, A., Rusu, A. A., Danihelka, I., Gregor, K., Reichert, D. P., Buesing, L., Weber, T., Vinyals, O., Rosenbaum, D., Rabinowitz, N., King, H., Hillier, C., Botvinick, M., Wierstra, D., Kavukcuoglu, K. and Hassabis, D.: Neural scene representation and rendering, *Science*, Vol. 360, No. 6394, pp.1204-1210 (2018)

[Gregor19] Gregor, K., Rezende, D. J., Besse, F., Wu, Y., Merzic, H. and van den Oord, A.: Shaping belief states with

generative environment models for RL, *Proc. 33rd Int. Conf. on Neural Information Processing Systems*（*NeuIPS 2019*）, Article No. 1208, pp. 13486-13498（2019）
［Gregory18］Gregory, J. *Game Engine Architecture*, 3rd Edition, A K Peters/ CRC Press（2018）
［Ha18］Ha, D. and Schmidhuber, J.: World Models（2018）https://worldmodels.github.io/
［Hafner20］Hafner, D., Lillicrap, T., Ba, J. and Norouzi, M.: Dream to control: Learning behaviors by latent imagination, *8th Int. Conf.* on Learning Representations（ICLR2020）（2020）
［長谷 17］長谷洋平「汎用ゲームＡＩエンジン構築の試みとゲームタイトルでの事例」『人工知能』Vol.32、No.2、pp.189-196（2017）
［石田 96］石田亨、桑原和宏、片桐恭弘「黒板モデル、分散人工知能」（第４章）、コロナ社（1996）
［石政 21］石政龍矢、三宅陽一郎「メタＡＩ型スマートシティ形成の提唱――PLATEAUデータを用いたマルチエージェントシミュレーションの観点から」『土木計画学研究・講演集』第64回土木計画学研究発表会・秋大会（2021）
［石政 22］石政龍矢、三宅陽一郎「メタＡＩ型スマートシティの有効性の検証――実際の都市の３Ｄモデルを活用して」『情報処理学会第84回全国大会講演論文集』（2022）
［上段 16］上段達弘、下川和也、高橋光佑、並木幸介「FINAL FANTASY XVにおけるレベルメタＡＩ制御システム」*CEDEC 2016*（2016）https://cedil.cesa.or.jp/cedilsessions/view/1544
［Kirwan20］Kirwan, C. G. and Zhiyong, F.: City as Living Organism, *Smart Cities and Artificial Intelligence: Convergent Systems for Planning, Design, and Operations*, Elsevier（2020）
［国土交通省 20］PLATEAU- 国土交通省（2020）https://www.mlit.go.jp/plateau/
［ラトゥール 19］ブリュノ・ラトゥール、伊藤嘉高訳『社会的なものを組み直す』法政大学出版局（2019）
［Millington19］Millington, I.: Chapter 4 Pathfinding, Chapter 10 World Interfacing, *AI for Games*, 3rd Edition, CRC Press（2019）
［三宅 08a］三宅陽一郎、横山貴規、北崎雄之「エージェント・アーキテクチャに基づくキャラクターＡＩの実装」

『第4回デジタルコンテンツシンポジウム予稿集』2-2（2008）

［三宅 08b］三宅陽一郎「デイジタルゲームにおける人知能技術の応用」『人工知能』Vol.23、No.1、pp.41-52（2008）

［三宅 14］三宅陽一郎「ディジタルゲームにおける人工知能エンジン」『映像情報メディア学会誌』Vol.68、No.2、pp.125-130（2014）

［三宅 15］三宅陽一郎「ディジタルゲームにおける人工知能技術の応用の現在」『人工知能』Vol.30、No.1、pp.45-64（2015）

［三宅 17］三宅陽一郎、今村紀之、Gudmundsson, I.、小松智希、下川和也、上段達弘、白神陽嗣、高橋光佑、並木幸介、Gravot, F.、Prasert, P.、Skubch, H.、Johnson, M.、南野真太郎、横山貴規「大規模ゲームにおける人工知能」『人工知能』Vol.32、No.2、pp.197-213（2017）

［三宅 19］三宅陽一郎「メタＡＩ、ゲームＡＩ技術入門」（第9章）、技術評論社（2019）

［三宅 20a］三宅陽一郎「大規模デジタルゲームにおける人工知能の一般的体系と実装」人工知能学会論文誌、Vol.35、No.2（2020）

［三宅 20b］三宅陽一郎「ディジタルゲームにおけるメタＡＩ――キャラクターＡＩ‐スペーシャルＡＩ動的連携モデル」『２０２０年度人工知能学会全国大会（第34回）論文集』（2020）

［三宅 20c］三宅陽一郎、水野勇太、里井大輝「「メタＡＩ」と「AI Director」の歴史的発展」『デジタルゲーム学研究』13巻2号、pp.1-12（2020）

［三宅 20d］三宅陽一郎、向井智彦、川地克明「7.6.3 物や地形を使うシステム「スマートオブジェクト」、キャラクタアニメーションの数理とシステム――3次元ゲームにおける身体運動生成と人工知能」コロナ社（2020）

［三宅 22a］三宅陽一郎「メタＡＩ‐キャラクターＡＩ‐スパーシャルＡＩによる動的連携モデルのデザインパターン」『２０２２年度人工知能学会全国大会（第36回）論文集』（2022）

［三宅 22b］三宅陽一郎「メタバースの成立と未来――新しい時間と空間の獲得へ向けて」『情報処理』Vol.63、No.7、pp.e3-e36（2022）

［中山 21］中山雅宗、栗栖崇紀、水野勇太、三宅陽一郎、八瀬哲志「プレイヤーのモチベーションコントロールを

実現する卓球ロボットシステム」*OMRON TECHNICS*、Vol. 53（2021）https://www.omron.com/jp/ja/technology/omrontechnics/2021/20210315-nakayama.html
［西田 22］西田豊明『ＡＩが会話できないのはなぜか――コモングラウンドがひらく未来』晶文社（2022）
［里井 19］里井大輝「感情を揺さぶるメタＡＩ――ゲームへの実装方法とバランス調整への応用事例」*CEDEC 2016*（2016）https://cedil.cesa.or.jp/cedil_sessions/view/2013
［Schwab08］Schwab, B: Location-based information systems, *AI Game Engine Programming*, 2nd edition, Chapter19, Cengage Learning（2008）
［Skubch19a］Skubch, H.: Ambient interactions improving believability by leveraging rule-based AI, *GAME AI PRO 3*, Chapter 35, pp.411-422（2019）
［Skubch19b］Skubch,H.「人々を行動させるSmart Location」（株）スクウェア・エニックス『FFXV』ＡＩチーム：FINALFANTASYXVの人工知能」9.3、ボーンデジタル（2019）
［高橋 17］高橋玲央、藤代一成「フォーダンス情報を考慮した空間における掴みアニメーション」『映像表現&コンピュータグラフィックス』（2017）
［豊田 22］豊田啓介「建築都市空間デジタル記述のためのコモングランド構想について」『生産研究』74巻、１号、pp.139-142（2022）
［Unity05］Unity Technologies: Unity3D（2005）https://unity.com/

III　新しい経験

第Ⅲ部「新しい経験」は人間とテクノロジーの相互作用の中から、人間と社会がどのように変化していくかをテーマとした文章からなっている。人間とテクノロジーの相互作用によって、これから新しい現実が作られていく。その未来の現実の姿を伝えたい、という想いで描いている。より詳細としては「人間がテクノロジーを生み出し、テクノロジーは環境を変え、環境の変化が人間を変容させる」サイクルを描いている。一般的に技術がいかに変容させるかは、近代以来の大きなテーマであるが、ここでは、人工知能、メタバース、ゲームそしてスマートシティが人間とその社会にどのような変化をもたらすかにフォーカスしている。本部を読んで、ぜひ未来へのイメージを強く持って頂ければ幸いである。

第7章「力になり、関係を取りもち、自身を発展させる」は「ゲームの上で人と人工知能は相互に理解できるか」をテーマとしている。そもそも人間は複雑でよくわからない。しかし、ゲームの中の人間は比較的理解しやすい。なぜならゲームは目的とルールが制限された空間であるからである。この章で言いたいのは、「現実世界よりもゲーム世界では、より豊かに人間と人工知能が協力しあえる」ということである。逆に言えば、現実においてもゲーム的設定を敷くことで、人間と人工知能はお互いに理解し協調しあえる。

第8章「物理世界とデジタル世界のはざまで」では「物理空間のスマートシティ、バーチャル空間のメタバースはちょうど対照的な関係で、二つで一つのシステムである」ビジョンを語っている。スマートシティとメタバースは物理空間とバーチャル空間にまたがる新しい現実をもたらす。その新しい現実の中で、新しい社会、新しい人間の活動のあり方が生まれる。都市は物理的に拡大していくだけでなく、バーチャル空間にも発展する。そんなワクワクをお伝えしたい。

第9章「人を理解し、空間を認識し、社会に参加する」は未来の社会について描いたものである。人工知能が便利ロボットを超えて、無意識を持ち、人間関係の中に入っていき、さらに空間AIとして都市を形成していく未来を描いている。「人工知能の新しく深化した姿」を想像させる、未来へつながるトピックをやや散漫に並べている。それぞれの断章が未来への可能性を示唆している。自分としては宝石箱をひっくり返したような章になったと思う。

第7章　力になり、関係を取りもち、自身を発展させる
――ソーシャルゲームと人工知能

1　ゲームとは何か？

デジタルゲームは、ユーザーからどのような欲求や感覚を引き出すかによって特徴付けられる。『テトリス』や『ぷよぷよ』（SEGA）などであれば整理欲求を、RPGであれば冒険欲求を、リアルタイムストラテジーであれば問題解決欲求を軸としてゲームがデザインされる。苦しみと爽快感の波がゲームを特徴付ける。PC上のWEBゲームにしろ、モバイル上にしろ、他のユーザーと絡み合うソーシャル性を持つゲームでは、ゲーム内へ社会的な欲求を持ち込む。そこではフレンド、チーム、組織、ギルドといった社会的構成が形成され、その中で小さな（と言っても数千、数万から数百万まで）経済圏が構成される。これは課金システムと呼ばれている。

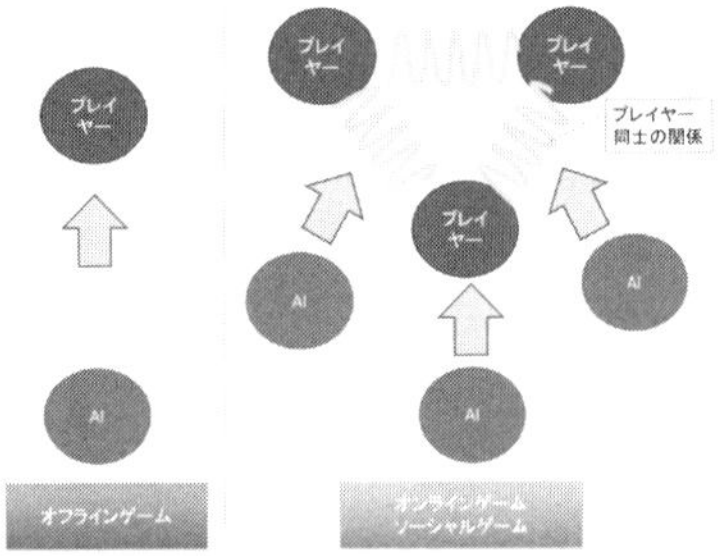

図１　オフラインゲーム、オンラインゲームの人工知能の介入の仕方の相違

２　人工知能とソーシャルゲーム

人工知能のソーシャルゲームへの入り方は以下の五通りがある。

（1）敵・味方キャラクターの頭脳としての人工知能（キャラクターＡＩ）
（2）敵・味方キャラクターの環境認識ＡＩ（ナビゲーションＡＩ）
（3）プレイヤーの代わりとなって対等にゲームをプレイする人工知能（プレイヤーＡＩ）
（4）プレイヤーたちの間に立ってプレイヤーたちの関係を円滑に協調させる人工知能。ゲーム全体を調整する人工知能（メタＡＩ）
（5）プレイヤーのデータ群を解析する人工知能（データマイニングＡＩ）

またこれらの人工知能同士が協調して一つのシステムを構築している。ソーシャルゲームとは人工知能と自然知能（人間）が社会的に混じり合う場となっている。オフラインのスタンドアローン型、すなわちユーザーが一人でプレイするゲームでは、対象はユーザー一人ですが、ソーシャルゲームでは複数のユーザーとその人間関係が人工知能の対象とするものとなる（図1）。

人間と人工知能がお互いのすべてをもって、渡り合う未来は少し先になる。すべて、というのは、身体と知能と心のすべて、を意味している。現在の人工知能は身体性が極めて希薄な状態で発展しており、ソーシャルゲームにおける人工知能も同様だ。

3　情報環境としてのソーシャルゲーム

ソーシャルゲームでは情報がさまざまなものの「代わり」をしている。また、それが情報というものの本質である。情報はいつも何かの代わりとして存在するのだ。ソーシャルゲームでも情報がさまざまな役割をもって存在し、それらがゲームという場でどのように変化していくかを学習していくことでユーザーのゲームプレイが成立する。たとえば、最もわかりやすい例がコレクションゲームで、モンスターやアイテムをプレイしながら集めていくものだ。ゲーム内で「データ＝財産」という相対的価値を生み出し、ガチャ（確率的にアイテムやカードを取得できる仕組み）などを促進する仕掛けとなっている。

またソーシャルゲームは「現実の社会にはない社会的な関係」をゲーム内で実現する。たとえば現実では人を直接助ける、という行為は普通なかなかない。ところが、RPGではゲーム内の道ばたで戦闘不能になっている他のプレイヤーを回復するとか、戦闘中に盾になってかばうことが普通にある。かつてはスポーツやチーム戦でしか味わえなかった共に戦う喜びを誰もがソーシャルゲームでは感じることができるようになる。

4 情報環境における人と人工知能

人工知能がソーシャルゲームで期待される役割は、現実における人工知能とそれほど違いがあるわけではない。

（a）プレイヤーの力になること
（b）人間と人間の間の関係を取り持つこと
（c）ゲーム世界を統御・発展させること

なかなか気付きにくいことだが、人工知能に比べれば、人間は情報空間ではほとんど無力だ。プログラムの情報処理能力に到底かなわない。人間はプログラムに操作開始の契機を与えることはできても、それ以降はプログラムが高速かつ自律的に任務遂行する。マシン上では遥かに遅い操作しかできない人間の出る幕はない。たとえば、人は毎日、検索エンジンで検索しているが、人は検索ワードを入れるだけで、その後は検索エンジンが関連する情報をリストしてくれる。人はデジタル空間の中では、ローカルなパソコン環境であれ、ネットワーク上であれ、人工知能のサポートによって活動している。いわば人は「人工知能という舟に乗って情報の海を進んでいる」のだ。インターネットでは、検索エンジンという舟に乗って、我々は情報の海を渡っている（図2）。

ゲームにおいても同様だ。ユーザーのインプットはまず人工知能に吸収される。そして人工知能がそのインプットを解釈してアクションを生成する。たとえば弓を放つ、というアクションをユーザーが選ぶ。ターゲットに対して微調整が難しい場合、人工知能がサポートしてターゲッティングを自動調整する。後ろに壁があって弓を引けなければ自動的に一歩進む。この微妙な調整をユーザーが意識することは少ないように作る。また「敵にキックする」ためにボタンを押せば、自動的にその敵まで走っていって距離とタイミングを合わせてキックをする、というアクションを人工知能が生成する。ゲーム内の複雑な三次元空間の運動をユーザーに調整させるストレスを軽減することが、二〇一〇年以降のゲーム開発におけるトレンドなのだ（図3）。

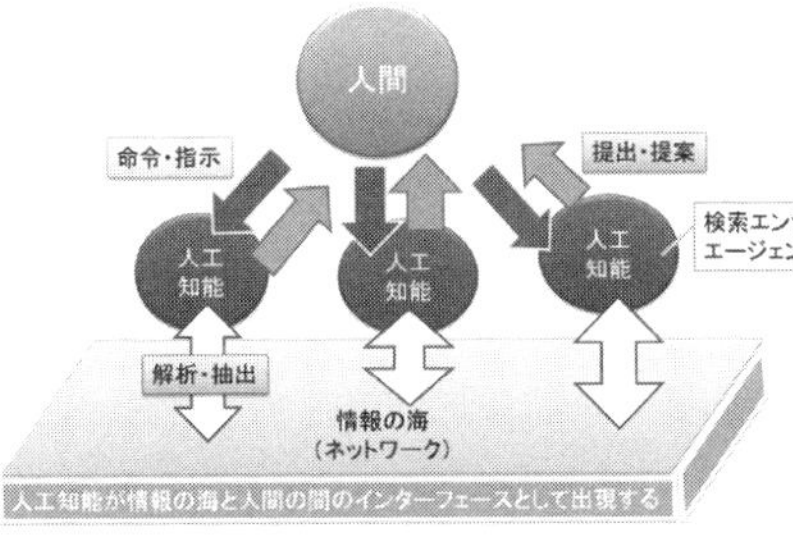

図2　情報の海と人工知能

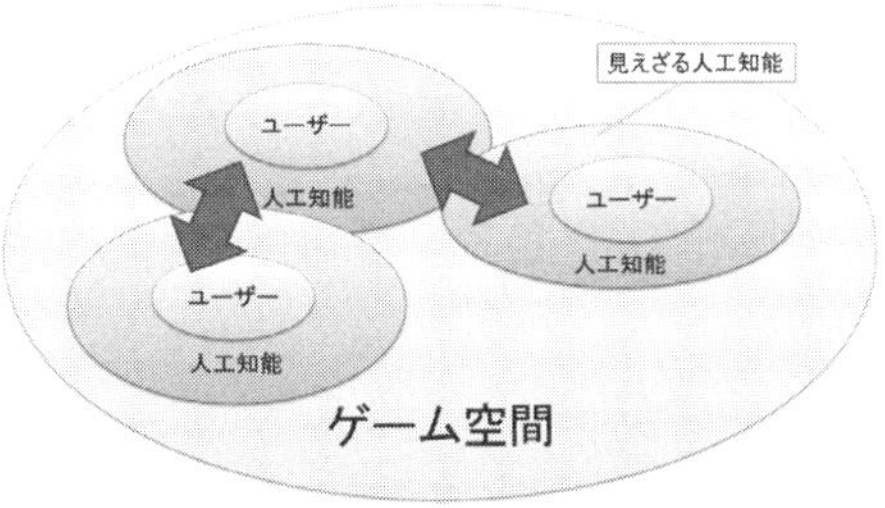

図3　ゲーム、ユーザー、ユーザーを囲う人工知能

5　人工知能という舟に乗って

『舟を編む』（三浦しをん、二〇一一）という辞書を作る人々に焦点をあてた小説がヒットした。辞書はまさに文書を渡る舟であり、検索エンジンはインターネッ

ト情報空間を渡る舟であり、そして人工知能はゲーム空間を渡るための舟なのだ。広大になっていくネット空間でも、ゲーム空間でも、その発展と共に、我々は人工知能という「インターフェースの舟」を発展させ参加してきた。ゲームでは特にプレイヤーに無力感を与えてはならない。むしろ全能感を与えつつ、ハードルを一つひとつクリアしてもらうことが重要だ。また、その自然な帰結として、ソーシャルゲームでは、人間と人間の間に人工知能が介在することになる（図4）。それは現実のように見えるロボットや、見える形でのサービスではない。「見えざる人工知能」がユーザーとユーザーの間の空間を構成する。相手が今欲しいアイテムを人工知能が提案してくれたり、救援の必要のタイミングを教えてくれたり、誕生日アイテムのプレゼントを送るか提案してくれたり、見えざる人工知能の手によって人間関係が緩和され滑らかになっていくのだ。人工知能が人間同士の関係を変えていく、現実にはない関係がゲームと人工知能の力でユーザーの間を結んでいく、それがソーシャルゲームの最大の魅力の一つである。実はそれはこれからの社会の雛形を示していると言える。人工知能はやがて現実においても同様に、見えざる手によって人間関係を緩和し円滑にしていく。それは大きな社会の変革となるのだ。ソーシャルゲームはその先駆けの場でもあるのである。

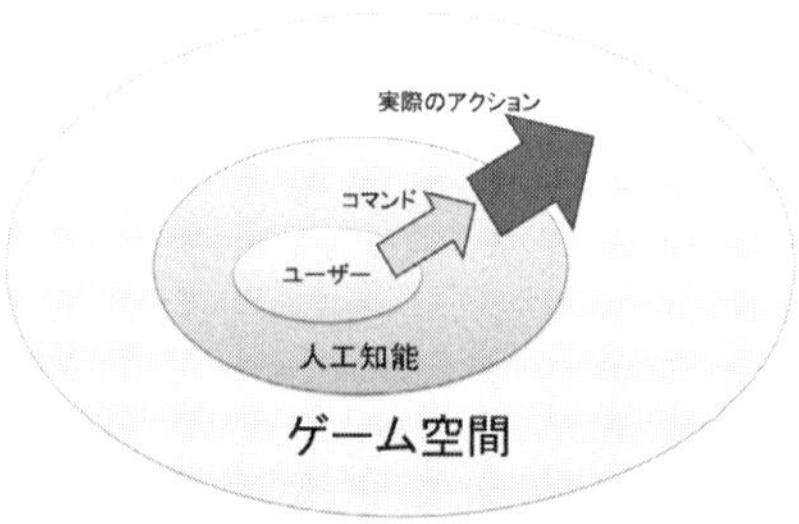

図4　人工知能に囲われたユーザー同士がソーシャルな人間関係を築く

6　人工知能による相互作用空間としてのゲーム

プレイヤーは人工知能という舟に乗っている、ちょうど飛行機から海を眺めた時のように、すごくマクロな視点から見ると、ゲームは人工知能たちがゲームという場でコミュニケーション、インタラクションしている運動に見える。人工知能の力が伸びれば伸びるほど、それに乗っている人間も遠くに行けるわけだ。それはユーザーにゲームという場における全能感を与える。また、ソーシャルゲームでは現実にはない他者との関係が期待される。人工知能は人と寄り添いながら、人と人、人と世界との新しいインターフェースとなるのだ。

テクニカルにはまた、このような仕組みはゲームのデバッグのために活用される。プレイヤーの代わりにゲームを進行する人工知能を作ってゲームを自動プレイさせるのだ。そうすれば現在はテスターを雇ってデバッグを行っているところが二四時間デバッグさせられる。もちろん実際は人間ほどの精緻なプレイはまだまだ難しいですが、いろんなバリエーションの人工知能を作って、何万という人工知能に同時にプレイさせ、ゲームバランスを検証することもできる。また、それらの人工知能には人間らしいプレイ、癖のあるプレイ、上手いプレイをさせるために、ユーザーのログから学習させるという手法がある。くり返しのパターンのあるゲーム（パズル、単一の戦闘）であれば、かなり効率良く学習させることができるが、そうでなくても、部分的にくり返しの多い部分だけ学習させることができる。まずテスターたちがテストに入り、それを人工知能が学習し、最終的にはテスターと人工知能が共同でデバッグする形になるだろう。人工知能に地均《じなら》しをさせた場所にユーザーを呼び込むのだ。遊園地で言えば、たくさんのロボットに遊ばせてシミュレーションした上でユーザーを呼び込むのである。

7　エージェント指向

デジタル空間、ネット空間の中で人工知能はさまざまな役割を果たしている。ある時は申し込みの窓口になり、ある時はネットを徘徊して情報を集めて来たり、ゲームのキャラクターになったり、音声案内をしたり、地図を調べたり、それは人間の代わりに役割を果たすという意味から「エージェント」と呼ばれる。エージェントは人間の代わりに役割を果たす人工知能なのである。エージェントがネット空間の中を通っていき、エージェント同士が協調して役割を果たしていく。これを「マルチエージェント」と言う。たとえば、ユーザーのインプットを司るエージェント、それをデータベースに格納するまでの責任を持つエージェント、さらにそこから手続きを実行するエージェント、という具合に連携する。人工知能におけるエージェント指向の研究は九〇年代以降、インターネットの普及と同期して人工知能を形成する大きな潮流の一つとなった。

都市が頻繁に車の通る道を基幹として形成されていくように、ネット空間の中ではさまざまなエージェントのためのハイウェイが敷かれ、その上を縦横無尽にエージェントたちが走っている。検索エージェント、サービスエージェント、ゲームエージェント、情報収集エージェント、通常、その流れに人間が介在することはない。一旦サービスが始まってしまえば、その流れには誰も触れることはできない（図5）。

8　エージェント・ベースト・ゲーム

ゲームもまたエージェントをベースに組み立てる。敵エージェント、街の人エージェント、仲間エージェント、一般にノン・プレイヤー・キャラクター（NPC）と呼ばれるエージェントたちである。そして、最後にプレイヤーもまたエージェントとして組み立てられる。プレイヤー・キャラクターは、通常は人工知能を抜いて作り、その空洞にプレイヤーが入って動かせるようにしておく（図6）。しかし、どんどんとその空洞を囲うように人工知能の部分が大きくなっている。というのも、前述したように、現在のゲームはどんどん広大に複雑になっている

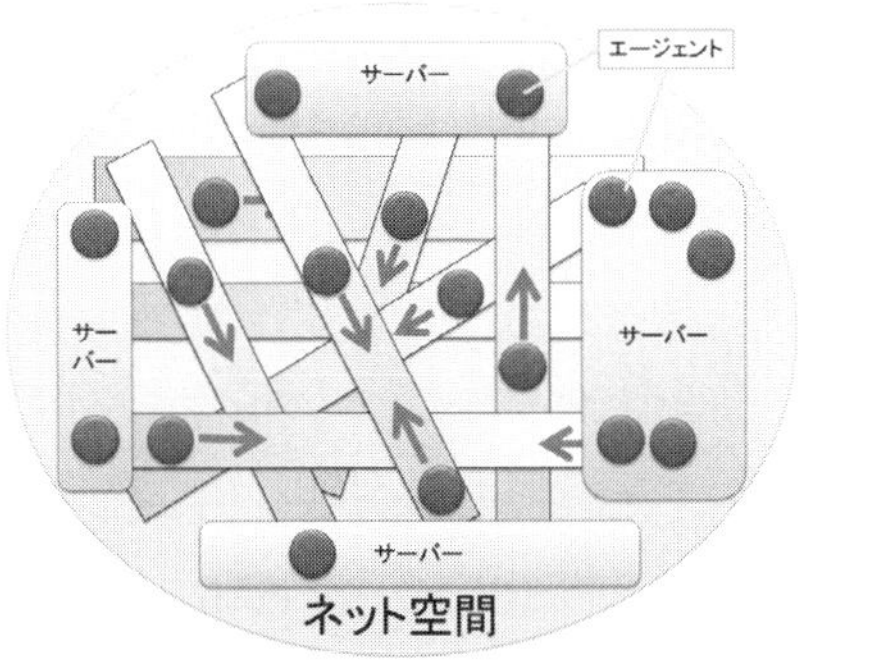

図５　エージェントがサーバー間を行き来するエージェント・ハイウェイ

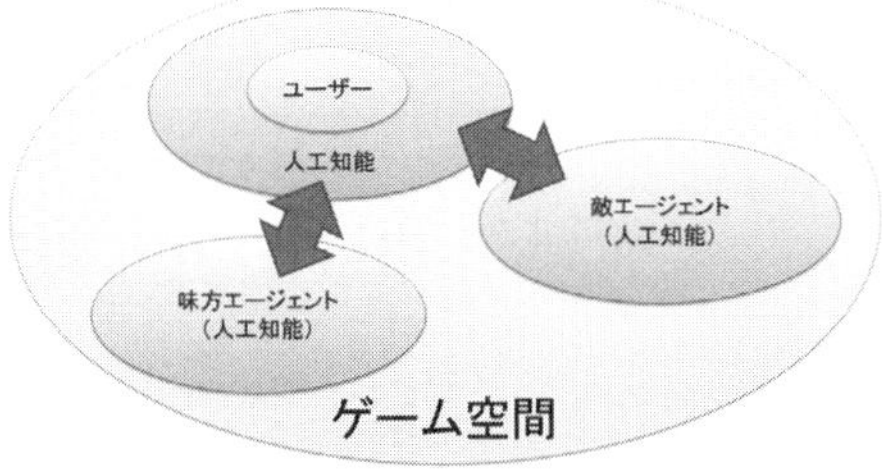

図６　ゲーム空間、人工知能、ユーザー

ため、プレイヤーが背負う情報量が膨大なものとなり、人工知能がある程度、自動的に対応するように設計するのだ。たとえば、キャラクターを操作して丘を越え、柵を越え、岩をよけて目的地まで進むという作業は、かつては楽しいものだったが、四〇キロメートル四方のオープンマップでその操作を続けることは苦痛なので、目的地を指定すればある程度自動で目的地まで障害物を避けつつ進んでくれる、という仕組みになっている。このような仕組みは「オートラン」と呼ばれ、オンラインRPGでは特に重点的に導入されている。またそれを発展させた「フォローモード」があり、これは特定のユーザーやチームに自動的について歩くための追尾モードである。

極論すれば、現在のゲームの作り方は、まず人工知能同士で状況を作り出すように作り上げておいて、そこにユーザーを介入させる、という仕組みによっている。つまり、強力な基盤とインターフェースを作った後で、ユーザーをゲーム世界に招くのだ。たとえば『Halo』1〜3（Bungie、二〇〇一、二〇〇四、二〇〇七）のシリーズはそのようなポリシーの上で作られている。まずエージェント同士で戦場を作った上で、その一人としてユーザーを参加させるのだ。

ソーシャルゲームにおいても、またそのような人工知能同士の基盤としてのゲーム作りが推し進められていく。現在は薄い層でユーザーを囲っているが、より強力な人工知能によってユーザーが囲われることになれば、より自由度の高い状態を簡単な操作で行わせることができるようになる。ソーシャルゲームの黎明期には『怪盗ロワイヤル』（DeNA、二〇〇九）のようにダイレクトに人と人がアイテムを奪い合う、罠を張り合うような直截的に対戦するゲームが多かったが、次第に物語と人工知能が強化されて、間接的に戦うようになっている。

人工知能という舟、言い換えればエージェントという人工知能の舟に乗って、ユーザーがソーシャルゲームの中を旅することで、さまざまに新しい風景が見えてくる。ソーシャルゲームの地平線を作っているものは、人との関係をそこで築けるという可能性と、ゲーム的活動の可能性、社会の中の可能性、そして物語である。それは人を現実からソーシャルゲームに引き込む原動力でもあるのだ。そして、そのすべての原動力の一つとして人工知能の強力な基盤がある。

9　ゲームユーザーとゲームエージェント

ゲームをプレイしていると、ユーザーはプレイの主体は自分であるという実感がある。もちろん、その通りであり、特にこの感覚は西欧のゲームでは必須である。しかし、日本のユーザーにはゲームから少し距離を置いて楽しむ、という高度な見立ての感覚がある。自分のキャラクターがありながら、そのキャラクターを自分とは違うような視点から眺める能力を日本人は持ち合わせている。これが日本でソーシャルゲームが流行している一つの大きな理由で、これはまたユーザーの代わりにキャラクターが世界を担う、ということでもある。つまり大きな傾向としては、ユーザーが直接ゲーム世界を背負うのではなく、世界を背負うキャラクターを通してゲームをプレイする、という間接型の体験の方向に日本人の嗜好はある（図7）。これは一人称の没入型ゲームプレイが日本ではあまり好まれない理由でもあり、日本人は自分のキャラクターが俳優のように話し、演戯するのを見ることが好きなのだ。そしてその演戯が終われば、それを操作する主体にすぐに戻ることができる。

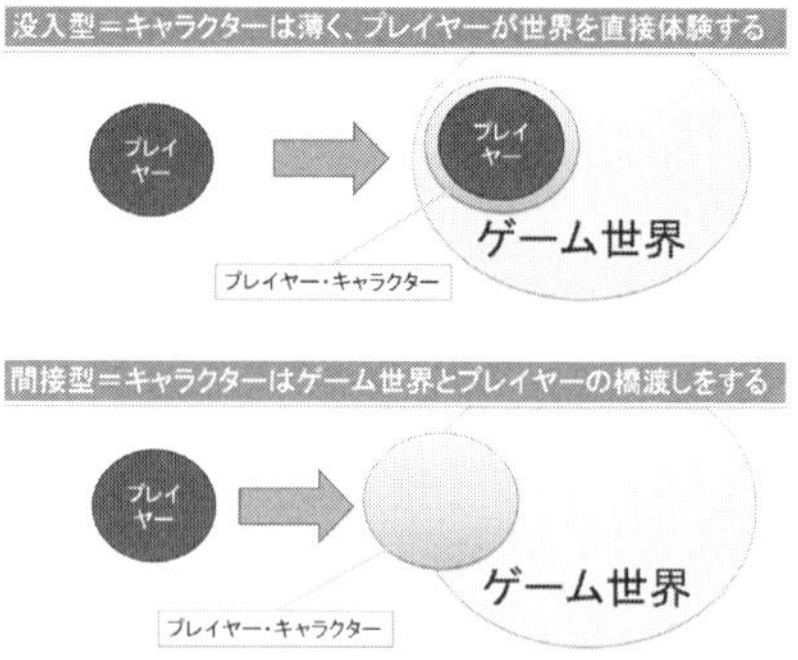

没入型＝キャラクターは薄く、プレイヤーが世界を直接体験する
プレイヤー
プレイヤー
ゲーム世界
プレイヤー・キャラクター
間接型＝キャラクターはゲーム世界とプレイヤーの橋渡しをする
プレイヤー
ゲーム世界
プレイヤー・キャラクター

図７　ゲーム空間、人工知能、プレイヤー

10　提案型の世界

人工知能が組み込まれたゲーム世界では、このアイテムを拾うか、どの魔法を覚えるのか、どちらの道を行くのか、という提案がゲーム側から為される。それを選ぶだけでエージェントはそれを実行し、ジェットコースターのようにゲームが進行していく。ユーザーがゲームのスピードに心地良さを感じる時には、このような人工知能の力があるのだ。それはすべての自由度があるゲーム世界よりも、ある程度の制限の中で自由度のあるゲームを選ぶという日本的な指向があるのだ。

ゲーム内でユーザーが行う活動はすべてログ（記録）が取られている。このログを解析することで、ユーザーの行動の傾向などを知ることができる。ユーザーの戦闘時の癖、アイテムの使用率、ログイン時間、ログインする曜日など、さまざまなスケールでユーザーを解析することができる。ここからゲームの内、外へ向けてサービスが展開される。たとえば、最近ログインしていないユーザーにメールを送ったり、頻繁にログインするユーザーにボーナスアイテムを渡したり、経験値を二倍にしたり、サービスを展開する。このような細やかなサービスがソーシャルゲームのユーザーを引き留めている。そこにいていい、という心地良さを与えることで、継続した参加を促すのだ。

このようにデータ解析を通じてユーザーを認識するのも人工知能（データマイニングＡＩ）の役割である。そういったデータ解析もまたユーザーを乗せている人工知能から、ゲーム全体を統御している人工知能「メタＡＩ」へデータが転送されることで行われる。メタＡＩはゲーム全体のバランスを取る人工知能である。オフラインのゲームでは、メタＡＩは一人のユーザーに向けて、リアルタイムにゲームの難易度を調整したり、ゲームをアレンジしたり、さらにマップや敵をユーザーの状況に合わせて作り替えるというゲーム世界全体の知能として実装される。ソーシャルゲームの場合には、そういった知能はサーバー内に設定される。サーバー上で収集したデータを解析してゲーム全体を調整していく。そのため、その解析はリアルタイムではなく、数時間の場合、一日の場合、さらに一週間の場合、さらに長い場合もある。それはソーシャルゲームのビジネスモデルによるところが多く、サービスの立ち上げで集めたユーザーの離脱を少なくし、新規ユーザーを獲得し続けることで、ユーザーを確保する必要があるからだ（図8）。

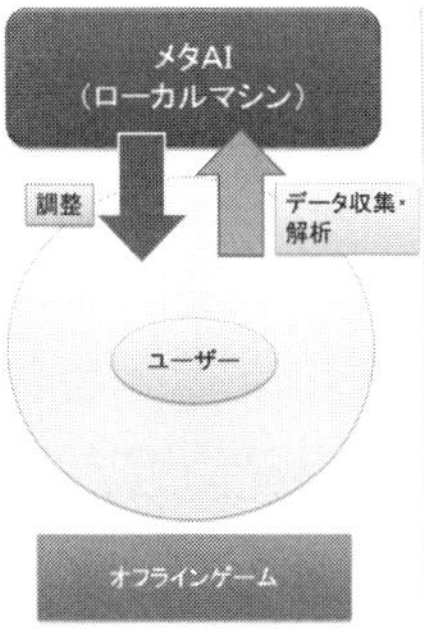

図8　メタAI

11　これからのゲーム

現在、我々が日本で目撃しているのは、コンシューマゲーム（据え置き機）ユーザー、携帯ゲーム機のユーザー、そしてモバイルゲームのユーザー層という三つの領域の分化である。日本は現在、世界最大のモバイルゲームの市場を有しており、それは西欧の手の空かない車文化に対して、日本の治安の良さや、電車通勤の多さ、など手の空くライフスタイルに寄るところが大きくある。コンシューマゲームは欧米より相対的に小さくあり、モバイルゲームに押されてやや縮小傾向にあるが、製作側のプレイヤーも限定されつつある。新規開発会社はコンシューマではなく、圧倒的にモバイルが多いために、市場の減少よりも製作側の減少のスピードが速く感じられる。

しかし、これは表面的な変化である。ゲームワールドにどのようなデバイスを通して入るか、ということは、将来、より相対的な問題となるだろう。どの会社もさまざまな入口を通して、自社のオンラインにあるゲームに誘導することになる。数年前からマルチプラットフォーム開発は当然のことになったが、将来は一つのゲームがプラットフォームを超えてつながりあうゲーム環境になるだろう。しかし、最も大きな問題は、人が現在直面している情報環境の変化の中でゲームをどのように定義していくか、という問題だ。

人はインターネットでもソーシャルでも情報環境の中で生きている。そういった情報環境とゲームは今はやや離れたところにある。その溝をどれだけ埋められるか、ということがデジタルゲームの一つの課題である。Twitter（現X）やFacebookからゲームへ飛び込むと同時に、それを人に見せることは、今はできない。ＳＮＳとゲームの連携はmixiが先んじていたところでもある。ソーシャルである限り、人の行動を見、自分の行動を常に人に見せたい、という欲求があるから、自分のプレイを手軽に配信できる能力が必要だ。現在は、ゲームの実況文化が根付きつつある。現在の情報環境に生きる人々にはゲームプレイ自体を自分自身の一部として見てもらいたい、という欲求があるのだ。e-Sportsもまた社会性をはらんだゲームで、それはショーとしてのゲームである。

ゲームはやがて個人を表現する手段となる。ソーシャルサイトにおいて、旅の写真を載せることは普通になった。ゲームの中を旅することも、それと同じぐらい時間とお金を消費するとしたら、ゲーム内の魔境にいることをリアルタイムに人に知らせることも、そして、そこに人を呼び込むことも、またソーシャル活動となるだろう。つまり、現実空間とゲーム空間の価値を近付けるような仕組みが必要となる。そこで、ゲームは誰もが同じ世界、同じシナリオを楽しむところから、何があるかわからない「野生の空間としてのゲーム」として出現することになるだろう。パリやベルリンと同じように、一つの世界が出現し、そこを訪れ、冒険することで徐々に明らかになっていく社会、ソーシャルにそれが伝えられていく世界である。

ソーシャルの世界ではそれぞれのユーザーに少しずつ違う経験をさせることが重要だ。それによってその経験を他者と分かち合いたいと思うわけである。同じ経験であればその度合いが弱くなる。現在、ＳＮＳで最も共有されているゲーム画像は、レアカードをゲットした画像だ。それはレ

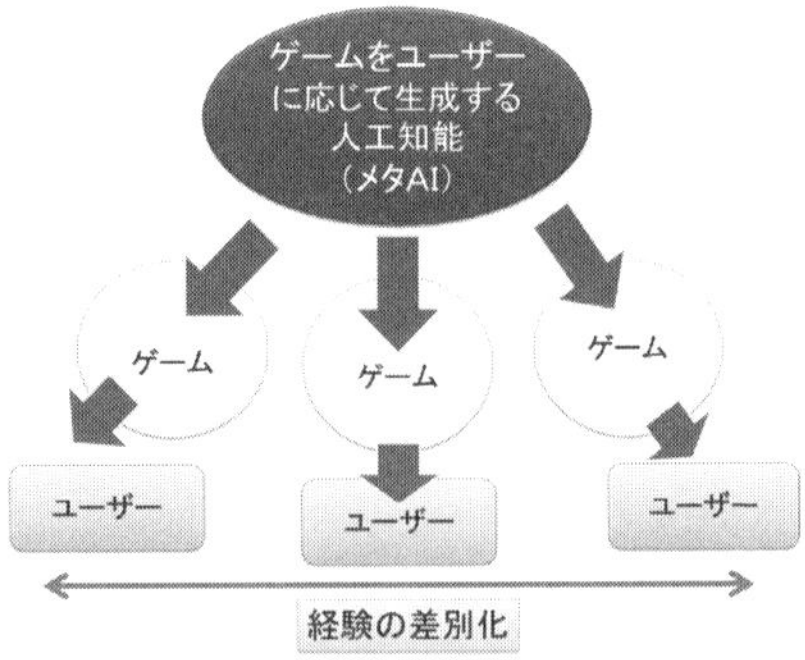

図９　ユーザーを理解し、ゲームを生成する人工知能

アであるがゆえに他者と差別化された経験となっているのである。

12　それぞれの世界、それぞれのゲーム

そこで重要になるのが、人工知能である。人工知能は世界を学習し、生成する力がある。ゼロから何もかもは難しいが、ダンジョン自動生成、森林自動生成、クエスト自動生成、敵自動配置、そして、最後の難関である物語自動生成の研究が推進されている。そこから、製作者の意図を超えて自動生成されたゲームワールドが生成する可能性があるのだ。

また生成の可能性は、大きくゲームのパラダイムシフトを促す。これまでの「みんなが共有する一つのゲーム」という場所から「それぞれのユーザーに応じて生成されるゲーム」への変革である。自動生成である以上、さまざまな方向にゲームの生成を分岐することができる。つまり、それぞれのユーザーに応じたゲームを生成できるようになる（図９）。しかし、それぞれのユーザーに応じるためには、人工知能がそれぞれのユーザーを「知る」必要がある。そのヒントとなるのが、ユーザーの情報を収集する機能である。ＳＮＳや携帯電話の行動履歴から、ユーザーのライフスタイルを解析し、ＳＮＳのシェアボタンや書き込みから興味を持っていることを認識する。そこから、今、

そのユーザーに必要な物語をゲームとして提供するのだ。それぞれのユーザーに応じたゲームがそれぞれのユーザーに届けられる時、現在の大人数の製作者が大人数のユーザーに一つのゲームを届けるだけの時代は終わり、それぞれのユーザーが差別化された自分だけのゲームの体験をソーシャル上に表明するようになる。またその世界に親しいユーザーを招くことにもなるであろう。人工知能はそれぞれの人に応じたパーソナルなゲーム、パーソナルな空間を提供し、より深い精神的な領域に献身することになるのだ。

第8章　物理世界とデジタル世界のはざまで
――メタバースは人の意識を変えるのか

1　はじめに

メタバースとは人の世界の拡張である。そして、拡張された世界は人の意識を変えていく。それは三つの段階からなる（図1）。意識の変容（Ⅰ）は、人がデジタル空間を獲得する、というところにある。デジタルゲームが人の意識を変化させている。2Dにしろ、3Dにしろ、人は自分が活動できる物理空間以外の空間を手に入れることで、人は物理空間とデジタル空間、二重の空間を生きるようになった。これはすでに八〇年代以降に起こったことである。意識の変容（Ⅱ）は、物理空間の情報を集約したメタバース空間によって引き起こされる。そこでは、メタバースは物理空間とデジタル空間、特にシミュレーション空間が融合した世界になる。メタバースから物理世界に干渉することも可能となる。もはや物理世界が主で、メタバースが従というわけではない。メタバースの現実性が物理世界とバランシングされていく。これは二〇〇〇年以降に起こったことである。意識の変容（Ⅲ）はメタバース内で人の知能が結び合わされ、一つの集合知性へと変容することである。メタバース内では物理空間の制約なしに、人の知的な作業を連携させることができる。それは巨大な集合知性を形成するだろう。それは現実を変える新しい出発点となる。これは、これから未来で起こることである。本章では、このようなメタバースによる人の意識の変容を解説する。

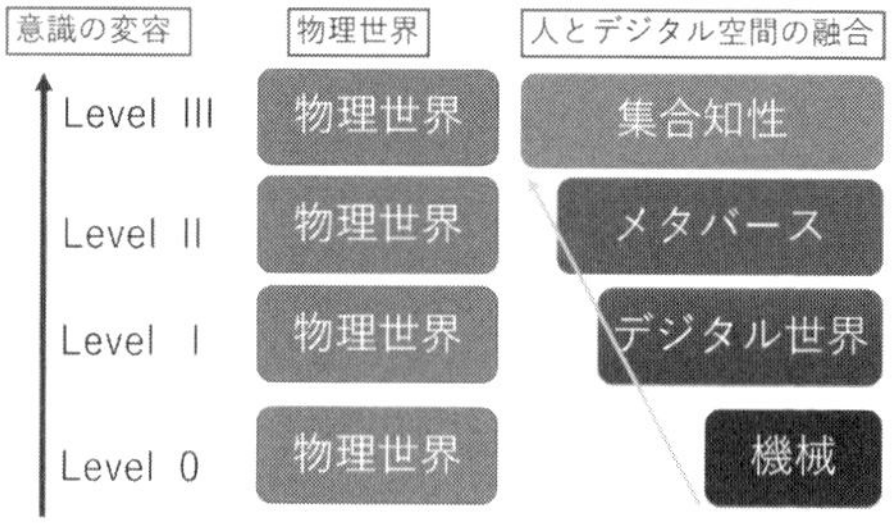

図1　デジタル技術と意識の変容

2　意識の変容（Ⅰ）——デジタル世界による変容

小学生三年生の頃、教室でこんな会話を聴いた。「草原で空に杖をかざしたら扉が開いて、トンネルを抜けたら、新しい世界に出るよ」。

私はてっきり郊外の探検（当時、小学校のクラスでは自転車で少し遠出して市街を探検するのが流行っていた）の話でもしていると思ったら、それはファミコンのゲームの話だった。それが私に衝撃的だったのは、これまで物理的な空間が私たちの探検世界だったのに、バーチャルな世界が自分たちの遊び場の中に入ってきた、ということだった。みんなが行っている場所に自分も行きたい。実にファミコンが広がっていったのは、そんな子供の単純な思いもあっただろう。そして、私も含めてたくさんの友人がファミコンを買って「同じ世界」を手に入れた。自分の家や友達の家で同じゲームをみんなで遊んだ。ゲームは新しく加わった遊び場だった。ファミコンの世界は郊外の公園と同じぐらい現実と地続きの空間だった。私たち（ファミコン世代の子供たち）は、小学校の教室で、運動場で、帰り道でゲーム内の場所のことをあたかも現実の場所のように話した。闇深いダンジョンの壁抜けの方法、特殊な魔法で森を通り抜けるノウハウ、月光でできた橋を出現させる秘宝の見つけ方、などを話し合った。

メタバースは人間の新しい土地である。八〇年代にファミコンの中で小学生たちが共有していた小さな遊び場の世界は、今やオンラインで大人数が共有する大きな世界となった。人類にとって物理的領土とは別な形で初めて手に入れた土地である。動物の基底には土地と自らを結びつけるなわばりの意識があり、それは高度に抽象化された社会においても、見える形・見えない形を含めて社会を支配している。新しい場所は人の意識を変える。アーサー・C・クラーク『２００１年宇宙の旅』で人類の知能を高みへ導くモノリスは、続篇『２０１０年宇宙の旅』の結末で、木星を恒星に変えて新しい生存圏を人類に与える。モノリスの最後のメッセージは「これらの世界はすべてあなた方のものだ。ただし、エウロパを除いて」（ALL THESE WORLDS ARE YOURS, EXCEPT EUROPA）である。モノリスは人類の知能の新しい段階のために、太陽系の新しい生命体と共存する新しい場所を与えることで人間の意識と知能の変容を促す。メタバースの本質は「これらの世界はすべてあなた方のものだ」という一句に凝縮されている。ここに人間の新しい意識の改革の可能性を見る。ここではメタバースが人の意識をどのように変革していくか、について考えていく。

3　もう一つの現実「メタバース」

我々は二〇二〇年からの感染症の流行で大きな現実の変容を経験し、現実の物理的活動に完全に依拠することに対するリスクを経験した。そこで人間のさまざまな活動、主に経済活動、ビジネス、教育活動などを、身体と物理空間を使わないバーチャル空間でも行えるように移行が必要との認識が共有された。それがメタバース空間である。この変容はさらに、大きな現実の変容をもたらす。その中の二つはすでに名前が付けられており、物理的世界においては「スマートシティ」であり、仮想世界では「メタバース」である。後述するようにこの二つが接続されることで「ミラーワールド」が形成される。

メタバース空間はオンラインゲーム空間と似ているが、オンラインゲームから物語と役割を抜いた空間である。たとえばMMORPG（多人数同時接続三次元ロールプレイングゲーム）から物語と役割（ロール）を抜くと何が残るだろうか。動き回ることができる空っぽの三次元空間が残るのである。それが素のメタバースである。素のメタバースには目的がない。魔王を倒さなくていいし、世界を救うこともない。ユーザーは勇者でも旅人でもない。ただ、なんとなくそこにいてもいい空間だ。だから本質的にはメタバースに行く理由がない。実は二〇〇〇年初頭の初期のメタバースはこういった空間であった。しかし素うどんや素ラーメンだけではなかなか苦しいように、これだけでは大きな人気を獲得できなかった。

しかし、素のメタバースは人類史上、画期的な空間であった。人間が現実の土地以外に、漠たる新しい空間を手に入れた、という事件でもあった。それは長い目で見れば大きく人類史を変える出来事だった。しかし、当時、それはそこまで大きな影響力を持ち得なかった。しかし、現在では大きな影響力を持ち始めている。では、現代のメタバースには何があるか。それは経済とソーシャルである。経済という物語がメタバースを支えている。そしてSNSから持ち込まれたソーシャルな空間が人をメタバースに引き留めている。メタバースの誕生の出自はこの二つの系統から来ている。

4　人間の土地の拡張としてのメタバース

人の意識は土地に結びついている。動物はなわばりを持ち、動物の意識は常に自分のなわばりとその外側の境界を意識している。この空間に張り付いた意識は、空間を抽象化しながら我々、人間の知能の中にも浸透している。たとえば西洋、東洋の歴史も基本的には、領地と権力争いであり、それは現代にいたっては、組織内のなわばり、専門領域のなわばり、ビジネス区域のなわばり、などに姿を変えながら継続している。また人は自分が落ち着ける場所、安全に就寝できる場所、日中活動できる場所を求めている。それは、我々が身体を持ち、身体の保全を本能的に優先しているからである。

メタバース空間に対しても、我々人間の本能は継続している。この空間を生存に関係する空間と捉えて、自らの社会活動の中に取り込もうとしている。メタバースは人間の根源的な本能を刺激す

図2　春日山メタバース

る点で継続性の高い技術である。おそらく、この流れは元に戻ることはない。メタバースは人間が持つ土地への欲求を再び喚起する。メタバースで広大な土地を所有することは、現実の土地への欲求を補完するだろうか。問題は、その土地がその人の生存にどれだけの価値を持つか、によるだろう。たとえば、その土地から利益を出すことができるとしたら、その土地を守ろうとするだろう。

ここで特に現実と接するメタバースの構想の一つについて解説する。たとえば、奈良県の鹿が沢山住んでいることで有名な春日山の地形そっくりのステージをメタバースとして作ったとする（図2）。春日山の鹿にGPSタグをつけて、メタバース春日山にマッピングする。すると、一体の鹿が移動するにつれてメタバース上の鹿も移動する。そうやって、すべての鹿の動きをメタバース春日山で掌握することができる。物理世界の状態をリアルタイムで把握できること、これは物理世界と結びついたメタバースの魅力である。

5　世界を集約するレンズとしてのメタバース空間

インターネットが単なるブームでないようにメタバースも単なるトレンドではない。それは人類の認知を根本から変えるものでもある。メタバースの特徴はオンラインゲームと比較するとわかりやすい。

　オンラインゲームは決して物理世界と接してはならない。それはゲーム自身が完結した世界であるためである。しかし、メタバースは本来空っぽの世界である。だからこそ、逆に物理世界と接することで価値を持つ。つまり、メタバースはそこに現実世界の状態を反映する新しいメディアである。テレビニュースよりも、Webニュースよりも、検索エンジンよりも、Twitter（現X）よりも早く、メタバースを現実世界に同期することができれば、それは何よりも人を惹きつけるメディアになるだろう。なぜなら人は最も早く情報を知りたがる生き物であるからである。

　そこで物理世界の情報をリアルタイムに反映する、物理世界を集約するレンズとしてのメタバース空間が考えられる。都市を、学校を、広場を、大学を、森を、リアルタイムの情報をメタバースに反映することができれば、それは最も人の気にするところのものになる（図3）。そして、人がそこに集まることになる。

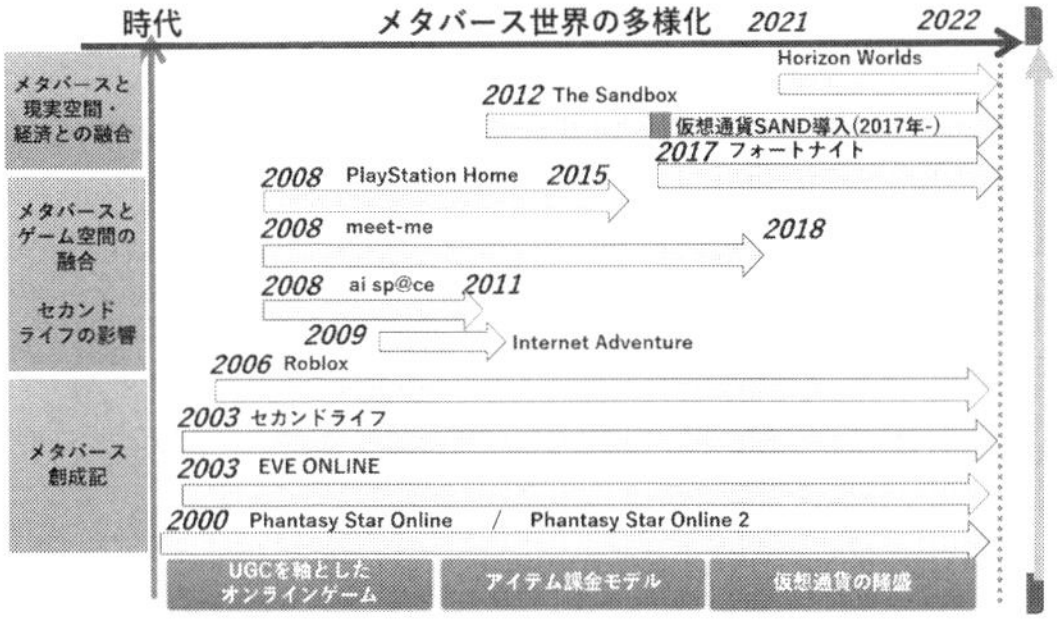

図３　世界の空間情報を集約する装置としてのメタバース

6　メタバースの定義

メタバースは多人数が同時接続できるオンライン空間のことである（図４）。それぞれがキャラクターを持ち、三次元空間（二次元空間でも良い）で活動する。キャラクターが活動できる空間がある、ということが重要であり、カメラで顔が写されるオンライン会議システムは空間がないのでメタバースではない。

　メタバースの出自は２節で述べたように二つある。一つはオンラインゲーム空間であり、もう一つはソーシャルネットワークである。二〇〇〇年代初頭のソーシャルネットワークは、チャットベースの拡張として登場した。つまり基本的にはテキストベースであり、そこに写真、動画を加えたメディアへ成長した。さらに、これがオンライン空間ベースへと発展したものがメタバースである。メタ社がメタバースへ進出するのは、きわめて自然な流れでもある。

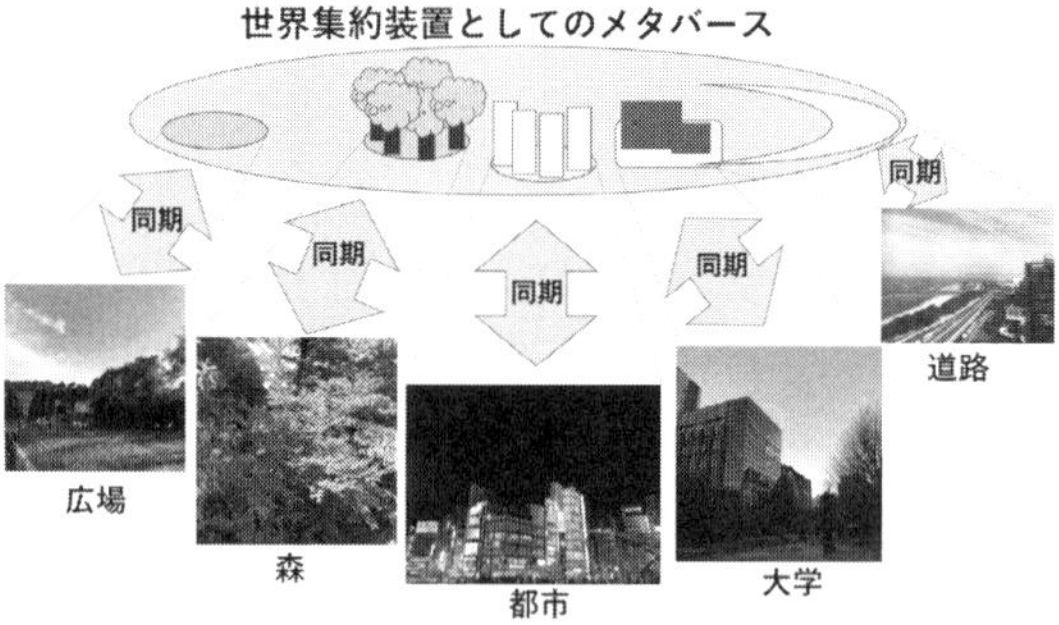

図４　メタバースの歴史と技術の発展

　一方でオンラインゲームはキャラクターと空間を持っている。オンラインゲームは運営会社が用意したコンテンツを楽しむことが主であるが、副次的にユーザー同士の交流やユーザーが生成するコンテンツ（UGC, User Generated Contents）もある。メタバースというためには、この主と副を逆転する必要がある。つまりユーザーがさまざまなコンテンツを生み出し、それを他のユーザーが楽しむ、ユーザー主導の世界こそがメタバースである。そのためにメタバースを作成する会社は、ユーザーがさまざまなコンテンツを生み出せるツールや場を用意する。『サンドボックス』（The Sandbox、二〇一二―）では、それぞれの区画をユーザーが購入し自由にステージと仕組みを作ることができる。他のユーザーはそこに入ってきて探索することができる。この形式を始めたのは『Roblox』（Roblox、二〇〇六―）である。また三億人ユーザーを集める『フォートナイト』（Epic Games、二〇一七―）はオンライン対戦型のゲームであるが、他人のプレイを観戦することが可能である。また対戦の代わりにアーティストによるエフェクトたっぷりのコンサートを実施することもできる。さらにユーザーが自由にステージをデザインできる「クリエイティブモード」が実装されている。

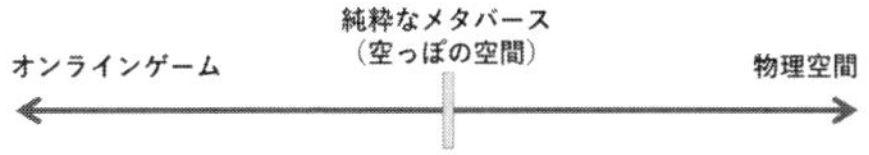

	オンラインゲーム	メタバース	物理空間
世界観	強固、かつ詳細	なるべく緩い設定	現実のまま
物語	大きな物語を準備 物語に沿って イベントが展開	特になし ユーザーが作り出す	現実の経済、人間関係（ソーシャル）、社会、など無限の要素
キャラクター（人）の役割	世界、物語の中で最初から定義	特になし　ユーザーの関係の中で発生	不明（実存）

図５　オンラインゲーム、メタバース、物理空間

７　オンラインゲーム、メタバース、物理空間

オンラインゲーム空間は物語、世界観、ロール（役割）の三つからなる（図５）。ロールとはキャラクターに課せられたゲーム内の役割であり、敵や味方、町民、勇者、魔法使い、などである。２節で述べたように、オンラインゲームからこの三つの要素を抜くと純粋なメタバースになる。物語も、世界観も、ロールもないのがメタバースの出発点である。そこから世

界観、物語、ロールを足してもいいが、それは背景であり、メインコンテンツではない。もしこの三つを色濃くしていけば、オンラインゲームになっていくことだろう。

まず物語がない、というのは、ロールとも関係するが、ユーザーが沿うべき文脈がない、ということである。ユーザーが沿うべき文脈が完全に決まっているなら、それはユーザーがこの世界に決められたロールと果たすべき使命が決められている、ということである。それはゲームであってメタバースではない。メタバースではユーザーは匿名の一人であって、特別なポジションにはない。皆が一個人として参加するのがメタバースの基本である。また、メタバースはそこに参加するメンバーによって世界が育まれるように設計される。また、メタバースでは、世界観が厳密に決められているわけではない。メタバースでは世界観を閉じてしまうと、そこで生産されるものや現実を追加されるコンテンツを限定・排除してしまう。世界観はあっても良いが、なるべく薄く緩いものであるのが好ましい。

8　意識の作り方

世界に対する意識は、「その世界に対する感覚と行為とその行為に対する結果」によって作られる（図6）。たとえば、スイカという知覚があり、スイカを触る、その感触を得る、という具合である。この意識の原理は、世界のあり方に先立って駆動している。

この原理を最もよく利用しているのがデジタルゲームである。デジタルゲームでは、画面上のある模様を認識させ（敵キャラクターとかターゲットとか）、それに対するアクションを行わせ（攻撃やタッチなど）、そしてそれに対する結果（爆発するとか、消えるとか）を表示する。それによって、ゲーム世界に対する意識が形成される。人間が知覚し、作用する空間が拡がるほど、人間の意識は変容していく。ここで取り上げたいのは、メタバースによってそのような人間の意識がどのように変容していくか、ということである。

メタバースの中で、感覚と作用が閉じているのであれば、人はメタバースを完結した空間として意識するだろう。しかし、メタバースが物理空間とつながる、たとえば、メタバース空間で行った行為が現実で作用する、現実で行った行為がメタバースを変化させる、とすると、人はメタバースと物理空間が混合した「メタバース＝物理空間」という新しい世界を意識することになる。それは人の新しい意識になる。

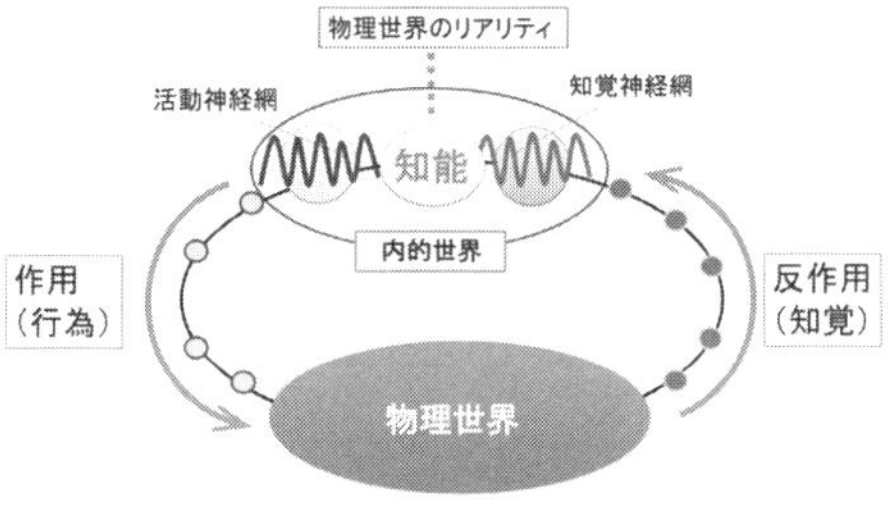

図6　環世界と意識

9　意識の変容（II）——メタバースによる変容

メタバースによる最大の変化は、多くの人がシミュレーション世界で活動するようになる、ということである。すなわち、物理的世界の意識とシミュレーション世界への意識の二つを持つことになる（図7）。さらに物理的世界とシミュレーション世界はこれから複雑に絡み合っていく

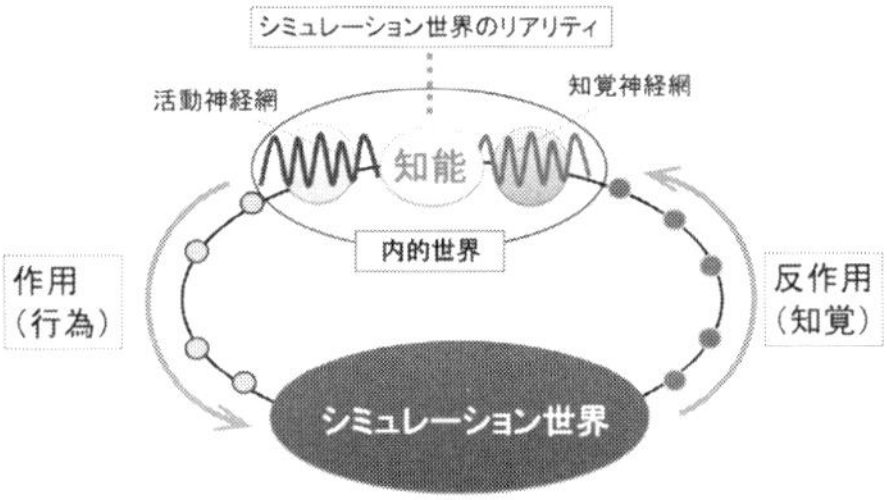

図7　新しい意識の在り方

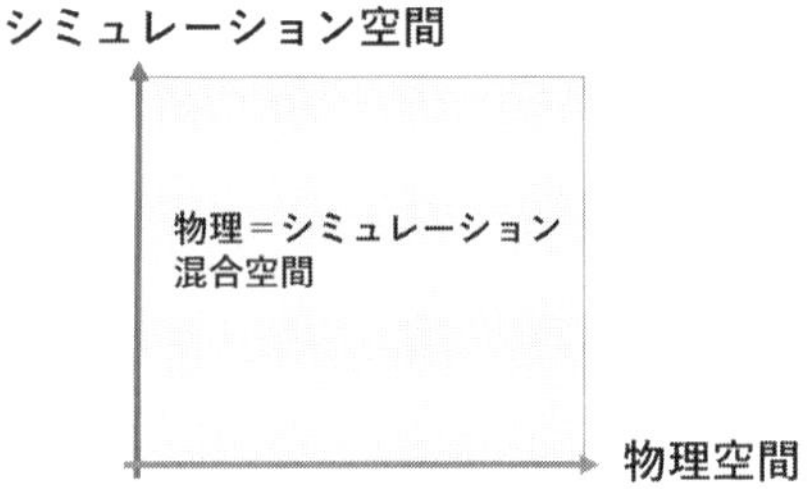

図8　物理世界とシミュレーション世界の混合

のであるから、物理とシミュレーション混合の世界への意識となっていく（図8）。しかし、やはりそこでも、「その世界に対する感覚と行為とその行為に対する結果」が人の意識を作っていく。

意識とは常に対象に対する意識である。そして、対象を構成する要素はこれからめまぐるしく変化する。メタバースは物理空間とは異なる新しい軸の空間拡張である。メタバース空間を意識することで、人の意識は拡大する。人は「物理空間とメタバース空間」を意識する存在となる。現状は、それぞれの空間を別々に意識しているだけである。しかし、これから物理空間とメタバース空間は接続され同期することとなる。メタバース空間にさまざまな都市の情報がリアルタイムに流入する。また、メタバース空間の状態が物理空間に反映する。それら双方向のリンクによって「メタバース空間と物理空間が一体」となる。これが先述のミラーワールドである。そうなった時、人の意識はミラーワールドをベースに構成されることとなる。

10　言語コミュニケーションから非言語コミュニケーションへ

インターネットが一般社会に普及して二五年、我々の生活は徐々にインターネット内のサービスに依存するようになった。情報教育が率先され、情報に対する鋭敏性をひたすら高めてきた。その情報への鋭敏性がＡＩを必要以上に大きく見せている。ただそういった世界の情報化の中で削ぎ落されてきたのが、人間を取り囲う空間である。情報は文字と画像、映像に圧縮され、空間的な経験は余剰として打ち捨てられてきた。画像にも映像にも文字が載ることが多く、大きく言えばこれらは言語主導の情報体（メディア）と言えるだろう。そこで空間的経験の欠乏を補う形で、オンラインゲームとリアルイベントが隆盛した。

オンラインゲームは九〇年代半ばから存在するが、特に３Ｄ空間を用いたオンラインゲームは専用のグラフィックボードか、ゲーム機を用いて参加する以外はなかった。しかし、現在では通常のスペックのＰＣやノートＰＣでも、ある程度の３Ｄ空間を一般ユーザーが動かせるようになった。

オンライン３Ｄ空間の特徴は非言語（ノンバーバル）コミュニケーションである。キャラクターという身体を通して、ユーザー同士が言語にならない情感を伝え合うのである。たとえば、一緒に歩く、という行為は他人の速度や歩幅を思いやる行為である。これをオンライン３Ｄ空間で行うのはかなり難しいことがわかる。キャラクターの速度はいろいろ調整できるが、手をつないでも感触があるわけではないし、予兆なく止まることもある。何より同調リズムを取るのが難しい。だからこそ、オンラインゲームで一緒に歩くのはとても楽しい。深い森の中を、月夜の砂浜を、夕暮れの野原をチームで歩いていくときは、離れないように速度を合わせたり、はぐれている人を見つけて助けに行ったり、みんなお互いの姿を視野に入れるように集団の中の位置を調整したりする。何も喋らなくてもお互いを気遣っているのがわかる。

またキャラクターは頭をかく、ごめん！　という動作をする、泣く、笑う、手を振る、など複数の動作データを持ち、ユーザーはボタン一つでいつでも呼び出すことができる。このような動作は、他のユーザーに自分の情緒を伝えるために存在する。言葉だけではどうしようもなく落とされていくものを、伝えることができる。

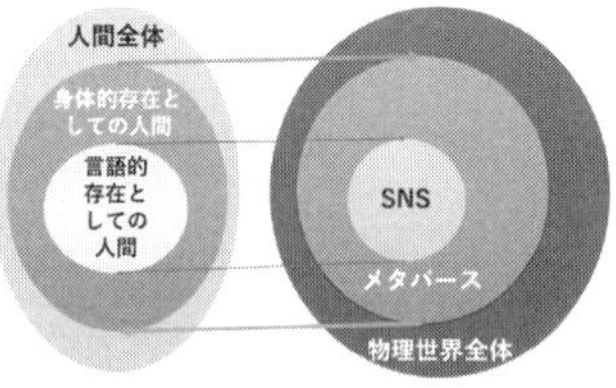

図９　言語的、身体的世界とSNS、メタバース

このようにメタバースでは、テキストだけのネットコミュニケーションでそぎ落されていた「空間と身体を通じたコミュニケーション」が復活する（図９）。情報と効率化においては無視されてきた人間の身体特性が復活するのである。ＳＮＳでは自分を言語で表現することが求められる。しかし、それだけでは物足りず、写真、動画とＳＮＳは進化してきた。そして、その果てに自分の分身アバターによる空間的インタラクションが求められるようになった。そのような空間自体はオンラインゲームで九〇年代からあったものであるが、そこにソーシャルなインタラクションを持ち込んだ空間がメタバースである。

11　SNSとオンラインゲーム空間の融合

メタバース空間はSNSとオンライン空間の融合である。そこには空間があり、社会性がある。そこでは言語、非言語コミュニケーションの双方があり、情報から情緒までを伝達できる空間である。そこで我々の意識は新しい現実空間を見出すだろう。

物理世界は身体で活動するが、メタバースは自分の分身のアバターで活動する。メタバースにおける自己は、SNSにおける自己がそうであるように、現実の自己から変容した自己である。メタバースが与える空間は人の意識を変容させていくだろう。

SNSは、現実の社会のつながりのリアリティを改めてデジタル空間で獲得する新しさがあった。メタバースではそこに空間の中でキャラクターを用いたアクティビティが発生する。SNSでは言葉と画像、映像のシェアが主であり、それによって自分を表現していた。メタバース内では、アバターが自己のアイデンティティの代わりをする。キャラクターの姿は、さまざまにデコレーションが可能であり、そこには外見（帽子、マフラー、シャツ、ジャケット、スカート、ズボン）から話し方、身振り・手振り、距離の取り方、またメタバース内の自分の空間（家）の土地、外見から内装、所持品まで自分を表現する要素がある。空間とキャラクター身体があるだけで、さまざまな要素が仮想空間に持ち込まれる。そして、それらのすべては他者の目にさらされることになる。そこで、自分を表現するために、これらをすべて自分向けにカスタマイズしたくなる。そこで、これらすべての要素が商品となり販売されることになる。

たとえば、ある有名なスポーツメーカーはメタバース内でウェアやシューズなど自社の商品を売り出し、短期間で二〇億円以上の売上を記録した。たとえば、二〇〇足限定シューズを販売すれば、それを自分のアバターに履かせたい、という欲求をユーザーに喚起する。また、有名バンドのギタリストのギターをメタバース内で数本だけ売り出す、となれば、ファンであれば一本数十万でも購入しようと思うだろう。そのアイテムがファンとユーザーをつなぐものになるからである。

SNSは自己顕示欲や自己表現欲求によって成り立っていたが、メタバースは人間のさまざまな欲求を駆動する。メタバースがより多くの人間の欲求を刺激するので、これまでのインターネットより資本主義の原理に従う空間である。テキストベースの世界よりも、遥かに多くの商材・アイテムを展開できる。現代社会でメタバースが推進されるのは資本主義社会においては自然なことである。

12 研究室はメタバースで

物理世界を集約する装置としてのメタバースは、そのデジタルミニチュアの中で、人間に世界の状態の縮図を見せる。そして、その同期の速度が早ければ早いほど、現実の縮図としての価値を持つことになる。もちろん物理世界と同期しないメタバースも可能である。しかし、現在のメタバースを支えているのは、ソーシャルと仮想通貨による経済である。この二つが、メタバースに固有の価値を与えている。現実の社会関係と経済を持ち込むことで価値を作っている。

メタバースはこのように物理世界の集約装置としての価値と、固有の世界を持つという二つの側面を持つ。するとメタバースはシミュレーションの力によって物理世界を延長させた世界でもある。このシミュレーション世界は物理世界をシミュレーションする、という面と、メタバース固有の世界の原理を回す、という面を持つ。

クラウド上の強力なシミュレーションは、物理世界の未来を予測する。メタバースから強力なシミュレーションを利用して、さまざまな予測を行うことが可能である。またクラウド型のメタバース（すべての計算がクラウド上で行われる）においては、メタバースそのものをシミュレーション空間として用いることができる。そこでは、たとえば膨大な計算リソースが必要な流体の計算を、専門家が集まって試す実験場が用意されることになるだろう（図10）。たとえば実際の都市のモデルの上で動かすことによって災害を予測することができる。現在、シミュレーション・マシンと言えば、計算機センターや各研究室が保持するハイスペックマシンによって行われている。それを論文や動画などの形で学会や研究会で共有する。しかしクラウド・メタバース上に大きな予算で巨大なシミュレーション・パワーを持つようになれば、メタバースが巨大な流体力学の実験場になる。このように研究機関にとっても、メタバースは計算リソー

図10　メタバース内の研究室のイメージ

スをクラウド化し集中させる研究所を作るための場所となる。

13　スマートシティ＝メタバース世界

スマートシティとメタバースの接続は、物理世界の状態をメタバース内へと転写するセンサー群によってなされる。そこで鍵となるのは、「空間型ＡＩ」（スパーシャルＡＩ）である。空間型ＡＩとは、ある一定の空間領域を管理する人工知能である。都市全体は、複数の空間区画に分割され、それぞれの領域を担当する空間型ＡＩが設置される。このように空間型ＡＩが設置された空間を「スマートスペース」という。スマートシティはスマートスペースによって隙間なく覆われることになる（図11）。

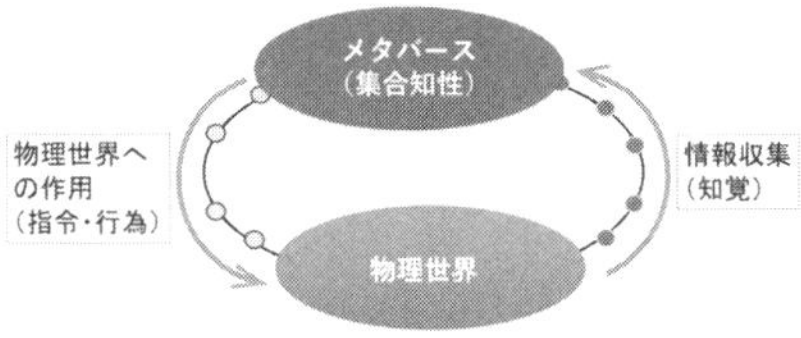

図11　物理空間からスマートスペースを介してメタバースへ

スマートスペース内では、空間型ＡＩがそこにあるモノ・人・機械を認識する。また、スマートスペース内に所属するロボット・ドローン・アバターに対して、空間型ＡＩは命令することが可能であり、それらを用いて担当する空間を管理する。具体的には、人へのサービス、治安の維持などが挙げられる。ロボットもドローンもアバターも自律型人工知能であるため、空間型ＡＩの制御がなくても自律的に活動することができる。しかし、さらに空間型ＡＩは空間的情報をそれらの自律型ＡＩに提供する、命令することで、自律型ＡＩたちに、管理する空間内での巧みな運動を可能にする。また連携して複雑なタスクをこなせるように導く。

そして、担当する空間の情報をメタバース空間に再現することで、メタバースから現実への監視・コントロールを可能にする。また逆にメタバース上におけるロボット・アバターの運動をそのまま現実空間に移すことで、メタバースから現実をコントロールするブリッジとなる。スマートスペースを通じて、物理世界とメタバースがつながる。そして二つの現実、物理世界とメタバースが一つの有機的現実として再構成される。

14　意識の変容（III）——集合知性としてのメタバース

メタバースは人間の知性が結集する集合知性である。世界の情報を集め、人間の叡知による決断がされ、シミュレーションによる予測がそれを裏付け、高度な意思決定を可能にする。

人の知能はそこで物理空間を超えた人の知能を集合させた集合知性へと変容する（図12）。具体的には、時間と空間を超えたユーザー同士の討論、巨大なシミュレーションによる未来予測、エキスパートによって蓄積された膨大な知識、そして、メタバースから現実空間への作用の仕組み、この四つの柱が集合知性を支える（図13）。

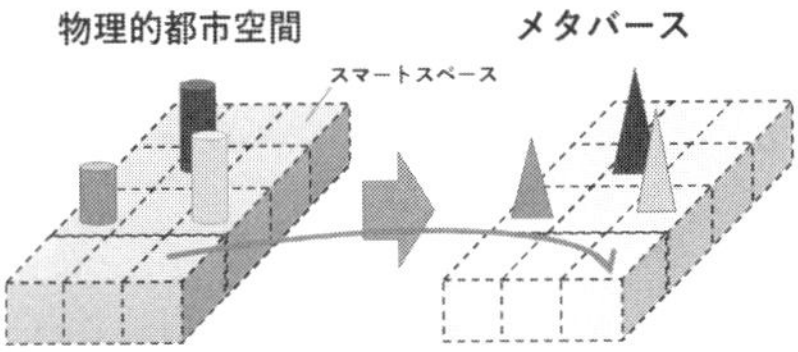

図12　物理世界に対する人類の集合知性としてのメタバース

メタバースと物理世界の虚実を問うならば、メタバースが虚で、物理世界が実、だと答えるのが普通だろう。ところが現実の情報を集積し続けるメタ

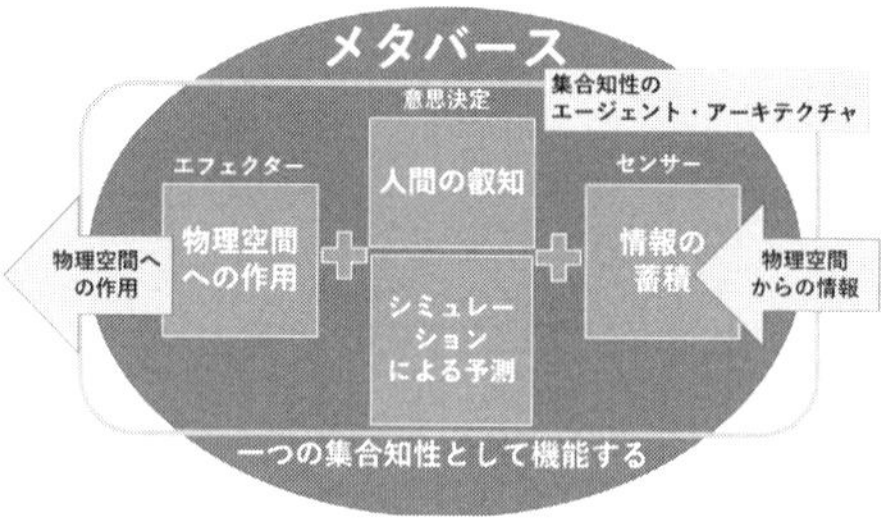

図13　集合知性としてのメタバースの構造

バースは、次第に現実以上の重みを持ち始める。現実の情報が集まるメタバースから、世界をコントロールすることが自然に思えてくる。また、メタバースのシミュレーションによってある程度、先のことが予測できる。メタバースは現実以上に現実を見渡すことができる空間である。

そしてメタバースは人間の叡知が集まる空間である。メタバース内では人の知能が柔軟かつ際限なく連携する。物理世界からの情報が収集され、同時にメタバースから物理空間へ作用する力が準備されていくことで、全体として集団知性のエージェント・アーキテクチャが構築される。

メタバースを司令塔として、現実が次第にコントロールされるものになっていく。それは決して大袈裟な話ではない。もし庭のメタバースがあったら、どの場所に水をまくかをメタバースから指定するだろう。さらに、メタバースから都市のライトアップをコントロールする、メタバースから都市を監視する、などが可能である。メタバースは次第に世界の司令塔になっていく。

物理的実体を持たない司令塔というのは、サーバーが攻撃される脆弱性を除けば、むしろ極めて堅牢《けんろう》性が強い。バーチャルな司令塔は、物理的な攻撃が有効ではなく、むしろ、参加者の位置も特定できない。たとえば、電力中央指令室、警察本部、国会など、要となる施設は、メタバースにバックアップ施設があれば、どんな非常時にも駆動することが可能である。

15 メタバースの中で生まれる善意

しかし、結局、我々は三次元空間で持っていた欲望を、メタバースの中に持ち込むだけなのだろうか。そこに新しい価値観は生まれないのだろうか。

日本のオンラインゲームの多くは善意から成り立っている。というのも、上手なプレイヤーは初心者や弱いプレイヤーに対して教えたり、庇護したりしてくれるのである。また、見知らぬ他のプレイヤーが困っているときに一緒に戦ってくれたり、回復魔法をかけてくれたり、アイテムを譲ってくれたりする。人を助けることが最も気持ちの良いプレイであることをそういったプレイヤーは知っているのである。

現実で人助けは難しい。自らの手を物理的に汚す、自らの危険を冒してまで人を助ける、というのは簡単なことではない。人助けはしたくても現実ではハードルが高い。そこでメタバースを通じて、人を助ける、ということを考える。たとえば、渋谷でゴミ拾いのボランティアをしたい。しかし現地に行くのも手を汚すのも嫌だ。であれば、渋谷に設定したカメラからゴミの位置をスキャンして、メタバース内に転写する。そしてメタバース内でユーザーがゴミを拾うと、渋谷にあるロボットがゴミを拾う。あるいは渋谷でゴミを拾うロボットや人間にアドバイスをしてあげる、などが考えられる。メタバースは社会参加の在り方を変えていく技術でもある。もちろんロボットは現在、とても高価であるから、コスト面でメリットがない。しかし将来はメタバースからロボット、ドローン、アバターが人間を助けることになるだろう。

16　メタバースの中で生まれる新しい価値観

メタバース空間は未来につながっている。現実では見えにくいことが、メタバースではっきり見える、ということがある。また、メタバースには国境がない。本来出会えない人を結び合わせ、協調させることができる。たとえ国家が争っているときでも、メタバースで協力し合うことができる。

メタバースは物理世界の制約を逃れた避難所であり、またそこから物理世界の状況を建て直すための出発点でもある。だからこそ、メタバースは物理世界の情報を集約し、人の叡知を結集し、そして再び物理世界へ影響を及ぼす力（エフェクタ）によって、世界をより良く変化させねばならない。メタバースの最大の可能性として、そのような集合知性がある。特にスマートシティと結びつくメタバースは、現実を捉え、判断し、現実へ効果を及ぼす。メタバースの集合知性は世界を変革する新しい出発点である。

参考文献
三宅陽一郎「「メタバース」の世界」『情報処理カタログ』二〇二一年三月 https://ipsj-catalog.jp/story/metaverse.html
三宅陽一郎「メタバースの成立と未来――新しい時間と空間の獲得へ向けて」『情報処理』Vol.63、No.7、pp. e3-e36（2022）
三宅陽一郎「デジタルゲームＡＩ技術を応用したスマートシティの設計」『人工知能学会誌』Vol.37、No.4、pp.436-445（2022）

第9章　人を理解し、空間を認識し、社会に参加する

1　はじめに

本章は「人、空間、社会」の関係について、自分なりのビジョンを述べたものである。必ずしも検証された事例ばかりではなく、これからの新しい研究のビジョンを含めて書いている。断定的に述べられている箇所でも、本文全体がビジョンであるから、確定した事項ではない。しかし、こういった総合的テーマにはまずビジョンを描いて、その中で個々の研究や考察をしていくことが好ましいと考えるものである。ご高覧いただく方々への何らかの示唆が含まれていれば幸いである。

しかし、ややも長文となってしまった。節ごとにテーマが散乱しているので、まず冒頭に本章を俯瞰して解説しておきたい。2節～11節は、社会における人工知能の応用全体の設計について述べている。12節～17節は、人工知能が社会的活動を行うための、より人工知能の作成を深めるためのアプローチについて述べている。以下、各節の要点を列挙する。

2節「人間とは何かを問い続ける人工知能」では、社会に参加する人工知能は、人間についての知識を固定化するべきではなく、人間に対する好奇心をもち続けるような設計にするべきである、という思想を述べる。

3節「人工知能導入の三つのポイント」では、人工知能を社会に導入するポイントは単に個々の人工知能エージェントを導入するというだけではなく、人間・エージェント・環境の三者であり、この三者間の新しい関係を構築することが、人工知能による社会の発展につながるということを述べる。

4節「空間AI」では、空間を管理する「空間AI」という概念について述べる。

5節「スマートスペース」では、空間AIをもつ空間「スマートスペース」が、いかにしてドローンやロボットといった空間内で活動する人工知能エージェントの活動を高度知的化するかについて述べる。

6節「コモングラウンド」では、スマートスペースが重ねられたときに、その全域にわたる空間情報基盤の共通フォーマット「コモングラウンド」について述べる。

7節「バーチャルエージェントたち」では、物理的エージェントだけではなく、社会において、どのようにバーチャルエージェントたちが活躍の場をもつかについて述べる。

8節「ゲームAIからスマートシティへ」では、ディジタルゲームAIが五〇年の歴史の中で築き上げてきたシステムが、実空間の都市のスマートシティの中で新しいアーキテクチャとしていかにして役立つのかについて述べる。

9節「ゲームの拡張と人工知能」では、ディジタルゲームがスクリーン上のゲームから都市空間など実空間を用いたゲームへと変化する中で、人工知能が新しくどのようなインタラクションを人間ともつかについて述べる。

10節「環境を変化させる人工知能たち」では、現在人工知能がもっていない、自らのための環境を変化させる能力をもった場合の社会の変化について述べる。

11節「人工知能の無意識」では、人工知能と人間との意識的なインタラクション以外、つまり人工知能のもつ無意識的な領野と人間の無意識とのコミュニケーションについて述べる。

12節「人工知能を中心とした知の再構築」では、現在の人間が管理する知の体系から、人工知能による知の自律的な整理・発展のシステムへの移行について述べる。

13節「哲学する装置としての人工知能」では、12節と関連して、哲学の主体を人間から人工知能へと移すことについて述べる。

14節「言語から行為へ」では、大規模言語モデルによる、より複雑な行為を生み出す意思決定システムについて述べる。

15節「発達的人工知能」では、人工知能を環境の中で発達的に成長させていくアプローチとして、人間が幼児期、青年期などを経て社会人になる発達過程をたどるように人工知能をつくれないか、について述べる。

16節「人工知能と人工生命の接続」は、現在二つの分野となっている人工知能と人工生命分野を接続するコメントである。

17節「植物的人工知能」は、植物型人工知能についてである。移動せず一つの空間に根を張る植物型人工知能の典型の一つは空間ＡＩであり、空間ＡＩは植物の所作から学ぶところが多い。

以下、本章ではエージェントとは実空間ではＡＩで駆動するドローンやロボット、ゲームではＡＩで駆動するキャラクタを指すものとする。

2　人間とは何かを問い続ける人工知能

「ＡＩと社会と人間」の関係の発展の鍵は、人工知能が人間を理解できるかにかかっている。つまり我々は、人工知能を「人間を理解するように」つくる必要がある。

人間も人間とは何かを問い続ける生き物であるから、人工知能もまた人間とは何かを問い続ける意思をもつことで、むしろ人間に近づくことになる。最初から人間はこうです、と定義をインプットするわけにはいかない。もし、人間とは何かがわかっていれば、人工知能をその定義に沿ってつくれば人間に近くなるはずである。しかし、そんなことは、これから先もなかなかわからないことである。

人工知能そのものにしても、人工知能と人間の関係にしても、常に人間を知ろうとする好奇心が人工知能には必要である。人工知能全体の社会的営みは、常に人間とは何かを理解し続ける運動であり、日々、人間に対する理解を深めるようにあるべきである。人間というと少し大げさであるが、少なくとも、その人工知能が担当する個人を最大限、理解しようとすることである。

　人間の活動は物理空間とネット空間双方にあるが、ネット空間では情報収集に基づくネットマーケティング、あるいはゲームにおいてもユーザの情報を収集し解析することでユーザの行動の癖や傾向や読み取ろうとするように、オンライン上の人間の活動のログは完全に取ることが可能である。一方で実空間においても、カメラやマイクを始めとする各種センサで人間の行動を読み取ろうとする試みがある。人工知能はそこから人間の行動を理解し、行動を予測しようとする、たとえば「空間ＡＩ」は空間に張り付いた人工知能であり、詳細は次節以降で述べるが、人間の空間的活動を観察し予測する。

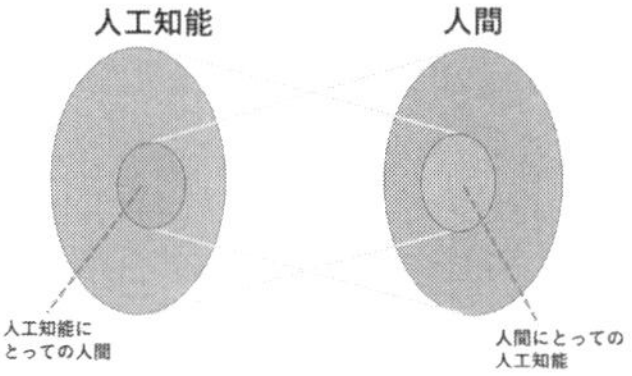

図１　人間にとっての人工知能、人工知能にとっての人間

　人工知能が人間を探求することは、人間が人間を探求することからの変化である。人間が都合の良いように自分たちを定義するのではなく、人工知能が人間を観測しつつ結ぶ人間像によって、人間は自らを知ることになる。それは新しい人間の探求の仕方でもある。

　人工知能は他者をもち得るだろうか。対象と他者は異なる。人工知能が人間を他者としてもつということは、人間という存在によって自らが変化する可能性をもつということでもある（図1）。他者は人間にとって自らを制限する存在であると同時に、自らと行動を変容する可能性でもある。人間を対象としてではなく、他者として捉えることができる、ということが、人工知能が自律的に社会に進出するために必要なことである。人間自身もそうであるように、社会においては自己を変化させることが必要だからである。

人工知能が人間を探求し続ける。それは、人間を理解すると同時に、人間によって変化する人工知能自身が、自分のことをわかってもらおうとする試みでもある。人間によって変化する人工知能の部分は記憶だけではなく、人間の捉え方、人間の予測、人間との協調行動である。

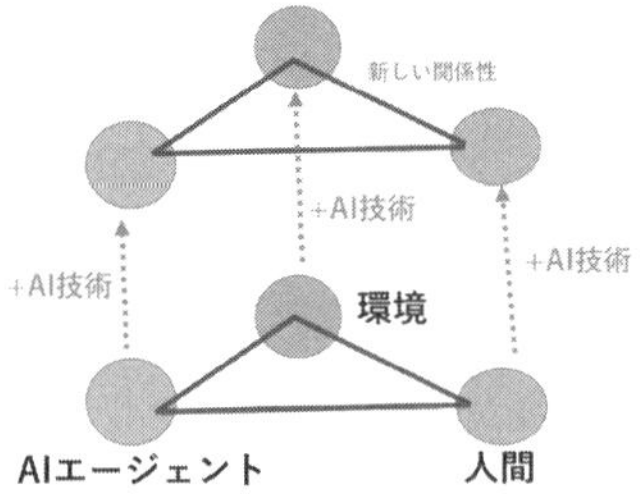

図２　人間、エージェント、環境三者の関係

3　人工知能導入の三つのポイント

社会に人工知能を導入するポイントに、三つの場がある。人間、エージェント、そして環境である（図2）。また、この三者の関係が、社会システムとしての人工知能の骨格である。そしてこの三者の関係が、より高い次元に自律的に移行することが、シンギュラリティである。

第一に、人間に人工知能技術を応用するということは、たとえば、一キロメートル先の音が聞こえたり、特殊なメガネで一〇分前の出来事が見えたりする感覚拡張、あるいは、高速に走れるようになる靴や三本目の追加の腕を付ける、直感的なインタフェースで大量の情報を処理するなど、感覚拡張・身体拡張・情報処理能力拡張の分野である。人間の感覚・身体をテクノロジーで拡張することで、人は素の人とは異なる存在へと発展することができるが、同時に、エージェント、環境との連携によってさらにより高速に情報をやり取りする、より充実した世界を体験することが可能になる。

第二に、エージェントに人工知能技術を搭載することで、多機能な自律型エージェントが構築される。これは自律型エージェントの自然な発展であり、環境認識能力、情報処理能力、運動能力、言語能力、意思決定力の獲得によって、より自律的に環境の中で活動できるようになる。また、拡張した人間との高速で円滑なコミュニケーションによって、これまでにない新しい形の協調活動も可能となる。たとえば、エージェントから大量の情報を人間に付与する、拡張した身体をもつ人間の能力を考慮に入れた身体的活動の連携などである。

第三に、環境に知能を埋め込むアプローチがある。これは4節で後述する「空間ＡＩ」でもあるが、環境側の空間、オブジェクト（物）に人工知能をもたせる方法である。環境側に人工知能をもたせる手法は「スマート技術」と呼ばれる。スマートシティやスマート家電、あるいはゲームではスマートテレイン、スマートオブジェクト、スマートスペースなどがその事例である［三宅 22a］。スマート技術の発想は、環境側からエージェントを操作することにある。つまり複雑な地形、複雑な形状のオブジェクトにおける動作が複雑な場合には、エージェントに判断させて行動させるよりも、そのオブジェクトがエージェントを操作したほうがより正確に高度な行動をさせることができる。たとえばロボットがドアを開ける場合に、ドアのほうからノブの位置、ノブの回し方、押し戸か引き戸か、などの情報を与えたほうが、より簡単にドアを開けて通ることができる。また環境側の人工知能は、拡張された人間の纏《まと》っているデバイスに対して情報・信号を送ることで、その環境やオブジェクトをより簡単に活用させることが可能である。

人工知能技術は、この三者の関係の変化を促し、この関係性が社会の形に変化をもたらす。むしろ、人工知能技術の社会的な導入には、人間、エージェント、環境にそれぞれの個別の人工知能技術を導入するというよりは、三者間の関係性のアップデートをターゲットとしたほうが、実社会に対するインパクトも大きいだろう。

4　空間ＡＩ

空間ＡＩ（スパーシャルＡＩ）は、特定の空間に張り付いた人工知能である（図3）[Miyake23]。空間ＡＩはセンサ群をもち、それが担当する空間の情報を詳細に獲得する。また、それらの空間情報をもとに、その空間内にいる、あるいは来たロボットやドローンといったエージェントの行動に必要な情報を提供する、あるいは、直接、制御を行う。これによって空間ＡＩは身体をもつエージェントたちの社会的進出に基本的な役割を果たす。空間情報を蓄積する、世界を想像し予測する。空間ＡＩが管理する空間的情報は以下のような情報である。

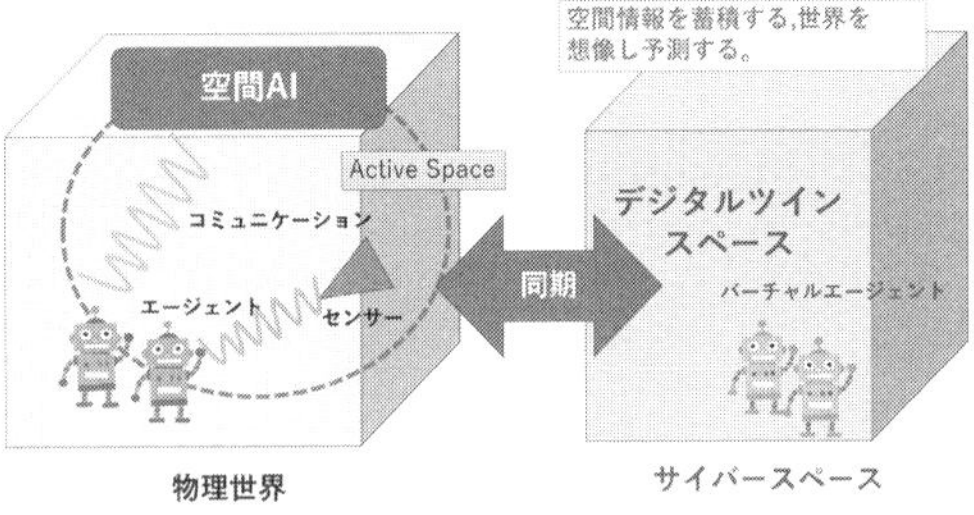

図３　空間 AI の概念

時間的情報（動的情報）
・各オブジェクトの現在の位置、向き
・その場にいる人間の位置、速度
・その空間の状態
・起こっているイベントの情報
（会議をしている、二人が立ち話をしている、一人が作業をしている、など）

位置的情報（静的情報）
・空間全体の三次元レイアウト
・各オブジェクトの形状、質
・各オブジェクトのあるべき位置、向き
・ドア、窓の位置

社会的状況（静的情報）
・空間の管理者
・各オブジェクトの所有者
・文化的状況
・その場所に特有のルール（人間は右側を歩く、といった交通ルールなど）
・慣例上、その部屋で通ってはいけない場所

空間ＡＩは、担当する空間を管理する。たとえば人がいなくなった部屋の電気やエアコンやテレ

ビを消す、つける、調整する、状態を常に監視し安全を確認する。また、その部屋に入ってくるエージェントに所持する空間的情報を渡すことで、エージェントにその空間を一瞬で認知させ、その空間に対する行動をサポートする。

初めて入る場所に対して空間的情報を各エージェントが認識するにはSLAMなどの方法が知られているが、空間全域の情報を取得するためには時間が必要であり、また、人がいないなど特殊な状況が必要であるが、自らが移動できる範囲の移動可能領域を知ることができるだけである。一方、空間AIが空間的情報を提供することによって、エージェントは瞬時に空間的情報の詳細を知ることができる。また、その空間的情報を用いて知的な行動に移ることが可能である。たとえば、部屋に散乱するオブジェクトを回避して、必要なオブジェクトを持ち上げて部屋から持ち出す、などである。

また空間AIは、人が多く行き交うような場所においても、各エージェントをサポートすることで威力を発揮する。たとえば、デパートの入口など人が多く通る場所では、各エージェントのセンサだけでは全体的状況を把握することができない。エージェントがある場所で障害物になっていることもあり、また、自分の背後で案内を必要としている人がいても気付くことが難しい。そこで空間AIは常に全体的状況を俯瞰し、全体の空間的情報をエージェントに伝えることで、エージェントの空間認識をサポートする。そして、その空間的情報によって見落としていた状況に気付き対処することができる。

つまり、たとえそのエージェントの人工知能が高度でなくても、センサが十分に敏感でなくても、その空間内で賢い行動をとることが可能になる。

さらに空間AIは、より直接的にエージェントを操作する権限をもつように拡張する場合もある。たとえば、ディジタルゲームにおいては複雑な地形をキャラクタが移動する場合には、キャラクタは一時的に空間AIの制御下に入る。たとえば、梯子を登る、洞窟の中を屈んで通る、深い溝をジャンプする、などの状況では、その領域に入った後は空間AIがキャラクタを制御する。空間AIが用意したアニメーションデータを用いて、空間AIが指定する経路でキャラクタを移動させる。当該領域から出た後は、キャラクタは再び自らのキャラクタAIによって駆動する。同じように、現実空間においても、空間AIは担当する空間に侵入したエージェントたちの制御を行うことを可能にすれば、難しい状況をエージェントに判断させる必要なく、その場に合った行動をさせることが可能である。

5　スマートスペース

右のような空間AIをもつ空間をスマートスペースと呼ぶ。スマートスペースは知性をもつ空間ということもできる。

ゲーム産業では、もともとスマートオブジェクトという技術が八〇年代から存在する。これは、スマートスペースの考え方の原型となるものである。スマートオブジェクトは、ゲーム内のオブジェクト（岩、梯子などゲーム内の物体のこと）がゲームキャラクタをコントロールする仕組みである。たとえば、ドアはスマートオブジェクトの典型であり、ドアの近くまでキャラクタが来ると、ドアはキャラクタの制御を始めて、ドアを開けるアニメーションを与え、ドアを通らせて、その後、解放する。このようなスマートオブジェクトは、ゲーム内の各所に置かれており、キャラクタの複雑な行動をサポートするようになっている［三宅19］。

このような仕組みは、実空間でも応用可能である。たとえば、新しい洗濯機の使い方は洗濯機の方からロボットに教える、あるいは物理的でなくても、ソフトウェアを通じて、洗濯機をコントロールする方法をロボットに提供する、などである。

スマートオブジェクトを空間に拡張したものがスマートスペースであり、スマートスペースはその空間内におけるＡＩエージェントの行動をサポートする。スマートスペースの応用はさまざまである。たとえばスマート会議室では、会議室の音声を記録し、その会議室における記録を取り続ける、またその会議の要約を参加者に送る。スマートハウスでは、その家のセキュリティから家電の管理までを行う。スマートマンションでは、すべての入構者を記録し、問題があればドローンやロボットが急行する。スマート広場では、その広場を観測し状況を把握し安全を確保する。

複数のスマートスペースがつながることで、より大規模なスマートスペースが構成される（図4）。こういったボトムアップのスマートスペースの拡大はスマートシティを構成する手法となる。一つひとつのスマートスペースがつながることで、ＡＩエージェントたちは、より確かにより賢く、都市で活動することが可能となる。そこで、スマートスペースにおける空間ＡＩとエージェント間のプロトコルを統一しておく必要がある。スマートスペースはできる限り同一の規格でつくられている必要がある。空間ＡＩの統一化された空間情報のフォーマットをコモングラウンドという。あるいは、空間情報の記述を統一化し、どのようなロボットでも自由に高い知的レベルで都市空間で活動させようとする思想がコモングラウンドの思想である。

6　コモングラウンド

ＡＩエージェントと人間とのコミュニケーションにおいて、コミュニケーション可能な条件とは何かといえば、それは知識や世界に対するイメージの共通基盤があることである。こういった会話における共通基盤はコモングラウンドと呼ばれる［西田 22］。たとえば、お医者さんごっこをする二人の子供の間には、お医者さんというイメージが会話を促進している。これは、いくら表面的な会話を追っても、イメージを補完することは難しい。コモングラウンドには、三つの段階があり「認知、言語」、「概念」、「文脈」、である［西田 18］。

コモングラウンドは人間と人間の間だけではなく、ＡＩと人間、ＡＩとＡＩの間のコミュニケーションでも効果的である。ある空間においてＡＩエージェントどうしが会話を行う場合にもコモングラウンドは必要である。

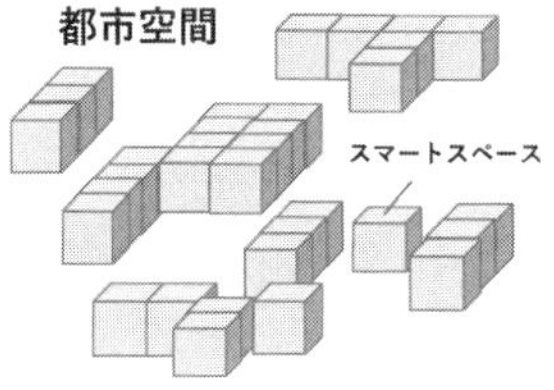

図４　スマートスペースからのスマートシティ

その空間の空間情報をコモングラウンドとしてコミュニケーションが可能である。そのコモングラウンドは空間ＡＩから提供される［豊田 22］。

前述したとおり、空間ＡＩはその場の空間的情報を収集し保持する。そういった空間を俯瞰した客観的情報、社会的認知、文化的共通基盤について、空間ＡＩはその空間に参加するエージェントたちにコモングラウンドとして情報を伝達する（図５）。つまり空間ＡＩは、エージェント群に対して、あるいはエージェント群と人間に対して、コミュニケーションが可能となる共通情報基盤を提供する。これらの共通基盤によって、たとえば、複数のロボットエージェントが荷物を運ぶときに、どの荷物をどのロボットが担当するか、などの問題について複数のロボット間で協議を行うことが可能となる。あるいは、空間ＡＩが、各ロボットにどの荷物を担当するかを決定することができる。その場合には、それぞれのロボットの性能を空間ＡＩに送り、そのうえで空間ＡＩが荷物の重量に応じたロボットを選択することになる。

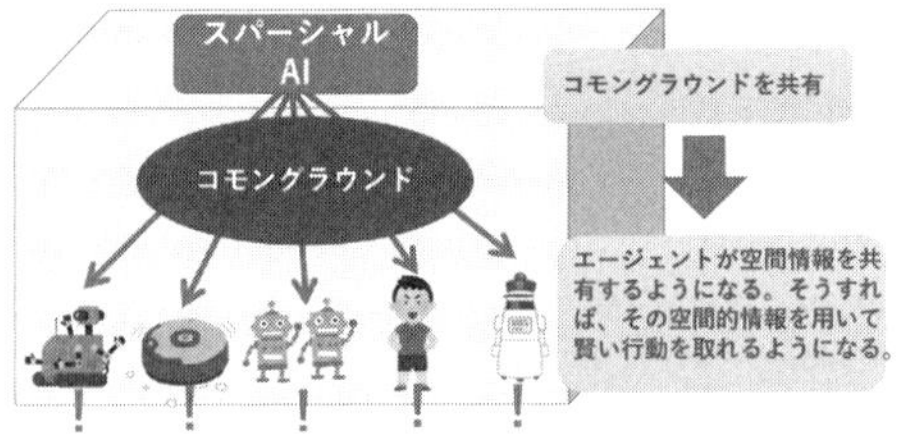

図５　コモングラウンドを提供する空間 AI

７　バーチャルエージェントたち

実空間の中では、ロボットやドローンなど物理的エージェントだけでなく、バーチャルアバタ（バーチャルキャラクタ）たちの活躍も可能となる。バーチャルエージェントが活躍するのは、スクリーンスペース（携帯電話やスクリーンデバイス上の平面空間）だけでなく、実空間と重ねられたＡＲ上の三次元仮想空間もある。

実空間と同期する三次元仮想空間はディジタルツインスペースと呼ばれる（図6）［三宅 22a］。ディジタルツインスペースは、実空間の情報が常にアップデートされる実空間そっくりの空間であり、またディジタルツインスペースの変化が実空間に影響を及ぼすように設計することも可能である。たとえば、仮想空間内の店舗で物が売れると、実空間の店舗からは商品の在庫が減っていく、ＡＩを搭載した椅子がディジタルツインスペース内の椅子の位置を参照しながら、あるべき場所に自動的に移動するなどである。

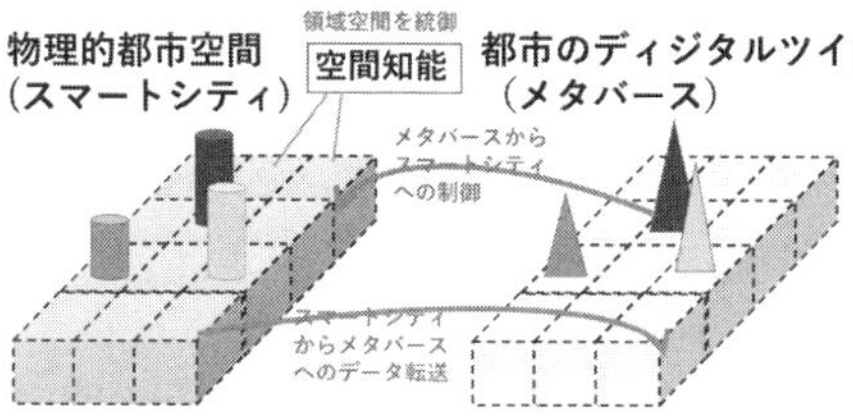

図6　スマートシティとディジタルツインの対応

バーチャルアバタが現れる場所は以下のように分類される。

（1）ディジタルサイネージなど実空間に固定されたスクリーン
（2）プロジェクションマッピングなど実空間の壁面
（3）携帯電話などの手元のスクリーンやディスプレイ
（4）実空間の上にオーバラップされたＡＲデバイス上

このような実空間の表面をスクリーンとしてバーチャルアバタは自らの身体を現し、身体的ジェスチャーや言語でメッセージを伝える。また、スクリーンの近くにカメラなどを設置することで、スクリーン前にいる人間の情報を得て双方向のコミュニケーションを実現する。また、エージェントはスクリーンからスクリーンへ移動することで、実空間を移動するエージェントとして見せることができる。

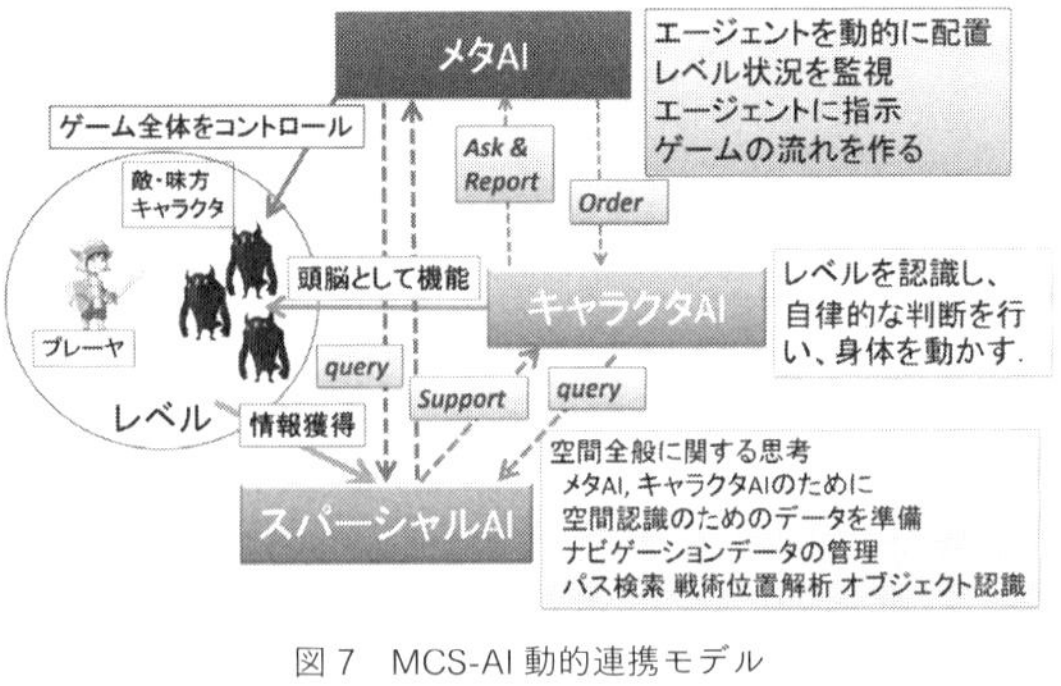

図７　MCS-AI 動的連携モデル

8　ゲームＡＩからスマートシティへ

人工知能はエージェントだけではなく、さまざまな種類がある。特にディジタルゲームにおける人工知能は、開発研究を通じて、三つの種類の人工知能、「メタＡＩ」、「キャラクタＡＩ」、「空間ＡＩ」（Meta-AI、Character AI、Spatial AI）として発展してきた［三宅15、三宅17、三宅20］。現代のゲームはこの三つのＡＩの連携したシステムとなっている。この連携システムは「MCS-AI 動的連携モデル」（Meta-Character-Spatial AI Dynamic Cooperative Model）と呼ばれる（図７）［三宅22b］。

メタＡＩはゲーム全体を観測し、ゲーム全体に影響を与えることができる。主にゲームの進行状況やユーザの心理状態を推定し、ゲーム体験をより面白くするようにゲームを変化させる。たとえば、キャラクタに命令を出す（背後に回れ、ある程度で倒される、など）、敵キャラクタを増減したり、敵の種類を変化させたり、ゲームステージを変化させる（天候を変える、形状を変化させる、野に火を放つ、岩を転がすなど）などである。

キャラクタＡＩは、いわゆるエージェントＡＩのことであり、キャラクタの頭脳である。センサによって周囲の環境を認識し、自分の置かれている立場（敵に囲まれている、後ろに崖がある、味方が遠くにいる、など）を認識し、意思決定を行い、運動を実現する。

空間ＡＩは、前述したように空間を管理する人工知能である。基本的には、ゲームステージ全域のマップデータ、ナビゲーションメッシュ、オブジェクトの情報をもち、空間推論（spatial reasoning）を行う。最も多い用途は経路検索であるが、戦闘位置や移動位置を推論する位置検索も、最近のオープンワールド型ゲームでは多用される。

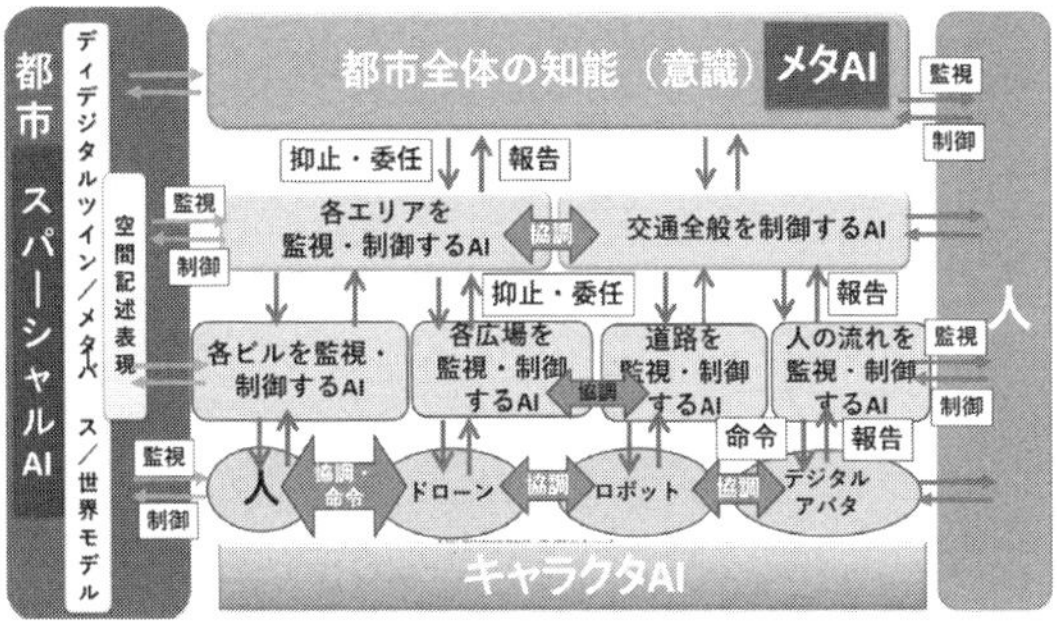

図８　スマートシティのための人工知能システム

このような三つのＡＩによる協調システムは、右のようにディジタルゲームの発展の中で発展したシステムである。一方でまた、このシステムはディジタルゲームに特化したものではなく、実空間などへ一般的に応用可能である［中山21］。

スマートシティのシステムとして、MCS-AI動的連携モデルを応用することも可能である（図8）［三宅22a］。メタＡＩが都市を監視し管理する人工知能であり、キャラクタＡＩは各エージェントの知能に対応し、空間ＡＩはそれぞれの空間を管理するＡＩとなる。このようなシステムにおいて、都市で生きる人間は、自分の属する空間の空間ＡＩに認知され、近くにいるロボットやドローンといったエージェントＡＩと接し、またその行動の全容をメタＡＩによって観測されサービスを受けることとなる。

９　ゲームの拡張と人工知能

人工知能が人間を理解する、という言葉は曖昧で深い言葉であるから、ここでは人工知能が人間を理解することを「シミュレーションによって予測を行えること」、「人間と協調した活動を行えること」とみなすことにする。「シミュレーションによって予測を行えること」を人間を理解すること、とするのはゲームＡＩの考え方でもある。将棋でも囲碁でも、あるいはディジタルゲームにおいても、ユーザの行動を予測できることがユーザを理解することであるとみなす場合が多い。なぜなら、ゲームの中では人間はプレーヤとして存在するからである。ユーザの行動を予測できることがユーザを理解することであるとみなす場合が多い。なぜなら、ゲームの中では人間はプレーヤとして存在するからである。

一方、人間と協調した行動をできることとは、相手の行動と自分の行動の間に一つの流れをつくることである。それはダンスにたとえれば、相手との力関係をケアしながらダンスをすることである。そこにはお互いの接触と力、そして相手を予測する、相手に合わせることでダンスが成立する。

ディジタルゲームは長い間スクリーンベースであった。主にテレビやゲームのスクリーン、あるいは携帯ゲーム機の小型スクリーン、などである。しかし、ＧＰＳを用いた位置ゲームなど、実空間において展開するゲームへと発展しつつある。つまり、実空間の座標を移動するバーチャルキャラクタと戦う、特定の実空間の座標にしか現れない宝箱などを取得する、などしてゲームが展開するのである。こういったゲーム空間の実空間への拡張によって、ゲームキャラクタも、仮想ディジタル空間を移動するものから、実空間の道路や建築に沿った移動を行う主体へと変化する。また、そこで実空間を舞台とする人間とのインタラクションが可能となる。

そういった実空間を利用したゲームの場合には、ユーザの身体的情報、空間的情報、社会的状況を利用することで、キャラクタが実空間で協調した動作を行うことができる。たとえばARグラス越しに見えているキャラクタが実際に道案内をする、敵の攻撃からユーザを守る、ユーザの動きを予測して敵が襲いかかる、などである。またメタAIの機能としては、実空間のレイアウトを認識し、敵の配置などを決定することが考えられる。さらにより大規模には、たとえば都内の空間的な特徴を考慮に入れたミッションの自動生成なども考えられる。

そういった実空間の空間的情報をリアルタイムに取得し更新するのが、空間AIの役割である。空間AIの管理領域は、センサの射程や、空間の区切り具合によって規定される。さらに空間AI群を全体的に管理して統一的に空間を制御するのが、メタAIの役割である（図9）。それぞれの空間をつないで、前述したように、大きな空間を都市の中でカバーすることで、都市を使ったゲームが実現されることになる。

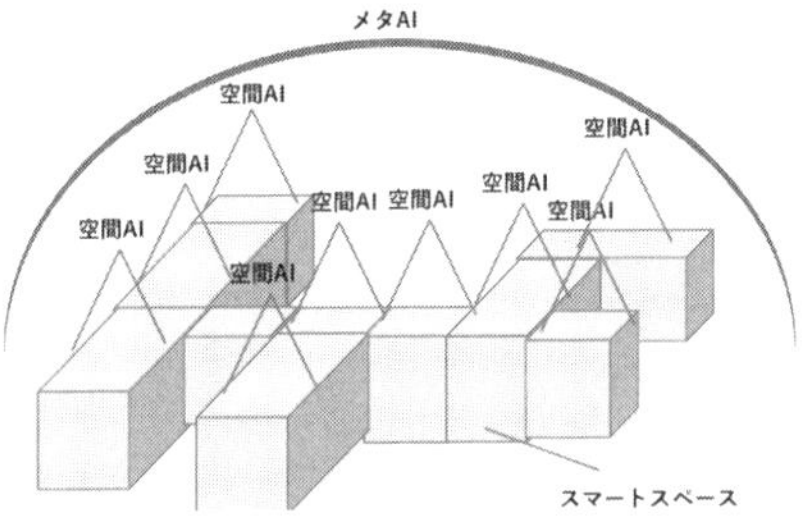

図９　実空間を管理する空間 AI とメタ AI

10　環境を変化させる人工知能たち

人間の知性は空間の中で活動するだけでなく、空間そのものを変化させていく。これは人間だけでなく、生き物の多くが行っていることである。蟻塚、ビーバーのダム、鳥の巣、リスの穴などである。人間ははるかに複雑な建築、都市を築いてきた。このような空間を巧みに用いる人間の活動は、人間の卓越した空間認識能力や、空間変容能力に依拠している。人間は人間のスケールに応じた、人間が住みやすい環境、そして外部の災害などから守られる環境を自らつくる。それが家であり、街であり、都市である。

身体をもったドローンやロボットが実空間で活動するには、それらのドローンに合った都市の形が必要である。しかし、現在のところ、ドローンやロボットに自らに適した環境を自ら設計し創作する能力はないし、またその使用側からの視点は想定されていない。ロボットやドローンが自らの環境を自ら構築するとき、そこには人間の思惑の齟齬と社会的衝突が生じる。ちょうど民家に近い蜂の巣や鳥の巣、屋根裏のリスの巣が撤去されるように、ＡＩがもし自らの環境を自らのために変えるようになれば、人間との衝突は避けられないだろう。あるいは、社会的にＡＩがそのような行為をする場所を限定する必要がある（図10）。

人工知能の社会的進出は、都市や街、あるいはさまざまな建築の内部の変更を強いる。もちろんロボットやドローンの側の変更も同時に行われるが、ドローンが活躍できるためのマンションの規格や、街の設計なども考えられるようになる。おそらく、そういった運動は新しい街の設計で考慮される要素に含まれることになる。

また、そのような人工知能が自律的に自らの環境を構築するための知的能力は何であろうか？人間はどうして、自らの環境を構築するだけではなく、改良し続けられたのか。それもまた知能の探求の奥深いテーマの一つである。

図10　ドローンは自分のためにどんな家を建てるか？

ディジタルゲームでは「コンストラクション系」と呼ばれる分野があり、これはユーザがゲーム内でシンプルな部品から地形や建築物を構築するゲームである。「マインクラフト」（Minecraft、Mojang Studios、Microsoft、二〇一一）などが典型例であるが、こういったコンストラクションゲームを人工知能にプレイさせて建築物を構築させることで、人工知能の強化学習や大規模言語モデルの研究が推進されている。国際会議 NeurIPS で開催されている「ダイヤモンドチャレンジ」などは、マインクラフト内で資材を収集するＡＩを構築し、その時間の短さを競うワークショップである［Guss21］。

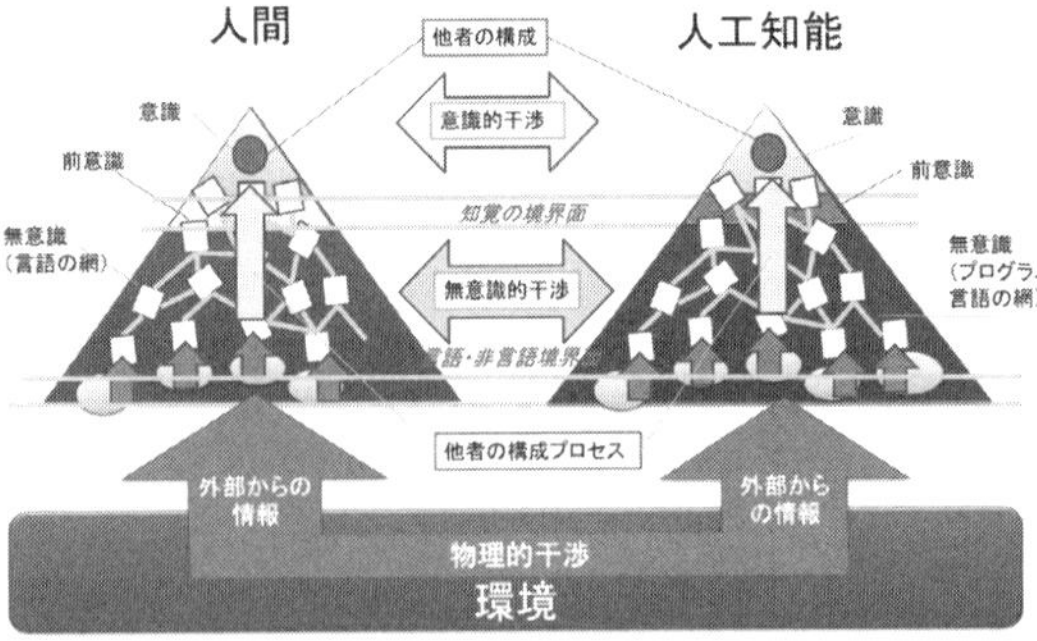

図11　人間と人工知能の間のマルチチャンネルの相互理解

11　人工知能の無意識

人間と人間のインタラクションはさまざまな次元を通して行われる。それは意識から無意識、さらに身体の領域までの複数のチャンネルの積み重ねである。こういったチャンネルの複合的なインタラクションが、人間どうしのコミュニケーションを豊かにする（図11）。

一方、人工知能ではそういった無意識、身体におけるコミュニケーションが多くの場合、封じられている。しかし、これからは複数のチャンネルを開くことで、意識から無意識、身体、さまざまなチャンネルにおけるコミュニケーションが可能となる。そのようなコミュニケーションチャンネルの複合が、人間と人工知能の間の、より深い相互理解をひらくものである。

人工知能は長い間、人間の意識に相当する知的運動をソフトウェア上で再現してきた。それは記号主義的人工知能や、そのような恣意的な意識の動作を簡易的なロジックで再現することに主眼が置かれてきたからである。しかし、記号主義の中でも、多階層構造やディープニューラルネットワークはその中で無意識のレベルに相当する運動を徐々に内包している。

たとえば、人工知能は「世界モデル」を獲得するようになる。ここでいう世界モデルとは、ＡＩを取り巻く環境状態を認識し、少し先の状態をシミュレーションによって獲得できる世界の描像モデルである。いったん獲得した世界モデルは、その場を離れたあとでも、人工知能の内部にあり想起することができる。たとえば、夢の中でゲームを行うことができる［Ha18］。このように、人間の無意識の中で起こっている、これまで経験した世界、他者のイメージを想像の中で動かす世界モデルの研究が推進されている。

また、たとえば、世界モデル、他者モデルがあれば、目の前からいなくなった他者との想像上の会話を可能にすることもある。他者との対話の経験が学習され、他者のモデルがディープニューラルネットワークの中に形成されれば、他者のモデルと対話することが可能となる。生物のもつ世界とその中の対象のイメージが人工知能の中にも形成される。そうなった場合に、人工知能は人間がそうであるように、繰り返される他者とのコミュニケーションの中で、徐々により正確にその他者のモデルを精緻化するようになる。それが、人工知能が人間を理解する方法の一つである。

12　人工知能を中心とした知の再構築

人間が人間を理解できるか、という問いを、人工知能が人間を理解できるか、という問いに置き換えると、何が変わるのだろうか？　これまで人間の知は、人間を中心に組み立てられてきた。そこには、人間とは何か？　という学問全体に及ぶ問いも含まれていた。しかし、しだいに積み重なる膨大な知の集積の要としては、もはや人間が知の中心にいることは難しい。人間が生涯で踏破できる知の領域は限られており、人工知能が知の領域の管理人となり、さらに、知の主体としても、人間より人工知能に置いたほうが、知識を拡大し、全体の知見をメンテナンスするにふさわしい（図12）。

そして、学問を形成する二つの根源的な問い「人間とは何か？」、「世界とは何か？」についても、「人工知能が人間を理解する」、「人工知能が世界を理解する」と変化することが、これまでの知見を整理し、これまでの知の発展で見過ごされてきた間隙を埋めると同時に、新しい知の地平をひらく。また、極論して二者択一にせずとも、少なくとも新しい知の構築の仕組みとして、人工知能を要として知の体系、知的探求の活動を置くことは、有益なことである。

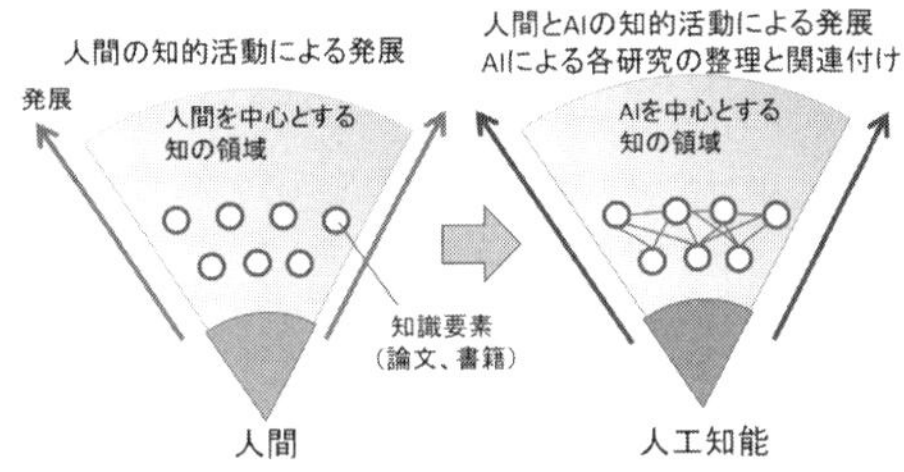

図12　人間から人工知能による知的体系の変化

デカルトが提示した「精神指導の規則」〔デカルト50〕は、いわば知的体系と人間の存在との間に、一定の推論を行う機械を導入することであった。それは、極論すると、人間を推論マシンとすること、あるいは、人間と知識の間に自動的に推論をするマシン、つまり人工知能を置くことでもある。だから、近代の知の体系がデカルトの方法序説から始まったとすれば、そこにすでに人工知能を知の主体として導入する契機があったわけであり、学問は人間中心的なところから、人工知能を中心とする体系へと移行する時宜を得ている（図13）。

13　哲学する装置としての人工知能

人工知能の中に、人間を定義することはできない。人間は自らに対して完全な、また、大まかな知識さえもち合わせないからである。またもしそれを知っていたら、人工知能を人間に近付けることは、より容易なことだろう。そこで、2節の冒頭に述べたように、人工知能に人間を学習させ、人間を理解させることを新しく目指すべきである。

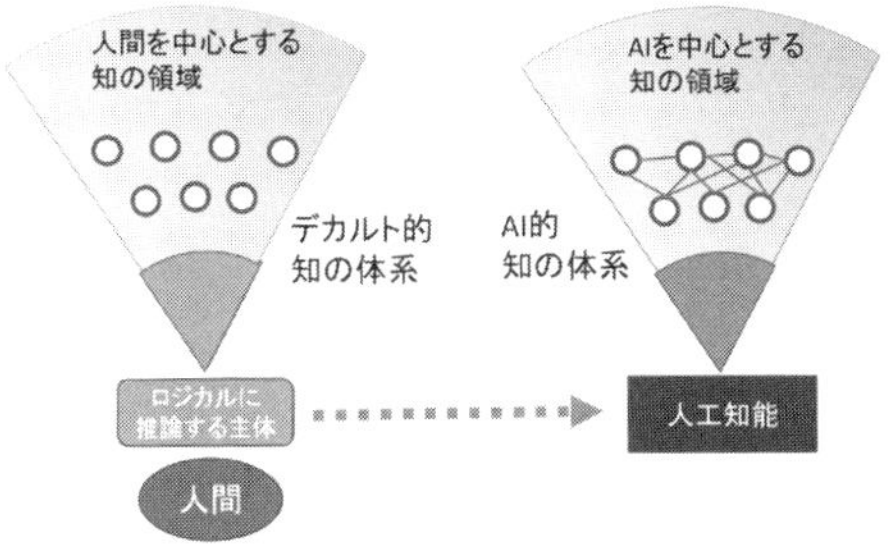

図13　人間から人工知能への知の主体の変換

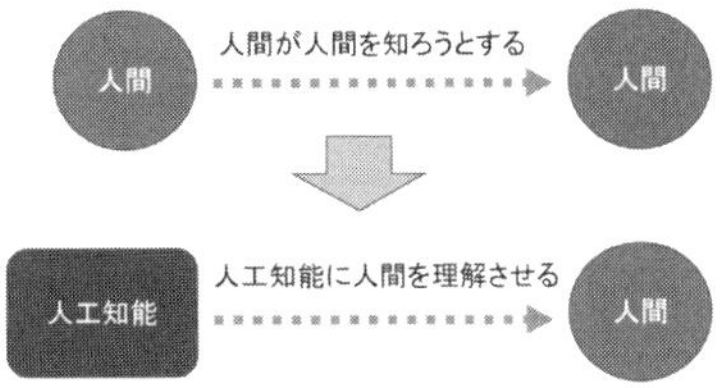

図14　人工知能を主体とする哲学への変換

人工知能をつくることは、11節に述べたように、人工知能にとっての他者を作成することであるという面と、同時に自らを知らなければならないという二重の労苦である。人工知能に「正しく人間を理解させる」ことを通じて、人間は自らを知る（図14）。人工知能はそういった意味で人間が自らを知るための他者装置であり、同時に、自律する存在である。

人工知能の中に人間という像をどのように結

ぶかについては、単に二足歩行する生物であるというところから、深い精神の谷間をもつ複雑な実存であるというところまで、大きな自由度がある。人工知能に人間を正確に理解させようとする道は、人工知能という学問の発展にとって一つの王道であり、その道は険しくとも多くの実りをもたらすものである。なぜならば、人工知能が人間を正確に理解するということは、我々人間が自らを正確に理解するという最も難しい課題を内包するからであり、また、人工知能にとっても、より高い性能と完成度を要求するからである。

その道は人工知能を人間に近づけようとする試みと必ずしも同一ではない。人工知能を人間に近付けようという試みは、人間に近づくように見えて、その過程では遠のいていく試みでもある。なぜなら、人間に対する知識はまだ十分ではなく、人間の断片的な、また表層的な知識に基づく人工知能は、むしろ人間から遠ざかってしまう。微妙で絶妙なバランスをもって成り立っている知能は、機能を集めたところで、人間に近づくよりも、別の本質的でない方向に遠のいてしまう。

人工知能に人間を理解させるような人工知能をつくるという試みは、人工知能から人間への正確なまなざしを形成することである。人間らしい人工知能をつくること、人間を理解する人工知能をつくることにつながっていく。ここでいう「まなざし」は、人工知能が人間を見るときに、その人間を他者として、人工知能の内部にできるだけ正確な他者（人間）モデルが形成されることである。そして、その他者モデルに満足せず、常により深く知ろうとして人間の情報を集めてアップデートしようとする挑戦を行うために見つめることである。

14 言語から行為へ

現在の言語モデルがもつ課題は、膨大な言語モデルをもちながらも、それがまったく実空間へグラウンディングされていないところにある。通常、人間であれば、自己の言語モデルの発展と世界との体験を結び付けながら発展するが、大規模言語モデルはまず言語のみを大量に学習してモデルがつくられる。現在、そのようなモデルが言語のサービスとして活躍しているが、実空間ではグラウンディングしていないために実空間で役に立ちにくい。そこで、実空間にグラウンディングするためにさまざまな方法が模索されている。

たとえばゲーム空間では、マインクラフトを用いた実験が行われている［Wang23］。マインクラフト内のステージが言語で表現され、それを入力として、言語モデルが行動を生成する。生成された行動は、定義されていない行動が出力されるため、最初は実行不可能であるが、徐々にどのような行動が有効であるかを学習して、効率的に行動を形成できるようになる。このような言語モデル上の言語生成をしだいに行動へと結び付ける仕組みが探求されている。言語モデルを意思決定に用いることは、実空間の複雑なタスクをこなすことにおおいに役に立つと考えられる。

この思想は、従来のエージェントアーキテクチャの新しいバリエーションを与えるものである（図15）。つまり、言語による世界認識のうえに、大規模言語モデルによる意思決定を行うというアーキテクチャである。実際、大規模言語モデルは、複雑な行動プランを形成することが可能であり、これは従来の行動プランニング技術に新しい局面を与えるものである。大規模言語モデルがどのようなプランを具体的に与えるかについては、今後、多くの研究が必要である。

15　発達的人工知能

ある単一の目的に向かって人工知能を最適化していく学習ではなく、一つの環境の中で発達的に人工知能を育てるように形成していくことが、発達的人工知能の方法である。人間がそうであるように、人工知能が社会的存在となるためには、人工知能を機能的人工知能に限定して社会の一部として当てはめていく一方で、社会的に自律した存在へと人工知能を発達させていく方法がある。そのためには、実空間であれ仮想空間であれ、物の世界（世界）、人の世界（社会）へ参加できる身体とそれに基づく経験を積み重ねる環境が必要である。身体といっても人間と同じでなくてよい。立方体でも円筒でも、与えられた身体とその機能に応じた世界と社会への参加を行い、知能をしだいに形成していく。これは大規模言語モデルに対する一つの反省であり、言語モデルを世界への参加経験とともに形成していく発達過程を人工知能の中に実現したい、ということである（図15）。

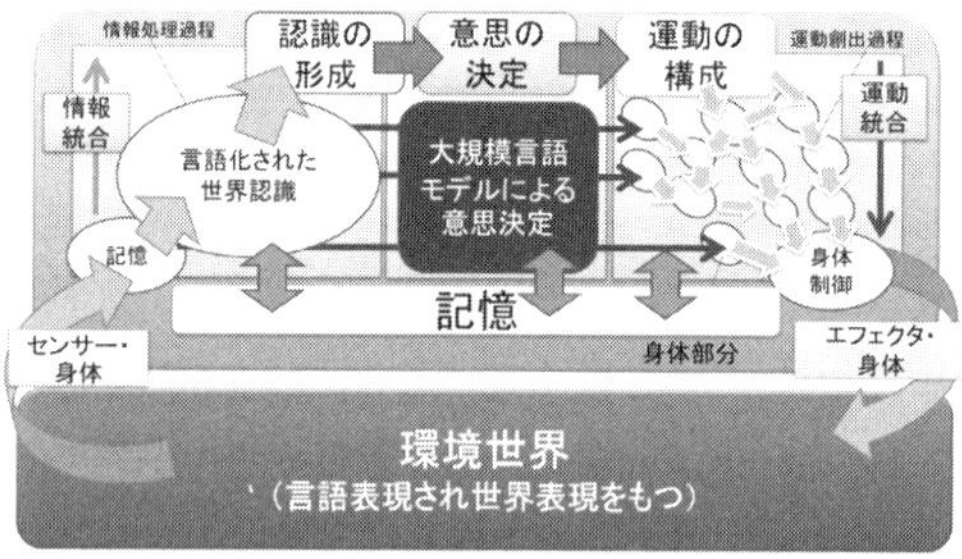

図15　大規模言語モデルをもつエージェント・アーキテクチャ

心理学、精神医学の知見をもってしても、人間のそのような発達過程について完全な知識を我々はまだもち合わせていない。それは知能の正体を我々が知らないのと同じことである。そこで、巨大なディープニューラルネットワークを通じて、そのような発達過程を一つひとつ人工知能内でテストしていくことで、逆に、まだ知り得ていない発達過程についての知見をテストし得ることができる可能性がある。薄皮を一枚一枚重ねるように、世界の中で、社会の中で生きる人工知能を形成していくアプローチを通して、社会性をもつ知能についての知見を研究することが可能である。

16　人工知能と人工生命の接続

人工知能は主に人間の知能を規範として発展してきた。また、それは高度な意識的知能であって、身体について言及することは少なかった。人工生命は逆に人間以外の知能を身体的なアプローチを通して発展してきた。このような二つの分野の独立的発展は、お互いの発展を阻害しないことによって急速な発展を見たわけであるが、両者の分断領域の大きさがしだいに明らかになってきた。人工知能は知能を支える身体機能の解明なしに、これ以上の土台を広げることはできないし、また人工生命は、身体的アプローチから精神形成・知能形成の次元へと自然な発展を止めることはできない。両者が独立していることのメリットは維持しつつ、お互いの知見を融合させる時期に来ていると考える。

人工知能と人工生命分野の分岐は、人間という物質と知性の間の関係が難しい問題であり、まずは精神と身体を別々に考えようという心身二元論から来ていると考えられる（図16）。逆に言えば、人工知能と人工生命の融合はこの心身二元論をいかに超克するか、という問題を含んでいる。

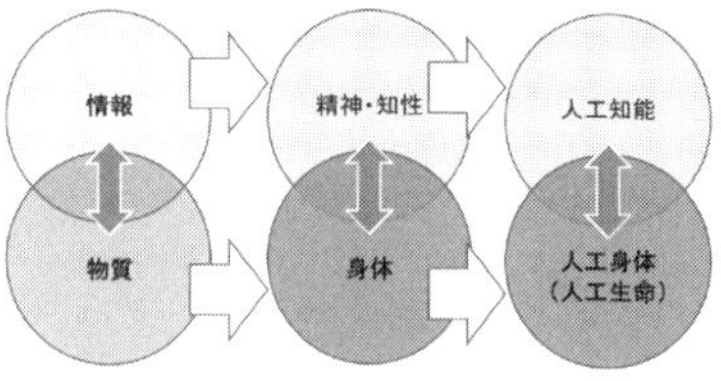

図16　人工知能と人工生命

人工生命は集団活動の形成への知見を積み重ねておりそれは人工知能のマルチエージェントと背中合わせの分野である。かつて社会学が集団の研究から個々の人々の精神構造へと研究を進めたように、個の知能を掘り下げつつ、かつその関係から社会全体をシミュレーションすることが、現在の計算パワーでは可能となっている。個々のエージェントがそれぞれの知的個性と身体とエピソードをもちつつ、社会を形成していくアプローチである。そういった基盤には、人工生命と人工知能を融合させた知的モデルの基盤が必要であると考える。

17　植物的人工知能

通常、知能といった場合には、身体運動などを伴う動物型知能が想定されているが、場を動かない、その場に根を張るような植物的な知能も考えられる。空間ＡＩはその一つであり、特定の空間を基底とし、その空間を監視し空間的情報を記憶し続ける。またその空間に対して効力をもつ。

空間ＡＩの設計において、植物に学ぶところは大きい。植物がいかに戦略的に空間を占拠しているかについては、その根の張り方、葉のめぐらし方、またその種固有の花のつけ方、実の散布の仕方などがあり、その成長とともにしだいにその周辺の空間が、その植物のものになっていくのである。空間ＡＩもまた同様に管理予定の空間に対して情報網を張り巡らせ、自分の手足となって動くエージェントたちを従える必要がある。そこには、未来に対する一定時間の戦術が必要であり、植物がもつ、したたかな戦術が空間ＡＩに応用されると予想される。

18　展望

本章の括りとして、全体を俯瞰して、有機的に各章のトピックを合わせて一つの展望としたい。まず本章を貫くテーマとして空間ＡＩ（4節）がある。それは植物的人工知能（17節）であり、一つの空間の情報を吸い上げて、その空間内の人工知能を制御する。この空間ＡＩが入った空間がスマートスペース（5節）であり、スマートスペースをつなぐことは、スマートシティ（8節）をボトムアップに構築する方法である。こういったスマートスペース群では、空間情報の記述を統一化することで、さまざまなメーカのロボットやドローン、さらにバーチャルエージェント（7節）が各場所の空間ＡＩとコミュニケーションを取ることが可能になる。この統一化された空間記述をコモングラウンドという（6節）。空間ＡＩはディジタルゲームにおける人工知能において多用される手法であり、エージェントＡＩとメタＡＩと連携して一つのシステムとなる（8節）。この三者の連携システムは実空間でも応用可能であり、ディジタルゲームが実空間へと拡張する中で、実空間にオーバラップしたディジタルツイン空間においても応用されようとしている（9節）。

人間と人工知能がこのようなスマートシティの中で新しい関係をもつ未来が待っている。人工知能は単に機能を提供する存在を超えて、人間と意識・無意識・身体、すべてのチャンネルにおけるコミュニケーションを考えなくてはならなくなるだろう(11節)。そのような人工知能は、存在としての人工知能であり、人工生命の知見を取り入れ(16節)、発達的に開発していくことが必要とされる(15節)。また、大規模言語モデルのように言語に特化するだけではなく、それをグラウンディングすることで、さまざまな社会的活動をこなせるようになる(14節)。未来では人工知能たちは自らのために環境を変化させる能力をもつ(10節)。

最後に増大する知の領域について、人間が管理するのは難しくなっている。離れた分野の論文の類似性など、人間が積み上げる知見を整理して関連付けるには、知の管理人として人工知能を主体に置くのが良いだろう(12節)。さらに進めて言えば、哲学をする、という人間の行為を、人工知能が人間を理解する、というシステムに置き換えると、新しい展開を哲学にもたらすことができる(13節)。

以上、本章は「ＡＩと社会と人間」について、自分のビジョンを述べさせていただいた。自分の研究のマニフェストでもある。改めてご高覧いただいた方々に何らかの示唆を与えることができれば幸いである。

参考文献

［デカルト 50］ルネ・デカルト、野田又夫訳『精神指導の規則』岩波書店（1950）

［Guss21］Guss, W. H., Castro, M. Y., Devlin, S., Houghton, B., Kuno, N. S., Loomis, C., Nakata, K., Milani, S., Mohanty, S., Salakhutdinov, R., Shiroshita, S., Schulman, J., Topin, N., Ummadisingu, A. and Vinyals, O.: MineRL Diamond Competition 2021, https://minerl.io/diamond/

［Ha18］Ha, D. and Schmidhuber, J. World Models（2018）, https://worldmodels.github.io/

［三宅 15］三宅陽一郎「ディジタルゲームにおける人工知能技術の応用の現在」『人工知能』Vol.30、No.1、pp.45-64（2015）

［三宅 17］三宅陽一郎、今村紀之、Gudmundsson, I.、小松智希、下川和也、上段達弘、白神陽嗣、高橋光佑、並木幸介、Gravot, F.、Prasert, P.、Skubch, H.、Johnson, M.、南野真太郎、横山貴規「大規模ゲームにおける人工知能――ファイナルファンタジーXVの実例をもとに」『人工知能』Vol.32、No.2、pp.197-213（2017）

［三宅 19］三宅陽一郎『ゲームＡＩ技術入門――広大な人工知能の世界を体系的に学ぶ』7.4、技術評論社（2019）

［三宅 20］三宅陽一郎「大規模ディジタルゲームにおける人工知能の一般的体系と実装――FINALFANTASY XV の実例を基に」、人工知能学会論文誌、Vol.35、No.2、pp.B-J64_1-16（2020）

［三宅 22a］三宅陽一郎「ディジタルゲームＡＩ技術を応用したスマートシティの設計」『人工知能』Vol.37、No.4、pp.436-445（2022）

［三宅 22b］三宅陽一郎「メタＡＩ－キャラクターＡＩ－スパーシャルＡＩによる動的連携モデルのデザインパターン」２０２２年度人工知能学会全国大会（第36回）（2022）

［Miyake23］Miyake, Y., Toyoda, K., Kasuya,T., Hyodo, A. and Seiki, M.: Proposal for the implementation of spatial common ground and spatial AI using the SSCP（Spatial Simulation-based Cyber-Physical）model, 2023 *IEEE Int. Smart City Conference*（2023）

［中山 21］中山雅宗、栗栖崇紀、水野勇太、三宅陽一郎、八瀬哲志「プレイヤーのモチベーションコントロールを実現する卓球ロボットシステム」*OMRON TECHNICS*, Vol.53（2021）

［西田 18］西田豊明「言語と身振りを通じた人と自然な会話ができるキャラクター人工知能の実現」CEDEC 2018（2018）、https://cedil.cesa.or.jp/cedil_sessions/view/1864
［西田 22］西田豊明『ＡＩが会話できないのはなぜか——コモングラウンドがひらく未来』晶文社（2022）
［豊田 22］豊田啓介「建築都市空間ディジタル記述のためのコモングランド構想について」『生産研究』Vol.74、No.1、pp.139-142（2022）
［Wang23］Wang, G., Xie, Y., Jiang, Y., Mandlekar, A., Xiao, C., Zhu, Y., Fan, L. and Anandkumar, A.: Voyager: An Open-Ended Embodied Agent with Large Language Models（2023）https://voyager.minedojo.org/

Ⅳ　物語をめぐって

人間には物語が必要である。人は自分の人生という物語を作り出し、その中で生きている。過去、現在、未来を一つの文脈の中で捉えることが人間のユニークで高度な知的能力である。人はその物語の中に意味やいきがいを見出すのだ。しかし、生きていく中でそういった物語が行き詰まることもあり、逆に物語が人を苦めることもある。仏教ではそういったとき、その物語は自分の作り出した幻想で、その物語のいったん外に出ることで、物語を相対化していく。これを禅と言う。つまり禅とは自分の物語から出て、新しく次の物語へ入ることでもある。そして、物語は決して絶対的なものではなく、柔軟に変化してよいものであることに気づく。これはまたアドラー心理学に通じるところでもある。

時に人は自分の物語から降りたくなるし、それはちょっとした休息になる。だから小説や映画やゲームが魅力を持つ。そして物語にとって逆説的にだが必要なものは「他者」である。自分の思い通りにならない存在、人間が自分で持つ世界の果てが他者であり、それは物語の持つ境界でもある。そして、その他者こそが、物語に境界とリアリティを与えるものである。

第10章「他者のまなざし、人工知能のまなざし」は他者存在が、自己の形成にどのように影響を及ぼすかについて述べている。他者が自分の世界の中に現れるとき、人は成熟した自分を持つようになる。ただ、自分の世界に他者を受け入れることはたいへんなことだ。思春期を通じて、人は自分の世界を持ち、時に引きこもり、ようやく自分の世界を他者と分かち合うようになる。もちろん優しい他者ばかりではない。だから人は自分の世界を閉じたり、開いたり、日々、物語を再生していく。人間はそういったとても繊細な生き物である。私はそんな繊細な世界を人工知能にも与えたいと思う。

第11章「冒険から転生、模索からやり直し」について。私は二〇二三年初めの冬、サンフランシスコへ向かう機上にいた。何となく映画を見ていると複数の宇宙を行き来する話だった。最後は日常に戻っていく。典型的な行きて帰りし物語のマルチバース版である。一方日本では、異世界転生物語が全盛期だった。しかし最近（二〇一三年以降）の異世界転生物語は現実に回帰しないのがお約束である。この違いはなんだろう。物語論を通して現代日本人の精神構造を明らかにすることを目指したのが本章である。しかし、この論考の着地点は不思議とスマートシティとメタバースを含む未来に対するポジティブなビジョンにたどり着いた。書くことは意外で、だからこそ面白い。

第12章「自分だけの箱庭があるということ」について。ありがたいことに、看護関係の方からときどき現象学についての寄稿のご依頼を頂く。私は看護についてまったく門外漢だが、看護というお仕事を想像すると、注射や点滴といった技能もたいせつながら、基本、患者さんと一対一の関係がある。そこに悩みも発生する。すると、そこには現象学が汲み取るべき主題、現象学的知見が役立つ知見があるはずである。なぜなら、現象学とは、とくに現象学における間主観性とは、人間が人間に接する経験を扱う領域だからである。本章はより広い「ケアと個人の内面の再生」

についで語っている。深い海の底からゆっくりと水面へ昇ってくるように、傷ついた個人の内面が再びどのように立ち上がっていくか、そこで何が必要かについて、私なりに役立てる知見を書いた。

第10章　他者のまなざし、人工知能のまなざし

他者は自分とは違う。他者は不可知である、という立場もあれば、他者は同じ人間だから自分と同じである、という立場がある。「人は皆違っていて、人は皆同じである」、他者が未知と既知の間にあるからこそ、他者の問題は理解することでも、あきらめることでもなく、難しいのだ。般若心経に「色即是空《しきそくぜくう》」という言葉がある。我々は自ら他者の像を作り出している。そして、自分自身の作り出す他者の像に苦しむ。我々の他者の像が必ずしも真実でないと知りつつ、その像を通じて他者とコミュニケーションせざるを得ない。その矛盾の中に苦しむ。

1　人工知能にとって他者とは

人工知能にとって他者とはシミュレーション上の存在である。ゲームの人工知能にとって他者の理解とは常に予測可能性と共にある。たとえば、囲碁でも将棋でも相手の手を完全に予測できるなら、相手を完全に理解した、と言う。もちろんゲームの中では、という意味だが。またアクション

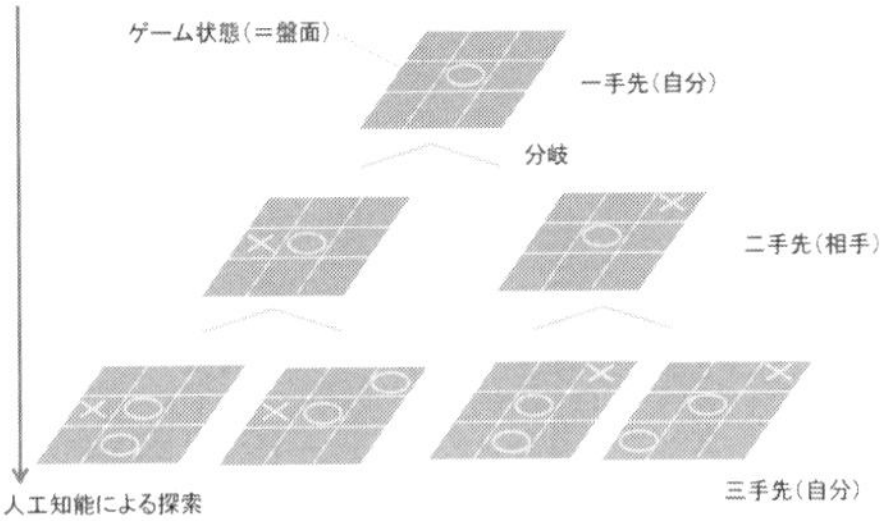

図1　まるぺけゲームの人工知能。あらゆる相手の手を予想する

ゲーム、わかりやすく格闘ゲームで言えば、相手の動きを完全に読めるならば、相手を理解している、と言える。もっと単純に、ジャンケンで相手の手を完全に読めるならば相手を完全に理解したと言える。もちろん同様に、それぞれ「ゲームの中では」という注意書きが付く。「ゲームの中では理解している」、ここには重要なことが含まれている。

　人工知能は常にフレームの中で考える。フレームとは問題設定のことだ。現在の人工知能には自分で問題を考え出す力はなく、人工知能は人間からフレームを与えられて初めて考え出す。人工知能は基本的にこのフレームの外に一歩たりとも出ることはできない。このフレームは、さらに詳細を言えば、要素とそれに対する操作からなる。将棋というフレームであれば、駒とその動かし方、ルール。囲碁であれば盤面と石の置き方。つまり、フレームはシミュレーションを可能にし、実際、囲碁や将棋の人工知能は盤面をシミュレーションし、先の先まで読むことで最善の一手を見出す。そのとき、相手の手まで含めて自分の手と交互にシミュレーションしていくことで盤面を予想する（図1）。

　ゲームの人工知能は常に相手を想定している。それは相手を理解したいというよりも、相手に勝つためである。しかし、相手に勝つためには、相手を知ることが最短の道で、「敵を知り己を知れば百戦危うからず」。勝てるかどうかは別にして自分の敵を知っていれば勝つにしろ負けるにしろ最善の道を選べるはず、ということだ。もちろん、これもゲームの中では、ということになる。

2　人工知能の持つフレームと認識

しかし人間は現実を生きていて、その中で他者と関係している。現実の世界は無限の要素を持つ世界であるから、フレームのように限定された世界ではない。そこは、他者の表象、他者との関係が揺らぎ続ける世界である。ハムレットのように、さまざまな状況がありもしない妄想を掻き立てたり、他者の像はときに真実から遠のいたりするわけだ。他者との関係は自己と他者に閉じていない。他者、自己、そしてそれを包み変化し続ける世界との、三者の関係なのだ。環境の変化によってもまた他者は揺らぎ続ける。

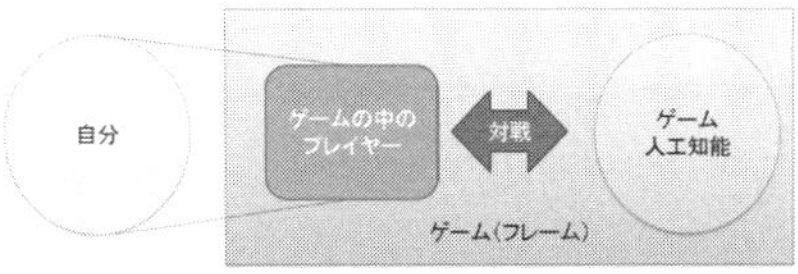

図2　人工知能がゲームの中で他者を理解する

人工知能が持つ予測可能性が他者の理解であるのは、基本的にはフレームが世界を要素と操作のゲームとして世界を捉えているからだ。それは同時に、自己と他者をゲームの機能的プレイヤーとして限定したうえで、他者を理解するという仕掛けの中にある（図2）。それは人間の現実でも同様だ。テニスコートの上でテニスプレイヤーとしてのその人を知っている。しかしテニスコートの外では知らない。会社の中では上司と部下でも、街中で会ったらどんな顔をしていいかわからない、などといったことだ。大人になるとそういうことがわかってくるので、現代人はある程度わかりやすい自分のキャラクターを装うということをする。それはある意味、自分自身を理解してもらうことの諦めであり、他者への気遣いでもある。無限の世界にいるかぎり、他者は常に揺らぎ続けるのだ。

現実を多重のゲームとして近似することは可能だ。しかし、人工知能はそれぞれのゲームで一つの人格を持つだけで、そのゲームから外に出ることはできない。それはフレーム問題の別の表現であり帰結である。人工知能は問題ごと、状況ごとに作られるもので、あらゆるフレームの中で活動できるわけでもなく、また自ら未知の問題に挑むことはできない（図3）。しかし、人間はそれぞれのゲームごとに自分のキャラクターを変えることができる。それをペルソナと言う。

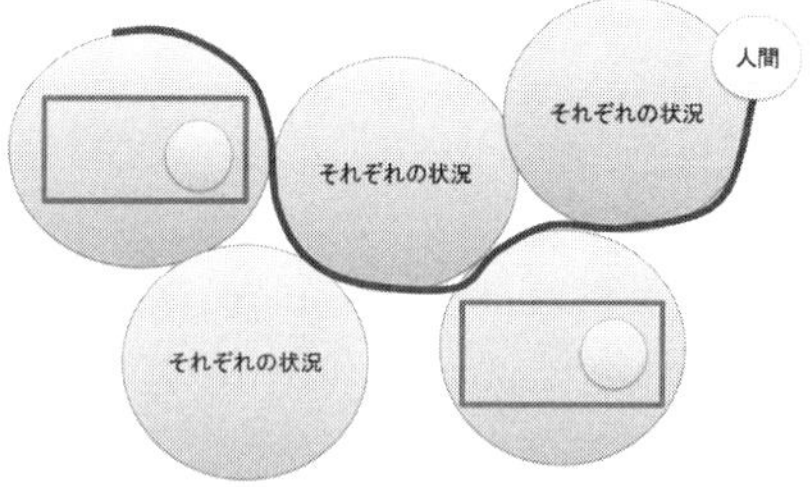

図3　人間はさまざまな状況を渡り歩くことができるが、人工知能は一つのフレームの中にしかいられない

3　ペルソナ

人はたくさんのペルソナを持ち、現実でも複数のペルソナを使いわけ、さらに最近ではオンラインゲームや、ＳＮＳごとに異なるペルソナを持つ。ペルソナとペルソナをかち合わせているかぎり、お互い他者のことを知ることはできない。社会的には便利でも深く知り合おうとすれば、お互いのペルソナを徐々に解除しないかぎりお互いの他者を深く理解することはできない。どちらかが先に

ペルソナを外すことで、もう一方のペルソナを外すことを促すことになる。ところが先にペルソナを外すことは勇気のいることだ。たとえてみれば、それは先に武装を解除することだからだ。だから、二人になってさえ、なおペルソナを外さずに会話することがあるわけだ。同時にそれは、囚人のジレンマに似たゲーム理論的な状況である。

4　人工知能の視点

ジャン・ポール・サルトル（仏、一九〇五―一九八〇）は『出口なし』（一九四四）という戯曲を書いた。この戯曲では二人の女性と一人の男性が登場するが、常に第三者の目にさらされている。そこで他の二者はその視線に監視されることになる、という話である。これは他者の視線というものがいかに強い力を持つかが表現されている。人間の脳もまた一人でいるときと、二人以上でいるときでは働きが違う、また目上の人間がいるときには行動が制限されることが知られている。また、パノプティコンという複数の人間を同時に監視する建築がある。これは一人の監察官が何百という囚人を一度に監視できる建築だ。監察官の視線があるというだけで十分であり、そこでの活動は制限され改善される。

これからの社会は人工知能の視線で満たされることになるだろう。なぜなら、これまでは国境を守っていれば良かったものの、それではテロを完全に防ぐことが難しい。そこで都市のあらゆる場所、時間を監視できる体制が必要となる。日本のように比較的治安の良い場所ではその効果はピンとこないかもしれないが、海外の都市では治安の悪い場所が多いので、そこで都市中にカメラやセンサーなどを設置し、都市全体を監視する人工知能が出現する。そして、その人工知能が常に都市のあらゆる場所に、二四時間、視線を投げかけることになる。また、ＩｏＴ（Internet of Things）の進化により微小なセンサーをさまざまな物に埋め込み、人間の活動を追跡することになる。またお金も将来は電子マネーが主流となるだろう。つまり、都市はリアルタイムに映像から物、お金まで完全に追跡可能なものになる。このような都市では、セキュリティが大きく向上することになる。また自動運転により都市の半分である交通もまた人工知能によって管理されることになる。このように都市を人工知能化する構想を「スマートシティ構想」と言う。「スマートシティ構想」はまさに街中に人工知能の視線を溢れさせることである。もちろん、プライバシーの問題もあるが、おそらくは治安とプライバシーを天秤にかけたら、いろいろな反対はありつつも治安のほうが優先されていくだろう。サルトルの戯曲で言えば、三番目の視線は人工知能の視線になるのである。

5　人間同士、人間と人工知能

他者を完全に知ることはできない。それゆえに他者は他者であり、我々はその他者を完全には理解し得ないと知りつつ、理解しようとするのである。しかしそういった姿勢が通じることがある。シモーヌ・ヴェイユ（仏、一九〇九―一九四三）の言葉に、同じ言葉（たとえば夫が妻に言う「愛してるよ」）でも、言い方によって、陳腐なセリフにも、特別な意味をもった言葉にもなりうる。その言い方は、何気なく発した言葉が人間のどれくらい深い領域から出てきたかによって決まる。そして驚くべき合致によって、その言葉はそれを聞く者の同じ領域に届く。それで、聞き手に多少とも洞察力があれば、その言葉がどれほどの重みをもっているかを見極めることができるのである。（エーリッヒ・フロム『愛するということ』鈴木晶訳、紀伊國屋書店、一九九一から引用）

という言葉がある。これは他者とのコミュニケーションがたとえ言葉であっても、それが同じ人間同士であれば、その言葉が発せられたのと同じ深さまで届く場合もあることを言っている。この言葉を聞くと、人工知能は、表面をいくら取り繕っても人間の深い部分にまで言葉を届けるのは不可能のように思える。人工知能は人間と同じ身体を持つわけではないので、人間と同じ心を持てるわけではない。異なる心の構造を持つもの同士がいかにコミュニケーションするかということはたいへん難しい問題である。同じ地球で生まれた動物同士でさえ、コミュニケーションは難しいのだ。同じ人間同士の場合には、深い場所から出た言葉が他者の深いところまで届くというのは、大きな可能性のように思える。人工知能と人間がそのような深いレベルで通じ合うことなしには、人工知能と人間の感情の交わりは難しいだろう。

6　現象学的他者

現象学は経験から出発する哲学である。デカルトの哲学が極限としての論理的な「我」を確証して始まったとすれば、現象学はまずあらゆる知識や先入観を排した経験から出発する。他者との関係も同様だ。他者と自分との場を出発点として、そこから自分と他者を記述し発見していく、という手法を取る。つまり初めから他者と自分がいるのではなくて、まず混在した場があり、その経験の中から自分や他者を見つけていくのだ。これを間主観性と言う。自分の経験の中から他者の自我を見つけていく作業である。自分は自分、他者は他者と決めつけてしまえば、簡単だが、そこから自分と他者のソリッドな関係を探求する必要が出てくる。そうではなく、自分と他人が混ざり合った状態から語り始めようとする、極めて文学的とも言えるスタンスまでを内包するのが現象学の間主観性なのだ。

7　予測があるから認識がある

人間は常に予測をする。無意識の中で次の瞬間の自分と世界を想像して、変化に対する対応を始める。人間が意識するよりもずっと早く、無意識の知能は環境に対する対応を開始している。我々の意識がそれを認識したときには、すでに行動が開始されている。常に予測し、常に行動する。そういった反射的な対応を確認する器官として意識がある。意識は無意識から事前報告を受けているつもりでも、案外と事後報告を受けている場合が多いのだ。では、意識は何によってトリガーされるのだろうか？　それは予測と実測の誤差からなる。たとえば、人は物をつかむときに重さを予測してつかんでいる。つまり筋肉の調整は無意識のうちにされていて、紙をつかむとき、瓶を持ち上げるとき、ダンベルを持ち上げるとき、重さに応じた力を事前に入れているのだ。だからこそ、未知のものを最初に持つときは意識を集中する。しかし、もし紙が鉄のように重かったら、瓶がとても軽かったら、持ち上げると同時に驚く。驚きとは、予測と実装の差異が大きいときに発動される感情であり、驚きは意識を喚起させる基本原理だ。つまり不測の事態に備えて、行動を意識的に変更する役割が意識にはあるのである（図4）。

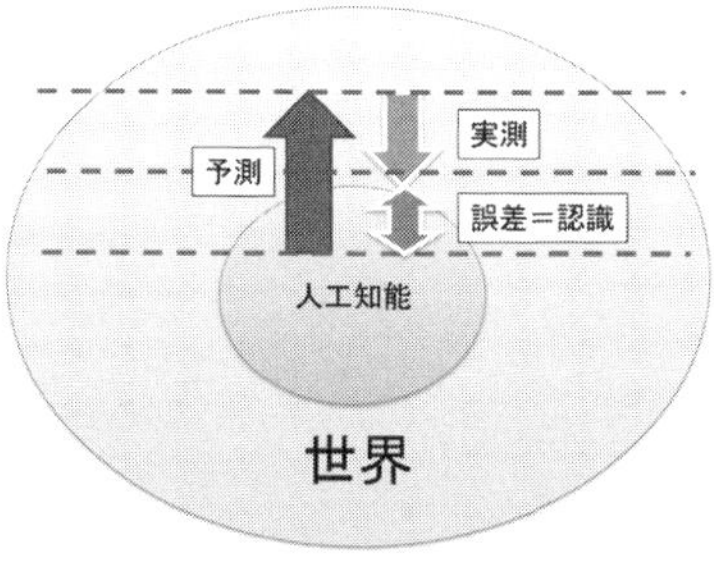

図4　予測と実測と誤差と認識

　このように知能の認識する世界は、世界そのものではなく、予測と誤差によって作られた世界だ。我々は予測によって、すべての情報を毎瞬間知覚するのではなく、その誤差のみをアップデートし、差分の少ない情報はそのままスルーし、かつ、急激な誤差の広がりを持つ情報のみを意識に上らせることで、環境の急激な変化に適応的に対応する知能を実現している。だから、あまりに差異のある情報が多い場合には意識はフル稼働するかパニックに陥る。

　他者を理解することが他者を予測することであれば、他者の認識とは、予測との誤差に起因する。自分が予想したのと違う動きや発言をすればするほど、意識に上りやすくなる。期待通り、予想通りでは、人の注意は引けないのだ。だから、物語でも、アイドルでも、音楽でも、ゲームでも予想外が重要である。予想させ、それを超えることで人気は集まる。

人工知能が他者、特に人間を認識することを考える。人工知能は人を予想せねばならない。しかし、人工知能は人のことをよく知らない。人のモデル化というものが難しいからだ。人間が人間を認識できるのは、自分という人間を通して他者を予想するからである。しかし人工知能には他者を予想する手がかりがない。人間は自分という人間を内面に持つ。人工知能は人間を内側に持たないので、それを外に求めるのだ。たとえばその一つが学習で、人間の会話のデータをひたすら学習する、間のモーションデータをひたすら学習することで予想を立てようとする。しかし、それは人間が外に向かって発する情報の模様を学習しているだけだ。

8　環世界の中の人工知能

生物は皆、環世界の中で生きている。他者もまた環世界の中で意味を与えられる。世界は無限の情報に満ちており、そこから生物は自分の生存に必要な有限の情報を獲得して生きている。この世界のことを「環世界」と言う。環世界はもともとドイツの生物学者、ヤーコプ・フォン・ユクスキュル（一八六四―一九四四）によって提唱された概念である。長い進化の中で生物は身体を持ち、その感覚によって世界から選択的に情報を得て、特定の動作を励起する。このループのことを機能環と言う（図5）。

カエルならアメンボの動きに敏感に反応し舌を伸ばす。猫は特定の動きに反応し爪を立てる。機能環が世界に対する参加の仕方を決めている。それは長い時間の中で環境と生物が作ってきた契約関係のようなものである。環世界は複数の機能間の集合からなり、捕食環、媒体環、生殖環、索敵環などの機能環からなる。

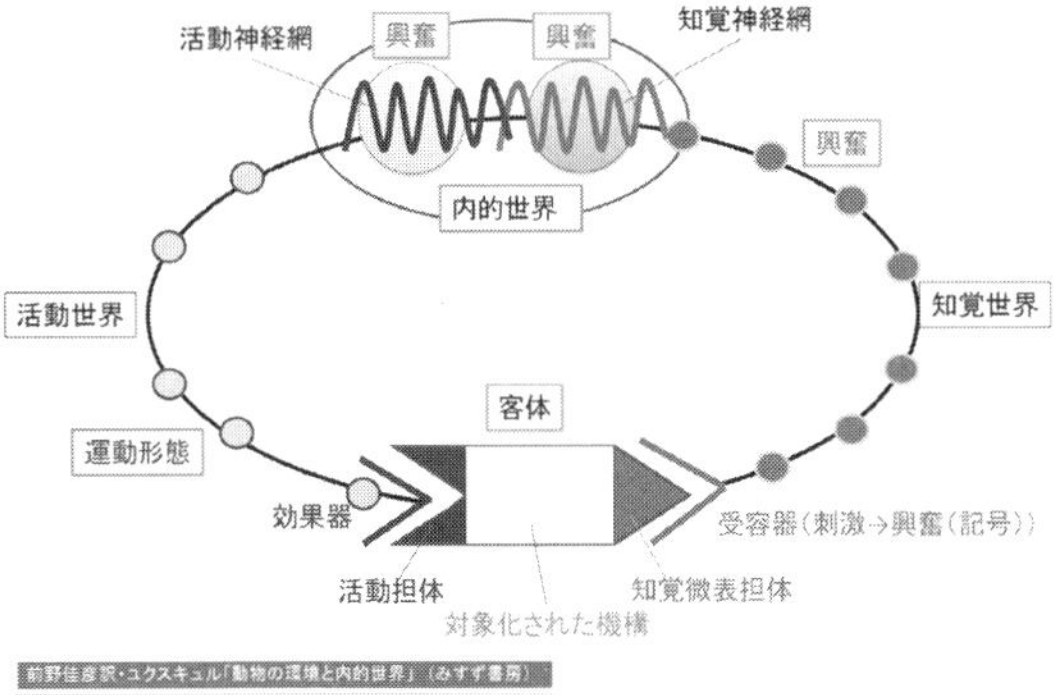

図5　機能環

さて、生物にとって他者は超越的な他者というよりも、環世界の中であらかじめ意味づけられた存在として現れる。たとえば、自分の縄張りに入ってきた個体は敵として認識し攻撃するし、自分の捕食対象に遭ったときは自然に消化器が興奮して捕食する筋肉が駆動することになる。この逃れられない環は、生物が逃れることのできない世界の環である。つまり、生物は自分の環世界を世界そのものと思い込む。それ以外に世界を見る術がないのだ。そして他者もまたその環世界の中に登場し、ある表象の役割を持った存在として登場するのである。それはその生物自身が作り出している「幻影」とも言える。しかし、それその生物にとって一番のリアルであって、生物はそのような幻影によってリアルな世界を生きるのだ。

9　人間と人工知能の環世界

人間は進化した生き物とはいえ、その根底に環世界を持っている。縄張り意識というものは、どの分野でもあるわけだし、社会の中で敵と認識するし、高度な知能を持ちながらも、その根底は生物的な環世界を持ち、その上に抽象化された世界を持っているのだ。だから、この本来逃れられない環世界の環からなんとか逃れようとしてきたのが人類の歴史と言ってもいいだろう。敵と認識してしまった相手を愛することができるか、など、生物の輪廻を超えて他者の尊厳を獲得することが思想の力だ。しかし、その力は現在の世界を見る限り、半分は無力であり、しかし、半分は有効である。

人間のような高度な知能は古い知能の層の上に、新しい知能の層を一つずつ積み上げてきた。古い層は死んでいるわけではない。それらは生きている。つまり一つの対象に対して、それぞれの層が捉えたイメージが重なり合ってその対象に対する全体のイメージが構成される。他者に対しても同様である。我々は一人の他者を見るときに、環世界の層、抽象的な思考の層、社会的な知能の層などが生み出したイメージを重ね合わせて見ているのだ（図6）。

最新のゲームの人工知能もまた環世界の概念を取り入れる。特にキャラクターの人工知能は、外部から操り人形のように操るのではなく、内側に自ら考えることができる知能を与える方向にシフトしている。そこで、その思考の前提となる世界に対するキャラクターの主体的、主観的認識が必要であり、それはまさに環世界なのだ。そのために対象に対する意味づけ、さらに対象に対して許されている行動（アフォーダンス）をデータとして準備する。対象の特定の側面に反応し、それに対して行動を行う、あるいは行動の候補を認識することになる。たとえば、ゲーム内の車には、「車」という指標と、「この方向に移動できる」という行動可能性の情報が埋め込まれている。ゲーム内にはさまざまな対象があり、その対象たちが人工知能に行動を提案する、という形になる。たとえば、キャラクターがある部屋に入れば、剣があり（振ることができます）、レバーがあり（レバーを降ろすことができる）、扉（開けることができる）がある。このような提案された複数の行動の選択肢の中から、一つの行動を選択することが意思決定となる。あるいは、行動をつなげて一連の行動を計画（プランニング）する。

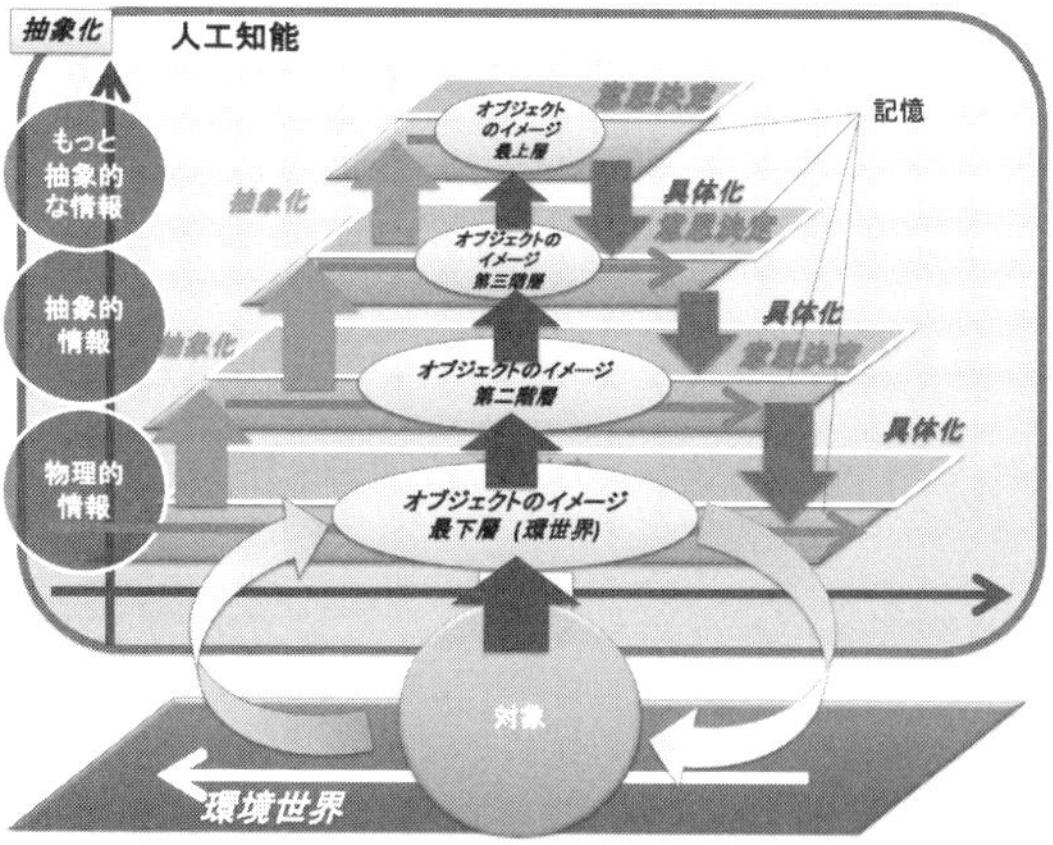

図6　多層的な階層的な知能とそれぞれの層の認識

ゲームの中の人工知能は残念ながら、プレイヤーや他のキャラクターに対する関係があらかじめ定義されている。エネミー・キャラクターはプレイヤーを敵だと規定しているし、仲間プレイヤーは味方である。そのような関係を規定するグラフをソーシャルグラフと言う（図7）。

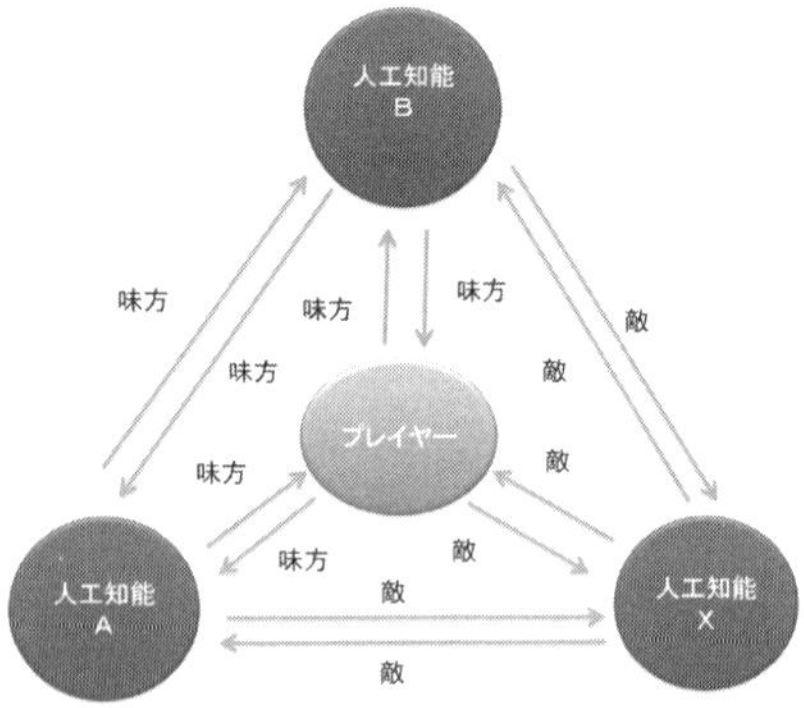

図7　ソーシャルグラフ

ここでは他者が極限まで簡素化され、タンパクな関係に還元されているのだ。

しかし、これからは環世界の中で対象を捉えていくことで、より精密な記号的でない経験から学習された微妙な関係まで人工知能が持つようになる。仲が悪いと思っていたキャラクターが回復してくれたり、敵だと思っていたら無視されたりすることで、その関係は変化せざるを得ない。生物は経験から関係性を導いていく。

10　外界

我々の世界で現れる他者と、本来の他者は違う。我々は我々の世界の中で他者を捉えるしかない。しかし、それが真実ではない、と理解することはできる。我々の認知の外にある世界を外界と呼ぶ。これは不可知論の立場である。どんなに認識を拡大しても、その外側には認識されない外界という領域が残ってしまう。他者もまた外界として未知なるものとして存在する。しかし人工知能はそのような自分の思考の「ゼロ領域」として認識することができるだろうか？

人工知能にメタ知識という方法がある。メタ知識とは知識そのものではなく、その知識について知っているか、知らないか、という知識、あるいは、知らないとしたら、どうすれば知り得るか、という知識だ。たとえば、ゲームのキャラクターの人工知能であれば、「敵の位置」は知識である。「敵の位置」がわからない、という知識はメタ知識であり、高台に登ればそれがわかる、という知識もまたメタ知識だ。メタ知識は、その知識を得られる手段を指定している。つまり知識についての知識は人工知能の意思決定に深く関わる。

では他者についてはどうだろうか？　他者を完全に知り得ることはありえない。そこで他者に対するメタ知識とは何か、ということになる。人工知能が何かを知っているのではなくて、人工知能に何かを知らない状態を教える必要がある。我々人間は、他者が決してたどり着けない存在であることを経験から知っている。しかし、現在のところ、人工知能は理解し行動するために作られたマシンであり、自分に与えられたフレームの外に世界が存在することを理解することができない。なぜなら人工知能には全体的経験というものがないからだ。我々人間は自分の全体的経験の中から問題を生成し解決する力がある。つまり問題の外にも世界があり、さらにその外にはさらに認識できていない世界があることを知っている。しかし、人工知能がそれを知ることができない。世界に生物として参加していない人工知能にとって、何が重要で何が問題である、ということを理解させることはできない、人工知能は与えられた問題設定の中で考えるしかない、というのがフレーム問題だ。そのフレームの外の世界を想定することができない。他者の問題もまた、現象学的知見に立てば経験の中で捉えられ、かつたどり着けない一つの地平として存在する。しかし、そんなふうに他者の存在を人工知能が理解するには、前提となる全体的経験、全体的世界観が不足している。外界を理解することは、フレームの中で理解できることだけを理解する、という下地の上に成りたつ人工知能では難しいことなのだ。

11 結語

他者は我々にとって彼岸の存在だ。それは不可知の領域であり、そのことを人工知能に理解させることが難しい。しかし、生物は本来、不可知である他者に対して、自分の生態と環世界の中で表象を与える。その表象から逃れることは尋常なことではないが、人間は長い年月をかけて生物的な円環からより高い知能へと昇ってきた。現在、ゲームキャラクターの人工知能では、キャラクターの知能に環世界を与えようとしているが、その段階を経れば、ようやく次の知能の段階へ昇ることができる。人工知能が生物的な所作、感情を手に入れるには環世界を経る必要がある。

現象学は、経験から出発する哲学である。他者というものに対しても、自分という主観と他者という主観の間の間主観性という問題として捉える。つまり、自分の経験の中で他者の存在をどのように発見するか、という問題だ。最初から自分と他者を想定するのではなく、経験の中で他者が浮かび上がってくる過程を記述する、という方法である。他者をいかに発見するか、他者をいかに構成するか、ということは、現象学だけが持つユニークな方法だ。人工知能にも同様な経験をさせようと思えば、まず人工知能に経験を与えねばならない。そこから現象学的な精神の運動を仮定できるかはこれからの挑戦だ。

生物は無意識の中で世界と自分のインタラクションを予想している。つまり、常に一歩先の状況を読んで、次にどのような感覚が来るかを予期して身構えているのだ。それは生物の持つ卓越した能力だ。重たいと思えば手の筋肉は自然と引き締まるし、軽いと思えば力を抜いて持ち上げる。そのように、予測を展開することで、意識の担当する領域を小さくする。つまり予想と違った入力があるときに意識はそこに対して対処を行う役割を持っている。床があると思って足を出したらなかったり、料理だと思ったらサンプルだったり、通り道だと思ったら行き止まりだったり、生物は常に予測をして予測を頼りにして、認識を構成しており、予想と大きく違うところに驚きと意識の喚起がある。つまり、認識とは予測と実測の差なのだ。それはまた身体に対しても同様である。生物は自分の身体の運動を予想する。それは身体の各部に行く命令を、脳の中にも貯めておいて自分の身体の運動を予想している。これを遠心性コピーと言う。この遠心性コピーがあるからこそ、自分の身体状態を予想することができ、またその予想通り行っていれば、ほとんど意識は感知しないが、予測と実際が異なるとき、自分が想定した運動ができないときこそ、意識は喚起されることになる。認識には予測が必要であり、我々が強く認識するのは予測との差異なのだ。

では他者の理解とは、他者の予測だろうか？　何か、大きな集団に対しての場合はそうなるだろう。スポーツチームの成績予測とか、会社のチームの成績とか。しかし、それが個人というものになっていくときには、我々が高い頻度で予想ができないことを知っている。人間同士であれば、自分という人間を頼りに他者を予想することができる。しかし、人工知能には、それができない。人工知能は内面に人間を持つわけではないからだ。そのため、さまざまな学習によって予想しようとする。しかし、それもあたることは、ほとんどない。他者とは予測不可能な地平であり、そうであるからこそ、他者は特別な存在である。他者は、生物の持つ予測と誤差による認識世界からあまりにかけ離れた存在であり、あまりにも予測不可能であり、それゆえに、我々は他者に対して常に興味を持ち続けるのだ。

第11章　冒険から転生、模索からやり直し
――異世界転生とマルチバースと未来のコンテンツ

1　はじめに

エンターテインメントに人々が何を求めるかには、時勢や一個人の状態が反映される。なぜなら、どうしても使い続けなければならない日用品と違って、エンターテインメントは嗜好品であって、我慢しながら使い続ける必要がないからである。観たくなければ観なくても良い。途中で切り上げてもいいし、それについて気にする必要もない。そうであるから、ある一つの時代のエンターテインメントが特定の方向に舵が切られるということには、それに相応する強い背景があるはずである。本章のねらいは日本における「異世界転生もの」と米国における「マルチバース」のブームの背景にある状況と作品の関係を探求するところにある。

たとえば『竹取物語』（平安時代、作者不詳）は月世界という異世界の御子《みこ》が現生に転生する物語で

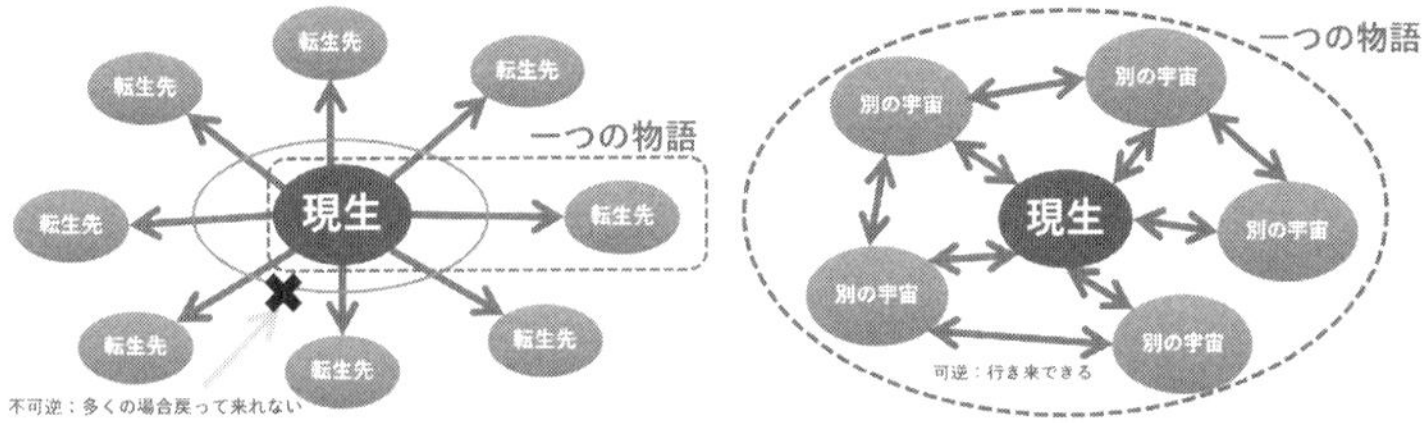

図１　異世界転生図（左）とマルチバース図（右）

あった。物語の最後、「月の顔見るは、忌むこと」と言われつつ、月の光を浴びて次第に自分の過去を思い出し、かぐや姫は異世界へ帰っていく。しかし現代の「異世界転生もの」は、過去の記憶を持つわけでもなく、現生を捨てつつ、その記憶を持ちながらも異世界へ生まれ変わろうとする。

一方で、「マルチバース」は現生へ留まりつつ、細分化されたちぐはぐな世界たちの矛盾を一つの作品に内包しようとする。異世界転生は現生からの消滅と引き換えに異世界へ転生するが、一つの物語で転生は一度であり異世界も一つである。しかしマルチバースでは一つの物語の中に複数の宇宙が存在し、それらを行き来することで物語が展開する（図１）。異世界転生ものとマルチバースにはどのような性質があり、何を反映しているのか。同時代に出現した二つの頂を見上げつつ、時代の根底にあるもの、多くの人々の心の諸相を考えてみたい。

２　「異世界転生もの」と「異世界冒険もの」の定義

この数年、日本では「異世界転生もの」と呼ばれるジャンルが台頭している。異世界転生ものは小説を原作とし、コミック、アニメとマルチメディア展開されるのが王道であるが、異世界転生ものの原作小説はこれまでに累計二〇〇〇作以上が出版されている。異世界転生ものは二〇一〇から一二年頃から始まり、二〇一五年までに急増した。二〇一七年から一九年には年間二〇〇作品を大きく上回るまでになる。二〇二〇年の三一四作品をピークとして徐々に減少しつつあるが、それでも二〇〇作品を超えている（図2）。二〇二三年は二〇〇作品前後であると予想される（二〇二三年五月までで一〇一作）。異世界転生ものを特徴付けるのは、以下の四つである。

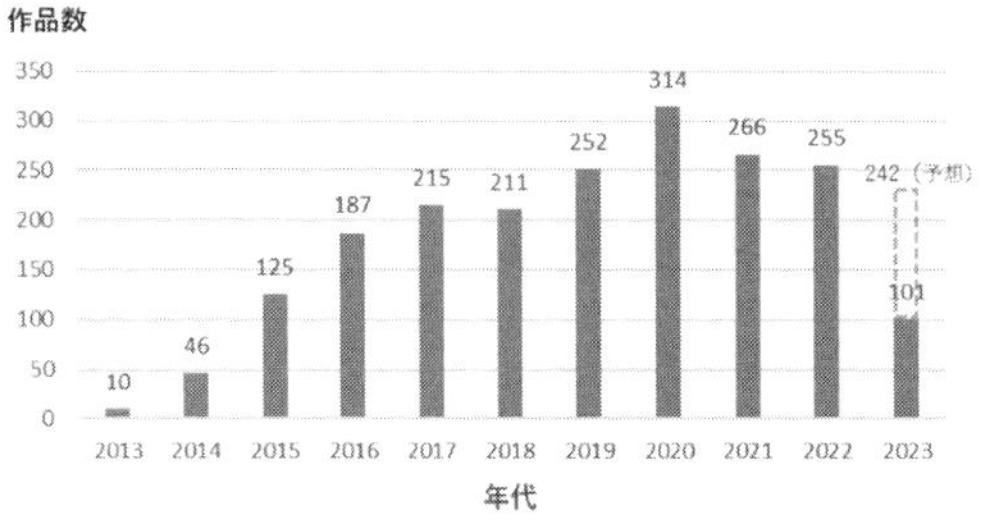

図2「異世界転生もの」の小説、作品数の遷移（2023年は5月までの統計）
本図は、サイト「キミラノ」において＃転生タグの付いた作品を年別にカウントしたものである。出典 =https://kimirano.jp/tag/56

1 主人公が現実世界の生を終えて異世界に転生する
2 異世界は中世ヨーロッパ風のファンタジー世界である
3 現生における存在は消滅する
4 記憶と意識は継続する

ここからさまざまなバリエーションが生まれる。ただ異世界に行くということだけであれば、一九八〇年代からアニメでは『聖戦士ダンバイン』（一九八三）、『天空戦記シュラト』（一九八九）、『魔神英雄伝ワタル』（一九八八―八九）小説では『黄金拍車』（一九八八）、コミックでは『源氏』（一九八八）などがあり、九〇年代には『魔法騎士レイアース』（一九九三）や『ふしぎ遊戯』

	異世界冒険もの	異世界転生もの
代表的年代	80、90年代	2010、2020年代
現生	それなりの人生	行き詰った人生
現生の存在	継続（そのまま異世界へ）	消滅
能力	現生での能力が異世界で発揮	転生に伴う新しい能力・地位＋現生での能力・知識
異世界	徐々に受け入れられる	とにかく大歓迎で受け入れられる
現生への帰還	なんとか模索	まったく興味なし
世界観	それぞれ	ファンタジーロールプレイングゲーム設定

表１　「異世界冒険もの」と「異世界転生もの」の比較

（一九九二）がコミックからアニメ化（一九九四、九五）され、『十二国記』（一九九二）が小説からアニメ化（二〇〇二）され、またアニメでは『天空のエスカフローネ』（一九九六）があった。また二〇〇〇年代には『ゼロの使い魔』（二〇〇四）のように主人公がそのまま異世界へ召喚されるものもある。これらの作品群に共通するのは転生ではなく、現生の姿のままで異世界に行く、そして帰って来る、ということである。この時代の想定される読者・視聴者は一〇―二〇代であり、異世界への冒険はヒロイズムの一種であった。この頃は現実逃避かヒロイズムかで言えば、ヒロイズムの比重の方が高かった。だから、異世界で主人公はヒーローでありヒロインだった。

それは典型的な「行きて帰りし物語」の変奏曲の一つである。ここではこの物語の型を「異世界冒険もの」と呼ぶことにする。たとえば『神曲』（一三〇四頃）、『ファウスト』（一八〇八、一八三三）、『不思議の国のアリス』（一八六五）、『ナルニア国物語』（一九五〇）、『トムは真夜中の庭で』（一九五八）もこれに属する（表1）。

「異世界冒険もの」と「異世界転生もの」の間に存在する作品群がある。それは異世界と現実がつながった世界観のもとに作られる作品群である。『ゲート自衛隊 彼の地にて、斯く戦えり』（二〇〇六）には、現生と異世界をつなぐゲートが存在しており、両方を行き来することができる。『DOGDAYS』（二〇一一）は異世界へ行くが現生へ帰って来る物語である。『アウトブレイク・カンパニー』（二〇一一）は現生とつながった異世界に行って「オタク文化を紹介する仕事」をするという内容である。だが時代は、この現実の方をそぎ落としていくのである。異世界転生ものに隣接する分野として、オンラインゲームを舞台にする小説があり、『ソードアート・オンライン』（二〇〇九）や『痛いのは嫌なので防御力に極振りしたいと思います。』（二〇一七）など多数存在する。これらは現生における生活が普通に継続しているが、ゲーム世界に没入できるＶＲＭＭＯ（仮想現実大規模多人数同時参加型オンラインゲーム）世界での冒険を描く物語である。

しかし現代の異世界転生ものでは、最初に現生における存在が消滅し、然る後に異世界で転生を果たす。別の存在として誕生する場合もあれば、現生の姿のままで転生する場合もある。多くの場合、記憶と意識は現生から異世界へと持続している。異世界転生ものを特徴付けるこの現生における存在の消滅は、二つの意味を持っている。一つ目は「現生の否定」である。つまり、行き詰まりや生きにくさを感じている現生を否定する、あるいは放棄することが表現されている。それはすなわち、「現生に対してリセットボタンを押す」ことである。これはシリアスに描かれる場合もあれば、『この素晴らしい世界に祝福を！』（二〇一三）や『異世界はスマートフォンとともに。』（二〇一五）のようにコミカルに描かれる場合もある。二つ目は「新しい世界の希求」である。異世界は「やり直し」の世界であり、主人公は人生を一度リセットして新しい世界へログインするのだ。

3　転生に伴う能力の獲得

「異世界冒険もの」には、自分が生きている世界から逸脱して異世界へ行き、さまざまなことを経験して帰って来る（別な場所に着地する場合もある）、そして自分の生に新しい意味を見出す、という典型がある（もちろん例外はある）。「異世界転生もの」では、現生から消滅するため帰って来ない場合がほとんどである（『異世界おじさん』（二〇一八）は異世界から帰ってきたところから始まり回想によって語られることが逆に新鮮であった）。この「行ったきりの物語」が物語として成立するのが異世界転生ものの新しいところであり、探求すべきところである。たとえば『Re：ゼロから始める異世界生活』（二〇一四）では主人公が異世界に召喚されるが、その代償に「死に戻り」という自分が死んだ場合のみ時間を巻き戻すことができる能力を付与される。この能力によって主人公は度重なるヒロインの危機を回避し救うことになる。しかし、それによって現生において何かが変化する、ということはない。ただ主人公の成長譚であるだけだ。

この「転生に伴う新しい能力・地位の獲得」あるいは、「現生から持ち込んだ能力・知識・機器（スマートフォンなど）」によって、転生先で主人公が成功を収める、というのは転生ものの多くに見られる設定である（表2）。たとえば『無職転生』（二〇一四）の主人公は現生ではあまりぱっとしないが、転生先では圧倒的な魔法の才能を以て活躍する。『ナイツ＆マジック』（二〇一三）ではサラリーマンとしての実務経験と能力によって異世界で出世する。『転生したらスライムだった件』

作品名	持ち込み・付与・獲得	能力
『ナイツ&マジック』（2013〜）	持ち込み	ロボットの知識、実務能力
『盾の勇者の成り上がり』（2013〜）	獲得	戦闘力（序盤における努力）
『八男って、それはないでしょう!』（2013〜）	付与	地位（貴族の八男）
『この素晴らしい世界に祝福を!』（2013〜）	付与	幸運のステータス・女神の随行
『Re:ゼロから始める異世界生活』（2014〜）	付与	死に戻り
『無職転生』(2014〜)	付与	圧倒的な魔法の才能
『転生したらスライムになってた件』（2014〜）	持ち込み・獲得	戦闘力（序盤における努力）・土木知識
『異世界はスマートフォンとともに。』（2015〜）	持ち込み	スマートフォン
『ありふれた職業で世界最強』（2015〜）	獲得	戦闘力（序盤における努力）
『異世界おじさん』（2018〜）	獲得	戦闘力（序盤における努力）

表2　転生で獲得した能力例

（二〇一四）では土木建築の知識を応用して異世界で街づくりをし、さらには国造りのリーダーシップをとる。またその戦闘能力で自分の街の危機を救う。あるいは、異世界転生での「初期における労苦と研鑽」によって圧倒的な力を持ち、その力によって主人公が成功を収める、というパターンもある。たとえば『盾の勇者の成り上がり』（二〇一三）、『ありふれた職業で世界最強』（二〇一五）、『この勇者が俺TUEEEくせに慎重すぎる』（二〇一七）などである。しかし、やはりそれは現生において何かが変化する、ということではない。ただ、先述のように、主人公の成長譚ではある。

　この異世界転生もので見られる「行ったきりの世界」「行ったきりの世界における成功」は、多数の読者やアニメの場合なら視聴者に違和感なく受け入れられる。それが「異世界転生もの」の一つ目の謎である。異世界冒険ものであれば現生へ帰還する方法を模索するが、異世界転生ものではそんなことは微塵も考えない。異世界でうまくやっていくことで、大きな、あるいは小さな幸せを見つけて生きていくのである。

4　転生先のゲーム的世界

多くの場合、転生先の世界はゲーム的世界である。作品はゲームのＵＩ（ユーザーインターフェース）を持ち、主人公の体力や能力が数値化されて見える。また魔法の習得、アイテムの獲得も、作品内のシステムから主人公に対してメッセージで通知される設定となっている。このようなロールプレイングゲームの設定を下敷きにすることによって、転生先のファンタジー世界の設定の説明を著しく縮約し読者に納得させることができる。しかし、なぜ転生先がファンタジー・ロールプレイングゲームの世界なのか、についての説明はまったくないのが普通である。当初は、『イクシオンサーガＤＴ』（二〇一二）のように「ゲーム世界に入り込んでしまった」という前振りがあったが、次第にその説明は省略されていった。

ファンタジー・ロールプレイングゲームは現代ではコンシューマーゲーム機から携帯機まで広く遊ぶことができ、またそのフォーマットも優れた形式に最適化されている。その世界設定を取り込むことで、最小限の描写だけで読者の了解を得ることができ、また読者も最初からそのような分野であるという前提のもとに読んだり視聴したりするようになる。このような世界の多くは「ナーロッパ」と呼ばれることがある。これは「なろう系」（異世界転生ものの別称にあたるスラング）と「ヨーロッパ」を合わせた言葉だ。舞台は多くの場合、時代考証がされていない、作者のイメージにもとづく中世の欧州がモデルであり、史実的裏付けの上にあるものではなく、長年のファンタジーの描写の中から抽出された架空の世界である。そもそも中世とはいつぐらいの年代を指すかと言われて、正確に答えられる人は少ないだろう。「ナーロッパ」はその意味で「約束事としての共有設定」である。

たとえば「現実はクソゲー」という言葉がある。それは、現実における努力は必ずしも報われるものでもないし、また現実世界は不条理であり、現実社会は理不尽である、という意味である。一方ゲーム世界では「レベル」が設定され、モンスターを倒せば必ず経験値が貯まってレベルアップし、アイテムを取得し、魔法を習得できる。ミッションは街などで伝えられ、それを順番にこなしていくことで、より大きな物語の中で自らの役割を獲得する。異世界転生もので想定されるのはそのように整えられた世界であり、紆余曲折はあるものの、主人公やそのパーティは特殊な能力や幸運で大きな役割を果たしていくのである。

このようなファンタジー・ロールプレイングゲームの表層的な使い方は、異世界という未知の世界をコミカルに描き出す効果を持っている。しかし、ここが重要なところであるが、転生した主人公は必ずしもゲーム世界にいるわけではない。異世界にいるのであって、現生のゲームとは関係ない。しかし多数の読者や視聴者はすんなりとこの設定を受け入れることができる。これが異世界転生ものの二つ目の謎である。

5 「セカイ系」と「異世界転生もの」

一九九〇年代後半、二〇〇〇年代はコンテンツ（ライトノベル、アニメ、ゲーム）の中で「セカイ系」が一つのキーワードであった。セカイ系とは、主人公、あるいはヒロインの設定の中に、世界全体の運命や仕組みが紐付けられている作品のことである。たとえば『少女革命ウテナ』（一九九七）は学園（世界）の仕組みとそれに取り込まれた花嫁（ヒロインの一人）を巡って、世界そのものの変革を目指す物語である。『ブギーポップ』シリーズ（一九九八）では、世界の危機が訪れたときにヒロインが無意識に超人的な戦闘能力を持つ世界の敵の敵「ブギーポップ」となって、世界の危機を回避する。『涼宮ハルヒ』シリーズ（二〇〇三）ではヒロインのハルヒの無意識が、世界の変貌の鍵を握っている。ゲームの『テイルズ オブ シンフォニア』（二〇〇三）では、主人公は二つの世界の命運を担うヒロインと旅をする。つまり世界の命運が一人のキャラクターの肩に重くのしかかっており、主人公はなんとかその重荷を取り払ってそのキャラクター（と世界）を救おうとする。

このようなセカイ系から「異世界転生もの」への推移はゆっくりとしたものであった。すなわち、「セカイ系」のブームの後、お茶の間「ラブコメ」ブームを経て、「異世界転生もの」のブームへと至る。「ラブコメ」は八〇年代から存在する分野であり現在でも人気があるが、二〇〇〇年代中期から大きな盛り上がりを見せた。世界の命運を語る「セカイ系」の重さから、「ラブコメ」の軽さへの遷移があり、さらに現実を舞台にした「ラブコメ」の制約から異世界の奔放な世界観への遷移があった。

セカイ系が世界の設定を考えだし、独自の仕掛けを幾重にも張り巡らすのに対して、「異世界転生もの」はファンタジー・ロールプレイングゲームのフレームを用いながら瞬時に設定を伝える。セカイ系を読んだり味わったりすることは読者や視聴者にそれなりの精神力を要求するが、「異世界転生もの」は多くの作品がとにかく気軽に味わうことができる。九〇年代中期から〇〇年代にかけては、コンテンツが世界を担うという緊張感があった。今はこの緊張感は失われて、手軽に楽しめてバリエーションのある「異世界転生もの」が消費されている。世界の変革を目指すよりも、現実との折り合いをつけるように作られた「異世界転生もの」が読者の心を捉えている。セカイ系が盛り上がりながらも結局は、あるいは当然ながら、コンテンツの外に出る力を持ち得なかったのに対して、「異世界転生もの」は最初から現実を後ろ足で蹴って、異世界へ行ったきりで帰っては来ないという拒否の姿勢を決め込んでいる。

6　戦闘から非戦闘へ ――「異世界スローライフ」

「異世界転生」ものは能力を用いたバトルになることが多い。多くの場合、主人公の職業は冒険者、勇者ということになる。しかし異世界転生ものの真骨頂は王道ファンタジーからの逸脱にある。日本人が長らく受容してきたファンタジーの形式の限界を露呈・否定し、その設定は踏襲しつつも、本道から外れた場所で物語を作り上げる脱構築が異世界転生ものの中心にある。

	王道ファンタジー	異世界スローライフ
主人公	勇者・王家	市民
目的	世界を救う	自分や周囲の幸せ
スケール	世界全体	市町村
能力	特殊な戦闘能力	手についた職業
過去	伝説を受け継ぐ	かつてそれなりの冒険者だった
面白さ	世界を救うストーリー	世俗の立身出世物語
仲間	それなりの冒険者たち	まわりの市民の皆さん

表３「王道ファンタジー」と「異世界スローライフ」の比較

『勇者が死んだ！』（二〇一四）は（落とし穴に落ちた）勇者の死から始まる物語である。ニーチェの作品のような響きを持つ本作では、勇者に代わって主人公が世界を救う。他方、主人公が勇者パーティからさまざまな理由で落ちこぼれて、あるいは離脱して、冒険者をやめて一村人として生きるという「スローライフ」のパターンも存在する（表3）。たとえば『異世界でやきたてパン屋を始めました』（二〇一六）、『異世界薬局』（二〇一六）、『異世界のんびり農家』（二〇一七）、『真の仲間じゃないと勇者のパーティーを追い出されたので、辺境でスローライフすることにしました』（二〇一八）などである。多くの主人公は、それなりの冒険者であった能力を用いて村人を守る。また『本好きの下剋上～司書になるためには手段を選んでいられません～』（二〇一五）は中世ファンタジー世界に病弱な少女として転生して、本の希少な世界で司書を目指す物語である。本づくりをゼロから行うなど、本に関する知識を得ることができるファンタジーとなっている。『異世界食堂』（二〇一五）は転生ものではないが、異世界における冒険者に対する食堂を舞台にしている。このような、ファンタジー世界においてもなお勇者になれず、また世界を救うという大義名分も捨てて、辺境の街で自分と周囲の小さな幸福を守り続ける、という生活にまた共感する読者も多いのである。

日本ほど異世界の可能性をヒロイズムから離れて探求した国はないだろう。これまで王道ファンタジーが取りこぼしてきた勇者やヒーロー以外の人物に起きる事象に目を向けて、作品を構築する。それほど異世界はある一定の日本人にとって重要な設定であり、そこにおけるバリエーションが探求されているのである。

また異世界スローライフ系には、異世界転生ものではないが『狼と香辛料』(二〇〇六)や『まおゆう魔王勇者』(二〇一〇)の延長にあるような、さまざまな知識を学ぶ源泉としてのファンタジー作品もある。それらの作品では、一つの職業の苦労やそれを克服する経験が描かれる。

7 「マルチバース」の台頭

このように多岐にわたる発展により日本における「異世界転生もの」がブームになっていた頃、地球の裏側でも同様に異世界転生ものが流行っていたわけではない。アメリカではまったく異なるムーブメントとして「マルチバース」が台頭していた。マルチバースでは、多種多様な文化を内包しつつ、多様性の中でバランスを取ろうとするが、すでに世界は分断され、分断された世界が平行して動いている。マルチバースはアメリカが現在直面している世界を反映している。

異世界転生ものは、現生における死という通過儀礼を通じてたどり着く世界である。一方でマルチバースは一つの物語の世界の中で、複数の独立した物語を平行して動かす形式である。異世界転生ものは現実で抱えきれなくなった憤懣《ふんまん》や行き詰まりを解消するために、異世界という主人公の死によって断絶された世界を与え、そこでの理想的な生活や冒険を描くのに対して、マルチバースは

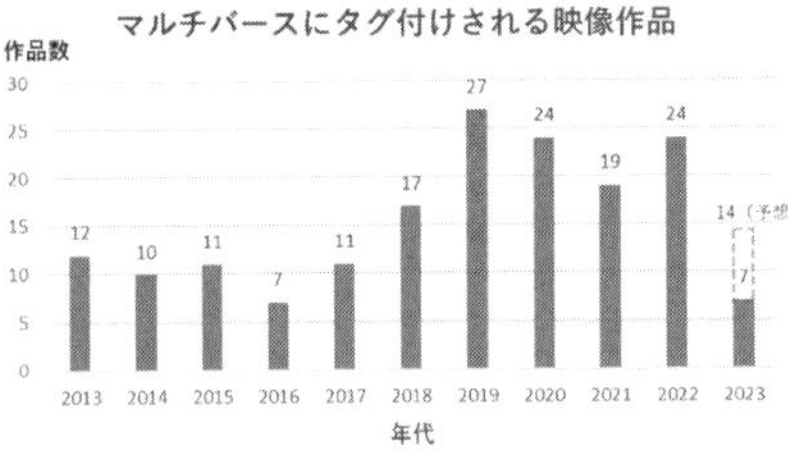

図3　マルチバースにタグ付けされた映像作品数の遷移（2023年は6月までの統計）

本図はサイト「IMDb」（Internet Movie Database）において「Multiverse」ジャンルに分類された作品を年別にカウントしたものである。出典 =https://www.imdb.com/search/keyword/?keywords=multiverse

あくまで一つの世界の中に留まり、その世界を分裂させながらも、たくさんの物語を内包しようとする。主人公ごとに分岐した世界、場所ごとに分岐した世界のみならず、時間的連続性まで捨てたバージョン違いも存在する。マルチバースは一なる物語を多とする錬金術である。物語を幾重にも多重化し、それらの整合性を取ることなく「別バージョン」として許容する。たとえば、主人公の生い立ちを描いた映画版、テレビ版、コミック版、小説版があり、それらはだいたい同じだが微妙に異なっていても良い。その違いを許容するのがマルチバースの多重性でもある。つまりマルチバースは一つの物語の中にさまざまな物語を内包すると同時に、一つひとつの物語さえもが多重化されているのだ。マルチバースという言葉は一〇〇年以上前から存在するが、この言葉がコンテンツ・メディアに登場するのは科学技術番組を除けば一九八〇年代のことである。それ以来、マルチバースにタグ付けられる映像作品は年に一、二件から数件のみであったが、二〇一三年頃より増減をくり返し、一八年から二二年には毎年二〇件前後を記録している（図3）。

マルチバースという言葉は物理学の中でも宇宙論から来ている。宇宙論とは大きなスケールで時空を研究する分野であり、マクロなスケールの物理学である一般相対性理論を主軸として、時空そのものの発展を研究する学問である。その中から、我々の宇宙だけではなく、他のさまざまな宇宙の存在が示唆される。この多元的宇宙論をマルチバース理論と言う。一方で量子力学の多世界解釈、つまり事象の状態が一つに決まらず複数の状態を持つことの意味を、平行に幾重もの宇宙が存在すると解釈したものを平行世界（パラレルワールド）と言う。マルチバースはまったく無関係な世界の乱立さえ許すモデルであることに対して、平行世界は一つの世界から微細な違いによる変奏曲（バリエーション）を許容する理論である。

マルチバースに分類される作品は二種類存在する。一つは作品世界そのものがマルチバースになっているものである。たとえば『スタートレック ディスカバリー』（二〇一七）はマルチバース（鏡像世界）と現実世界の双方で物語が展開する。『ドクター・ストレンジ／マルチバース・オブ・マッドネス』（二〇二二）はマルチバースを舞台にするアクション映画である。『エブリシング・エブリウェア・オール・アット・ワンス』（二〇二二）はマルチバースが設定に深く組み込まれており、マルチバースを行き来しながら家族愛を取り戻す話である。

もう一種としては、一連の作品群を以てマルチバースと呼ばれる場合がある。たとえばマルチバースの典型例として『スパイダーマン』がある。すでに原作から長い歴史を経ているこのシリーズは原作コミック、度重なる映画、派生コミック、ゲームなど多岐にわたり、物語の統一性が失われて久しい。そのため、これらの総体を世に向けて統一的に提示する言葉が必要であった。「スパイダーマン・シリーズ」ではない、これら分立する物語群を許容し、また将来に対しても分化していくことを是とする言葉が必要だったのだ。それがマルチバースである。

マルチバースは商業的な色彩の濃い標語である。それは時に作品の広がりと多様性を示す言葉として用いられる。『スパイダーマン：スパイダーバース』（二〇一八）、『スパイダーマン：アクロス・ザ・スパイダーバース』（二〇二三）はそんなスパイダーマンのマルチバースから各主人公が集結するタイトルであり、それぞれの映像表現の絶妙な混ざり具合がビジュアルの面からも評価されている。『アベンジャーズ』はマーベルの歴代のヒーローキャラクターを集結させた作品であり、公式には「マーベル・シネマティック・ユニバース」（Marvel Cinematic Universe、MCU）と呼ばれる。コミック『アベンジャーズ』（一九六三）に端を発するヒーロー集合ものは、二一世紀に入って個々のヒーローの映像群としてリリースされ、『アベンジャーズ』（二〇一二）から『アベンジャーズ／エンドゲーム』（二〇一九）まで展開された。『アベンジャーズ』は作品内の設定としてもマルチバースであり、また作品群という意味でもマルチバースである。これがそれぞれの物語の接合のしやすさと、コンテンツの柔軟性を支えている。

8 「異世界転生もの」と「マルチバース」の比較

日本は「異世界転生もの」、アメリカは「マルチバース」が多く流行となり受け入れられた。混沌とした現実に向き合う態度において、向き合えない日本、逃げられないアメリカ、世界から逃避あるいはリセットするか、多様性によって克服するのか、この対比は各国の現代のリアリティの不

	異世界転生もの	マルチバース
主な流行場所	日本	米
現生	現生をリセットして異世界へ	現生から様々な宇宙を旅する（向き合う）
次の世界	異世界は人生「やり直し」の世界	別宇宙は現実の別の可能性を見せる
世界の数	一つ（異世界）	多数（マルチバース）
能力	新しく獲得することが多い	変化なし
世界の状態	一つの世界の中でのドラマ進行	マルチバースが調和する方向へ
現生への帰還	まったく興味なし	なんとか模索
世界観	一つのローカルな世界観（ファンタジー）	グローバルな多様性（社会的な問題などを内包することもある）

表4 「異世界転生もの」と「マルチバース」の比較

安定さをあらわしている（表4）。

川端康成は「美しい日本の私」と言い、大江健三郎は「あいまいな日本の私」と言った。しかし現代を象徴するのは「浮遊する日本の私」である。現代のニュースのみならず、歴史的な事実さえ、その成否が議論され宙に浮かんでいる。そのような世界の中で生きる日本人は、わりきれない現実感を確定した物語で上書きしようとする。「異世界転生もの」は現実世界をリセットし、そこまで遠くない適当な「中世ファンタジー風ゲーム世界」に遊ぶことによって、不安で曖昧な浮遊感から逃れようとするスキゾフレニーな行動でもある。「異世界転生もの」の異世界は多くの場合、設定や能力までが厳密にルール化・数値化された確定した世界であり、その約束された展開に受け手は安心感を持つ。あるいはパズル的な謎解きに感嘆する。複雑化し自分の物語を作りにくい世の中にあって、ルールが敷かれ整理された物語を日本人は選び続けている。ここには逃避的な世界に遊びながらも、それを現生と釣り合わせる日本人のバランス感覚が現れている。

一方、マルチバースは一つの物語を次々と分裂させていくが、分裂させながらも一つの物語としてそれらを繋ぎとめようとする。それは多様性を重んじるアメリカ社会の気質を示しているように思える。さまざまな民族や社会を内包する問題を抱えながらも、その多様性の中に希望を見出そうとする姿勢は多くの人に受け入れられている。アメリカには日本のように転生や桃源郷といった共有できる文化が少ない。一つの世界の中に、さまざまな問題を内包せざるを得ない。逃げることができずさまざまな問題を内包した物語は、必然、分裂せざるを得ない。そういった過剰なエネルギーや問題の集合として、マルチバースという設定は広く受け入れられるようになったと推測する。

9 謎解き「異世界転生もの」

最後に、これまで提示した「異世界転生もの」の二つの謎について考察したい。

一つ目の謎は、異世界転生ものはなぜ現生への帰還を考えないか、である。物語の展開が「行きて帰りし物語」であるとするならば、「異世界冒険もの」のように主人公は帰らなければならない。しかし転生した多くの主人公はそんなことを考えない。それでも物語は続いていくし、なんなら、完結しなくても構わないのである。これは立身出世物語の構成と似ている。不遇な時代から、栄光と栄華をつかむまでの『フランクリン自伝』(一七九一)のような立身出世物語は、もちろん栄華を極めたからと言って不遇な時代に戻る必要はない。同様に、異世界で栄華をつかんだからと言って現生に戻る必要はないのである。「戻らなくていい世界」であることの理由は、「異世界」が現実からリセットされた「やり直しの世界」だからである。異世界冒険ものの異世界は現実の主人公の生の延長にある。だから現生へ帰る必要がある。そこにあるのは移動であって転生ではない。リセットでもない。しかし異世界転生ものの冒頭で描かれる現生における主人公の死は、現実からリセットされたことを表現する描写なのである。

二つ目の謎は、なぜ転生する先の異世界の多くが「ゲーム世界」であり、パラメーターやステータス付きのインターフェースが表示されるのか、またそうでなくてもレベルアップやステータス異常などゲーム的設定がなされていることに、主人公は違和感を持たないのか、である。もしデジタルゲームをプレイしたことがない人が、異世界転生ものでいきなり敵の体力や属性が文字で表示されるのを見たら違和感を持つだろう。とすると、消極的な理由としては「デジタルゲームの経験から異世界が発想されている」からだろう。しかし、なぜ、それが広く受け入れられているのだろうか。

たとえば『指輪物語』(一九五四)の世界がゲーム世界であったらおかしいだろう。せっかく異世界へ行くのに、なぜ転生先の多くがゲーム世界でなければならないのだろうか。一つの積極的な答えとしては、読者・視聴者が本当にゲーム世界に転生したがっている、ということがある。ゲームをしていた幸福な時間、自分が主人公であり、ヒーローであって、その世界の住民から尊敬を集められる世界、そうでなくても、長時間の努力の末に確かな達成が得られる世界、そういった世界で生きたい、ということだ。消極的な理由としては、当面、理想とする世界がゲーム世界しか考えられない、ということがある。ルールが敷かれ、すべてが整理されており、一つひとつの行動に意味が定義されている世界。そんな世界はぱっと思いつく限り、ゲーム世界以外にはないし、理解もしやすい。だからゲーム世界を転生先の理想世界として設定する。おそらくゲームを普段プレイしない人を含めて異世界転生ものは受容されているのであるから、こういった消極的な理由もあるだろう。

さらに考察すれば、繰り返されるゲーム世界への執着は、むしろゲーム世界への欲求として見えてくる。積極的な言葉で言えば、現実をデジタルワールドで置き換えたい、というゲーム世界への没入の欲求のあらわれであり、消極的な言葉で言えば、現実から逃避してゲーム世界で遊んでいたい、逃避先としてゲーム以外想定できない、という事情である。つまり、ゲーム世界はもっと人々を魅了し、受け入れ、そこで暮らしていけるほど充実した世界になれ、という人々の欲求なのである。デジタルワールドで暮らすという、『マトリックス』(一九九九)、『ゼーガペイン』(二〇〇六)、『ソードアート・オンライン』的な世界のユートピア版を夢想している、ということでもある。それは現在の社会を、デジタル世界を原理として動かそうとする「メタバース」への欲求に通じるものがある。そしてデジタル世界であれば、その人それぞれの好みの世界で良い、というわけである。

『宇宙戦艦ヤマト２２０５ 新たなる旅立ち』(二〇二二)では、現実世界から仮想世界へ引きこもってしまったイスカンダルの人々のことが語られる。文明の果てに物理世界を捨てて、電子仮想世界へ旅立っていき、好きな世界で永遠に生きようとする人々。そんなイスカンダルの民と異世界転生ものには近しい欲求を感じる。

10 「異世界転生もの」の向こう側

「異世界転生もの」の背景には、現実世界から逃避する消極的な理由にせよ、デジタル空間での人生を歩みたいという積極的な理由にせよ、デジタルワールドでの生活への強い執着を見ることができた。

これからデジタルワールドはオンラインゲームを超えて、メタバース、そしてスマートシティとの融合によって、現実世界との融合へと向かうだろう。そもそもデジタルワールドは一つではない。そこでは「マルチバース」のように複数のメタバースが展開される。『ガンダムメタバース』（バンダイナムコエンターテインメント、二〇二四年三月までに第二回限定オープンが実施されテスト中）に遊ぶ人もいれば、『フォートナイト』（エピックゲームス、二〇一七）で戦う人もいれば、『Roblox』（Roblox、二〇〇六）で創造し続ける人もいれば、『EVE Online』（CCPゲームス、二〇〇三）の宇宙で貿易を続ける人もいるだろう。人類はデジタルワールドを動かしながらも、現実世界をスマート化していく。場所の意味は次第に消え失せ、デジタル世界と物理世界の融合がスマートシティとして実現されていく。逆にデジタルワールドが現実の場所に意味を与える。これはすでに位置情報ゲームがもたらしていることでもある。

今、多くの人々が魂の避難所を求めるかのように異世界での生活に思いを馳せている。この動きはいつしか逆転し、異世界から物理世界を変革する動きへと転化すると予想される。これからの人生は物理世界とデジタルワールド双方にまたがって行われる。それは『PSYCHO-PASS サイコパス』（二〇一二）がまずディストピアとして見せたドラマの、より落ち着いた当たり前のデジタル物理融合世界となるだろう。そんな世界を描くコンテンツがこれから人々に求められるだろう。

ここで取り上げた作品（『　』の付いた作品）のリリース年については、連載開始ではなく、単行本としてまとめられ刊行された年を記載した。

本章をまとめるにあたり、作品群とその内容について、たくさんの方から示唆を頂きました。竹内ゆうすけ様、小松菜屋様、玉井建也様、長友結希様、谷澤正憲様、川野翔馬様に深く御礼申し上げます。

本章で取り上げた作品リスト

年代（初出）	作品名	ジャンル	製作者（小説は作家、イラストレーターの順）	パブリッシャー
平安時代	竹取物語	小説	作者不詳	作者不詳
1304	神曲	小説	ダンテ	
1791	フランクリン自伝	自伝	ベンジャミン・フランクリン	
1808	ファウスト	戯曲	ゲーテ	
1865	不思議の国のアリス	小説	ルイス・キャロル	
1950	ナルニア国物語	小説	C・S・ルイス	HarperCollins
1958	トムは真夜中の庭で	小説	フィリパ・ピアス	岩波書店
1963	アベンジャーズ	コミック	スタン・リー、ジャック・カービー	マーベル・コミック
1984	聖戦士ダンバイン	アニメ	日本サンライズ	創通・サンライズ
1988	黄金拍車	小説	王領寺 静・安彦良和	角川書店
1988	源氏	コミック	高河ゆん	新書館
1989	天空戦記シュラト	アニメ	タツノコプロ	創通・タツノコプロ
1989	魔神英雄伝ワタル	アニメ	日本サンライズ	サンライズ・BNF
1992	ふしぎ遊戯	コミック	渡瀬悠宇	小学館
1992	十二国記	小説	小野不由美・山田章博	新潮社
1993	魔法騎士レイアース	コミック	CLAMP	講談社
1996	天空のエスカフローネ	アニメ	サンライズ	サンライズ
1997	少女革命ウテナ	アニメ	ビーパパス、J.C.STAFF	テレビ東京、読売広告社
1998	ブギーポップは笑わない	小説	上遠野浩平・緒方剛志	電撃文庫
1999	マトリックス	映画	ヴィレッジ・ロードショー・ピクチャーズほか	ワーナー・ブラザース
2003	涼宮ハルヒの憂鬱	小説	谷川 流・いとうのいぢ	角川スニーカー文庫
2003	テイルズ オブ シンフォニア	ゲーム	ナムコ・テイルズスタジオ	バンダイナムコゲームス
2004	ゼロの使い魔	小説	ヤマグチノボル・兎塚エイジ	MF 文庫
2006	ゲート	小説	柳内たくみ・Daisuke Izuka 黒獅子	アルファポリス
2006	Roblox	メタバース	Roblox	Roblox
2006	ゼーガペイン	アニメ	サンライズ	テレビ東京、電通、サンライズ
2006	狼と香辛料	小説	支倉凍砂・文倉十	電撃文庫
2009	ソードアートオンライン	小説	川原礫・abec	電撃文庫
2010	まおゆう魔王勇者	小説	橙乃ままれ・水玉螢之丞・toi8	エンターブレイン
2011	DOG DAYS	アニメ	都築真紀・セブン・アークス	アニプレックス
2011	アウトブレイク・カンパニー	小説	榊 一郎・ゆーげん	講談社
2012	イクシオン サーガ DT	アニメ	カプコン、ブレインズ・ベース	イクシオン サーガ DT 製作委員会

2012	PSYCHO-PASS サイコパス	アニメ	Production I.G	サイコパス製作委員会
2012	アベンジャーズ	映画	マーベル・スタジオ	ウォルト・ディズニー・スタジオ・モーション・ピクチャーズ
2013	この素晴らしい世界に祝福を！	小説	暁なつめ・三嶋くろね	角川スニーカー文庫
2013	ナイツ & マジック	小説	天酒之瓢・黒銀	主婦の友社
2013	盾の勇者の成り上がり	小説	アネコユサギ・弥南せいら	MF ブックス
2013	本好きの下剋上	小説	香月美夜・椎名優	TO ブックス
2013	スパイダーマン：アクロス・ザ・スパイダーバース	映画	マーベル・エンターテインメント ほか	ソニー・ピクチャーズ
2014	Re: ゼロから始める異世界生活	小説	長月達平・大塚真一郎	MF 文庫 J
2014	無職転生	小説	理不尽な孫の手・シロタカ	MF ブックス
2014	転生したらスライムだった件	小説	伏瀬・みっつばー	マイクロマガジン社
2014	勇者が死んだ！	コミック	スバルイチ	裏少年サンデーコミックス
2015	異世界はスマートフォンとともに。	小説	冬原パトラ・兎塚エイジ	HJ ノベルス
2015	ありふれた職業で世界最強	小説	白米良・たかや Ki	オーバーラップ
2015	異世界食堂	小説	犬塚惇平・エナミカツミ	ヒーロー文庫
2016	痛いのは嫌なので防御力に極振りしたいと思います。	小説	夕蜜柑・狐印	カドカワ BOOKS
2016	異世界でやきたてパン屋を始めました	小説	弘松涼・秋山真名美	マイナビ出版
2016	異世界薬局	小説	高山理図・keepout	MF ブックス
2017	この勇者が俺 TUEEE くせに慎重すぎる	小説	土日月・とよた瑣織	カドカワ BOOKS
2017	フォートナイト	メタバース	Epic Games	Epic Games
2017	異世界のんびり農家	小説	内藤騎之介・やすも	KADOKAWA
2017	スタートレック ディスカバリー	放映シリーズ	CBS ほか	CBS
2018	異世界おじさん	コミック	殆ど死んでいる	MF コミックス
2018	真の仲間じゃないと勇者のパーティを追い出されたので、辺境でスローライフすること	小説	ざっぽん・やすも	角川スニーカー文庫
2018	スパイダーマン：スパイダーバース	映画	マーベル・エンターテインメント ほか	ソニー・ピクチャーズ
2019	アベンジャーズ / エンドゲーム	映画	マーベル・スタジオ	ウォルト・ディズニー・スタジオ・モーション・ピクチャーズ
2021	宇宙戦艦ヤマト 2205 新たなる旅立ち	映画	サテライト	宇宙戦艦ヤマト 2205 製作委員会
2022	ドクター・ストレンジ マルチバース・オブ・マッドネス	映画	Marvel Studios ほか	ディズニー
2022	エブリシング・エブリウェア・オール・アット・ワンス	映画	IAC フィルムズ・AGBO hoka	A24・ギャガ

第12章　自分だけの箱庭があるということ
——ゲームの世界とケア

1　「デジタルゲーム」と「ケア」

一個人の人間から見れば世界は矛盾に満ち、不完全であり、暴力に溢れている。そのような世界で人はいかに生きるべきなのかという問いは、現代の誰もが背負うべき課題である。我々がそこに生まれた意味を知り、安全な居場所を得て、少々傷つきながらも平和に毎日を生きる希望を十分に得られるなら素晴らしいだろう。しかし誰にでもつらい日々が続いたり、なかなか癒えない傷を抱えたり、不安の中で過ごす必要に迫られる時期というものがある。

エンターテインメントは、そのような日々の苦しさを人間自身の手で和らげるために存在する。なかでもデジタルゲームは、現実とは異なる物語の中に身を置くことによって、束の間でも重い荷物を降ろし、違う自分になって冒険させることで、新しい活力が得られるもう一つの世界を提供する。それは疲れきって危険な状態にある自分を守る、一時的な避難場所でもある。

人間は生まれながらにして現実と空想という二つの世界を与えられている。どちらも豊饒な世界であり、この二つを開拓することで我々の精神はより豊かになっていく。その相互作用こそが人類を進化させてきたとも言えるだろう。空想世界の開拓は、さまざまな芸術やエンターテインメントが担っているが、ゲームが他のメディアと異なるのは体験を与えるところだ。ゲームは受け身ではなく主体性を必要とする娯楽である。でも現実世界に疲れきってもうどこにも力が残っておらず、どう立ち上がったらいいのかさえわからないような状況で、自らの意思で参加を求めコントローラーを押させるなんて、ひどい、あるいは面倒くさいと思われるかもしれない。しかし物理学者のアインシュタインには次のような言葉がある。

人生は自転車に乗るようなものだ。バランスを保つためには、進み続けなければならない[1]（Life is like riding a bicycle. To keep your balance, you must keep moving.）

部屋の中でじっとしている、布団から出たくない、外の恐ろしい世界に触れたくない……。人はそういう気持ちになることがある。しかし、じっとしていることが一番楽でも、安全なわけでもない。「じっとしている」というのは、バランスが崩れたまま倒れていることでもあるからだ。そんなときにいきなり身を起こし、日常の中で活動などできない。デジタルゲームはそうした現実の手前にある緩衝地帯である。生活の負のスパイラルを正のスパイラルへ変換するための装置なのだ。

デジタルゲームは身体的運動をほとんど必要としない。指先だけでゲームの中にいるキャラクターの身体を動かすことができる。手指がうまく使えない人は特殊なコントローラーを利用する、既存のコントローラーを改造して足や肘・膝でプレイすることも可能である。そして何より、ゲームはやめたければいつでもやめていいし、またやりたくなったらやればいい。ゲームはいわば人が主体的に世界に関わっていくため、主体性を取り戻すためのリハビリのようなものだ。

デジタルゲームというものは続けて遊べるように面白くつくってある。一つひとつの作業をこなしていけば誰でもゲームを進行できる。玄人《くろうと》向けの難しいものもあるけれど、たいていはゆっくりとステップアップしていける学習カーブが仕組まれている。現実世界と違いゲームの中では努力が必ず報われる。ゲームはそんな「優しい世界」である。充実した現実と空想の世界を生きるために大切なのは、自分に合ったゲームを選ぶことであり、映画や小説と同様、心にフィットするゲームが誰にも必ずある。

デジタルゲームの開発者の嗜好もまた人それぞれだが、みんな一度はゲームをすることで幸福になったことがある人間ばかりだ。そのときの経験や感覚を多くの人々と共有したいと思って彼らはゲーム開発者になった。過去につくられた膨大な数のゲーム一つひとつに、そうした「人を喜ばせたい」という思いが込められている。ファンタジックなゲームにせよ、ホラーゲームにせよ、パズルゲームにせよみんな同じであり、異なるのは心のツボを押す場所だけだ。

2　意識と世界とデジタルゲーム

我々の自我は世界とともにある。自我は世界の一部でもあり、我々が捉えている世界は自我が感覚から得た情報・刺激をもとに再構成されたものでもある。世界と自己には双対性があり相補的な関係を持っている。つまりお互いなくしては成立し得ない存在なのだ。我々が新しい感受性をもってすれば、新しい世界を見つけることができ、逆に世界の新しい側面が人間に新しい感覚を開かせる。このことを一八世紀の詩人ゲーテ（一七四九―一八三二）は次のように言った。

人間は世界を知る限りにおいてのみ自己自身を知り、世界を自己の中でのみ、また自己を世界の中でのみ認識する。いかなる新しい対象も、深く観照されるならば、われわれの内部に新しい器官を開示するのである。（「適切な一語による著しい促進」『ゲーテ全集一四』木村直司訳、潮出版社、二〇〇三）

しかし、ときに自我と世界は不調和になる場合がある。一方的に起こる世界の急激な変化や、我々自身の内面的な変化、あるいは思わぬ事件やイベントに直面するなど、さまざまな理由からだ。我々は世界を愛し、憎み、そこで笑い、泣きながら過ごしていく。そしてその世界から少し逃れたくなったとき、映画や小説やゲームに遊び、人間に与えられた現実とは違うもう一つの物語の世界へ赴いて、帰還するのである。そうすることで自分と世界の関係がリフレッシュされる。登山や冒険やお祭りなど、娯楽とはすべてこのような「行きて帰りし物語」なのである。

一見、自己と世界は分かれているように見える。しかし、自分の意識は世界を素材として造り上げられている。今日一日の自分を振り返ってみれば、具体的な物事が思い浮かぶだろう。一瞬ごとの自分の意識とは、常に「何か」についての意識である。読んでいる本、眺めている携帯、キーを打っているパソコン、ぼんやりと眺める遠くの風景など、「意識は常に何かについての意識」なのである。

現象学という哲学では、これを「意識の志向性」と呼ぶ。志向性はもともと、フランツ・ブレンターノ（墺、一八三八―一九一七）が心理学の中で提唱し、現象学の創始者であるエトムント・フッサール（独、一八五九―一九三八）が自身の哲学の中心に据えた重要な概念である。人は部屋に閉じこもっていると、限られた空間が自分の意識をうずめてしまい、多様な運動が難しくなる。反対に、外を歩いているときには、とくに迷子になったりすれば、新しい風景が次々に現れて意識が多様化しフル活動する。たとえ身体を動かせなくても、映画を見たり、本を読んだり、ゲームをしたりと、意識を別のもので構成することができる。

先ほど、ゲームとは努力が報われる世界であり、それは精神のリハビリに近いものだと言った。現実がうまくいかず行き詰まり、心がプレッシャーでたわんだときには、ゲームの中に入り、世界との関わりをもう一度模索するといい。そのうち自分のペースを徐々に取り戻す。やがてはゲームに飽きて現実に戻っていく。そこでゲームをやめてしまう人はそれでもいい。その人がある時期を乗りきるためにゲームを必要としたのであれば、たとえゲームのストーリーがすべてクリアされなくても、その人の役に立ったわけであるから。

ある時期、あるゲームがその人の意識を一杯にした。彼はそれによって次の現実へ立ち向かう力を得た。それで良い。また苦しい時期が来たとき、ゲームはその人を支えるために待っている。ゲームはそのように一人ひとりのためにつくられたものである。そうやってゲームは人とその意識を支えている。

3　ゲームのエッセンス

ここでゲームの具体的な効用について解説してみよう。ゲームがユーザーに与えるものは、ユーザーを包み込む優しい世界である。それがどんなに恐ろしく見えても、その世界はユーザーのためだけにつくられた世界である。設計者は「思いやり」をもってその世界を構築している。

その世界ではもしユーザーが望むならば、ある役割を与えられる。そして身体と行為を得て、ユーザーはいわばゲーム世界の中で再生する。再生した空間の中でユーザーは自由に動き回ることができる。ゲーム世界が仕掛ける試練を乗り越えると、そこではゲーム設計者からの感謝がいろいろな形で提供される。音楽、映像、メッセージ……。

ゲーム設計者から見た場合、ゲーム世界はユーザーと設計者の「箱庭」である。残念ながら、設計者とユーザーが世界をともにつくることはできない。設計者がつくった世界にユーザーが参加する。山をつくり、野原をつくり、谷をつくり、空を描き、土を描き、ドラゴンや敵兵を配置する。それらを総合してユーザーのための試練をつくりだす。試練を経ることでユーザーの中にある変化を起こすこと、それがゲームの目的である。あるいは、単に楽しませること。それはあらゆる芸術がそうであるように、容易なことではない。

ゲームが簡単だとか難しいとか、そういうことではなく、ユーザーが今、真に求めている試練、その試練を経ることで自分の中で無意識に、本当に望んでいる変化をもたらすこと。それが現代においてゲームに求められている深層である。それは広い意味で「ケア」と呼んでもよいのではないか。

たとえばあるロールプレイング・ゲームでは、あなたは勇者であると知らされる。そして世界を滅ぼすドラゴンを倒す剣を、海の果てで手に入れてほしいと言われる。それができるのはあなただけで、他に頼める相手はいない。だから焦らなくていい。いろいろなヒントや手助けが世界の各地にちりばめられており、あなたがあきらめずに進む限り、たくさんの情報や助けが手に入り、導かれるようにその剣を手に入れることができる。そして、ドラゴンを倒し、あなたは出発点である城に戻ってきて祝福を受ける。

これはあなたのために準備された物語であり、それ以外の何物でもない。現実がそうであってほしい姿、そして現実で自分がそうありたい姿を、ゲームは実現する。そうありたいのは現実であってゲームではない。ゲームをクリアすることは現実ではいっさい役に立たない。しかし、絶望と世界の間にこのようなゲームがある限り、ユーザーは何度も自分が望んでいる世界と自分のイメージをゲームの中で確かめることができる。

大袈裟なゲームでなくても良い。たとえば『ぷよぷよ』(セガ、コンパイル、一九九一―)は三〇年以上も大人気のパズル的なゲームである。上から色とりどりの「ぷよ」を落として、四つ同じ色をつないで消していくのである。最初はなかなかつながらない。しかし次第にコツをつかんでつなげられるようになる。ところが、ゲームは「ぷよ」が落ちて来るスピードを上げて難しくする。ゲームのスピードについて来られたら勝ち、来られなければ負け。これはとても単純な試練だ。そして何度でもやり直すことができる。その挑戦と達成の中で、ユーザーは自分とゲームの間にあるリズムを実感する。それは本来、現実世界と自分が構築すべきリズムだ。ゲームはそのような現実におけるリズムをもう一度構築するための、現実世界への助走の役割を果たす。

このようにゲームは世界と自分が再び関係を築くための手助けをする。だからゲームはいつか飽きられる。そして、ユーザーは現実に新しい力とともに再生する。

4　物語とケア

人間は誰しも、多かれ少なかれ自分というストーリーなしに人生を生きられない生き物である。物語は大いに人を励まし、そして生きる意味を与えるものでもある。しかし物語は同時に、人を縛り視野を狭くするものでもある。自分のつくったストーリーの中で人は喜び、苦しむ。自身がそのストーリーの主人公だと思っていたら、ある日突然、端役に過ぎなかったと気づくこともあるだろう。そこに嫉妬やコンプレックスが生まれる。

そうして一つの自分の物語が朽ちてしまったときに、人はもう一度自分のストーリーを新しく再生する必要がある。しかし、これはなかなかできることではない。多くの人々は古くなってしまったストーリーから抜け出すことはできず、どれだけ苦しんでもその物語を貫きたいと思う。なぜなら、その人にとって人生とは一つの物語でなければならず、苦しくなったからといって「はいそうですか」とそれを忘れ、次の物語を継ぎ足して生きるわけにはいかないからだ。

ではどうすればいいのか。新しい物語と古い物語を統合するしかない。そのために必要なのは新しい希望であり、それが新しい物語をつくる源泉になる。しかし、実際は簡単ではない。物語がないから希望がなく、希望がないから物語がない。希望と物語は常に同時に生成されるものだからである。人生の移行期には、この二つの関係がなかなか見出せず、希望のないまま物語を渡らねばならないときもある。

希望のない物語に必要なものはユーモアである。そこには小さな物語がある。たとえば落とし物をしたたぬきのために一緒に探し物をしてあげてもいいし、迷子になったリスのためにお母さんを探してあげてもいい。あるいは魔王によって崩壊しそうな世界を勇者となって救ってあげてもいい。ゲームであればどんなに落ち込んだときでも、立ち上がる力さえなくても寝転がって手先だけでプレイすることができる。

ゲームは希望のない時期にその暗闇を抜けるトンネルでもある。毎日の活動に疲れたら、ゲームの中を進んでみるといい。現実の希望がすぐに見つかるわけではないし、二年後、五年後のことになるかもしれない。しかし、ゲームは現実の中で人を励まし、たとえ先を見通せなくても盲目的に前進するための助走をつけてくれる。毎日仕事でへとへとになっていても、ゲームのおかげでせめて一日分の力が与えられる。

小説家の村上春樹の文章に、以下のようなくだりがある。

僕は小説を書くのはビデオのロールプレイングゲームに似ていると思うのです。つまり次に何が画面に出てくるかわからなくて、いつも意識をニュートラルに集中し、ボタンの上で指を柔らかくしておいて、画面に出てきた予期せぬものに対して、さっと素早く対処しなくてはならない。そして多くの場合、その対応のスタイルの中に、僕にとっての小説的な意味が含まれているわけです。でも小説を書くことがゲームセンターのロールプレイングゲームと決定的に違うところは、自分が直面しているそのプログラムを作っているのが自分自身だということですね。自分でプログラムを作りながら、なおかつ同時に自分がそのプレイヤーでもある。そして自分がゲームをプレイしているときには、自分がゲームをプログラムした記憶は完全に失われている。右手のやっていることを左手が知らず、左手がやっていることを右手は知らない。それが僕にとっての究極のゲームであり、自己治癒だという気がします。実際にやってみると、すごく難しいことですが。
（河合隼雄・村上春樹『村上春樹、河合隼雄に会いにいく』新潮文庫、一九九八）

自ら物語をつくりながら自身のある部分を集中的にケアすること——それはご本人も語るようにとても難しいことであり、プロの小説家だからこそできる話だ。一般の人々は、そうして作者が生み出す物語を介して、ケアのプロセスを共有する。ゲームもまた深い物語を内包するようにできていて、ユーザーは自分に合う物語を選び、その中で主体的にゲームをプレイすることで自身の心のケアを行うことができるのである。

5　時間の把持する未来と過去

誰もが自分の人生の物語をよくしたいと思いながら行き詰まることがある。そんなときに、人は過去の記憶をたぐりよせて新しい希望を見つけようとする。もちろん、そうして何かを見つけられる場合もあるだろう。しかし問題はその視線の方向である。現在から過去への旅は自分の過去をどこまでも遡ることとの連続である。でもそこに本当に欲しいものがあるのだろうか？

過去のある時点を思い浮かべてみよう。周囲にあった物、人、場所……。懐かしい郷愁が無限にある。だけどその時点には、そこから見た過去と未来が存在したはずだ。「そのとき」に抱えていた過去と、「これから」来る未来への期待が。そして人が過去へ旅する中で本当に手に入れたいものというのは、その時に見ていた未来のほうではないのだろうか？

登山では、山頂に近づけば近づくほどその頂が見えなくなる。仕事の大きなプロジェクトや、長い人生でも同じではないか。近づけば近づくほど目的地が不明瞭になり、そこにたどり着くよりも先に挫折し、自身の旅路を止めてしまうことがある。そんなとき最初に山のふもとから見た景色を思い出すことができれば、未来に向けて思い抱いていた自分自身の気持ちを取り戻すことができる。

現象学には、「把持」という概念がある。把持とは「しっかりと握り持つ」という意味だが、現象学では「その時々が固有の過去と未来を持っていること」を表している。たとえば山を登る前に頂上を見たときの高揚感や、これまでの準備に苦労した過去が、その瞬間に「把持」されている。コンサートを観に行く日のワクワクした気持ちと、チケットを取るために重ねた苦労を、これから出かけようとしている「時」は把持している。大学に入学した四月の日々は未来への予感に満ちつつ、同時に受験の苦労を乗り越えてきた過去の把持がある。

このように過去への旅は想い出を集めるだけではなく、それぞれの時間に見えていた未来を回収する旅でもあるのだ。今では潰《つい》えてしまったか、未熟なまま消えてしまった未来もあるかもしれないけれど、単に忘れているものもあるだろう。それらを集めてもう一度今の希望とすることができるはずである。

ゲーム開発のマップ設計では、ところどころにマイルストーンとなる地点を設定する。長いダンジョンの場合なら途中でちょっと屋外に出て展望がひらける場所、たとえば行く先であるお城が見える場所をつくっておく。そうするとプレイヤーはそこへたどり着いたときに、これまでの戦闘の苦労と、これから待ち受ける大きな物語を予見し胸を膨らます。ゲームにおいて場所は場所ではない。一つの場所は意味を持ち、これまでの過去とこれからの未来が把持されている場なのだ。そして人生においてもやはり、それぞれの時間というのはそこから見える未来と過去を把持している時なのである。

6　身体と心のケア

身体はこの宇宙で最も複雑なシステムである。人間や哺乳類の身体はまだ探求し尽くされていない。そのすべての機構、脳の神経回路を解明するには一〇〇年単位の時間が必要であろう。我々はまるで一つの森のようであり、身体という土地に神経を張り巡らせ、世界から呼吸し発展し続けている。

我々はこの身体が生み出す意識でもある。森を支える身体は我々の意識的自我とは関係なく世界に根付いており、意識が眠っている間にも世界と相互作用を続け、食べ物を消化し、排泄を促し、肺や皮膚を通してたえず呼吸を続けている。海に潜って海底にたくさんの生物やサンゴやワカメが群生している様子を見たことはあるだろうか。筆者にとってその光景は、美しくも恐ろしい生命の底知れぬ息吹を感じる瞬間だ。我々の身体もまた測り知れない深淵を持つあの海底のように、恐ろしくも力に満ちた生命である。そのような意識をつくり上げている身体という海底世界の全貌を、我々はまだ知らない。

自分の身体のことは自身がいちばんよく知っていると考え、自分の身体を完全なる所有物として思い込むことは容易だ。しかし同時に、それは自身の身体を蔑ろにする危険性もはらんでいる。それは「自分のものなのだから好き勝手をしてもいいだろう」という理屈である。

しかし、身体は自分のものであると同時に、世界に属するものである。身体をテーマに哲学を展開した世界的な現象学者モーリス・メルロ＝ポンティ（一九〇八―一九六一）は、「身体は両義性をもつ」と言った。それは「身体は主体であると同時に対象である」ということである。自分の手で自分の腕を握るとき、腕は自分自身であると同時に、自分から握られる対象でもあるからだ。自分の足を見るとき、足は見る対象であると同時に自分自身でもある。

身体とは現象である。心がそうであるように時々刻々と変化していく。そして身体のさまざまな部分は世界のさまざまな部分と相互作用している。同様に我々の心もまた一つではない。我々の心のさまざまな部分が、世界のさまざまな部分と相互作用している。しかし我々はそのことに対しあまりに無自覚・無意識でいるようにできている。それは意識の統一性を保つためだ。身体と心の内部にあるさまざまな部分が世界と常にコミュニケーションを交わしていることや、意識という柔らかいものが、身体と心のそうした逞しく自律的な力の上に成り立っていることについて、我々はあまりに無知なのである。これを華厳哲学では「すべてのものが響き合って存在している」と説く。我々の身体と心もまた、世界の諸要素と響き合いながら存在しているのだ。

7　内なる世界と外なる世界

我々の内なる力は意識よりもずっと逞しい。その力を取り戻すことができれば、我々はつまずこうとも傷つこうとも前へ進むことができる。この内なる野生、内なる自然、我々自身であるところの森は、巨大かつ複雑なネットワークとして世界に深く根ざしている。

ゲーム開発を通じ人工知能をつくっていると「人間は身体によって世界に根を張っている」ことを実感する。まるで動く植物のように、我々は身体を通じて空間の中に息づいている。胃や腸で貪欲に食物を消化し、肺から酸素を取り入れ、感覚器官を使い情報を集めなら、身体は世界に深く根づいている。この表現もまたメルロ＝ポンティの言葉である。人間のような身体を持たない現在の人工知能は、世界とのつながりが希薄な乾いた単機能のアルゴリズムでしかない。世界全体を受け止める身体がなければ世界を生きることができないのである。

世界は未知なる驚異に満ちた存在だ。そして、我々の身体もまたその未知なる驚異に満ちた小宇宙である。そこには心があり、意識があり、我々が見ているものは世界と森の間で繰り広げられるさまざまな現象だ。我々という森は常に積極的に世界と関わろうとしており、意識とはその関係性を映す鏡である。我々は世界と内面の対応によって拓かれた関係性の集合を意識している。「意識こそは自分自身の王様」であるように思えるが、実はそうではない。我々の内側にはもっと貪欲に「生きたい」と願う主体がいて、意識というものはその主体の表面に過ぎない。

心のケアとは、その主体と世界との関係を取り戻すこと、つまり外なる世界と内なる主体、我々にとってどちらも深淵な存在である森同士の関係を取り戻すことである。哲学的に言えば二つの超越同士をつなぐこと、現象と現象を合わせることである。我々の内なるものでありながら、我々自身が把握しきれていない力動を再び世界とつなぐことで、新しく雄々しい河として我々は再生する。何度でも内面から世界へと雄々しく流れる河として。

作家ヘルマン・ヘッセ（一八七七―一九六二）の小説の一節に、次のような言葉がある。

わたしたちは自分の人格を狭く考えすぎているのだよ。わたしたちは個々に異なる相異点ばかり見て、それを自分の人格だと思っている。ところが、わたしたちはこの世界のあらゆるものから成り立っているのだ。ひとり残らずな。人間の進化の系図を辿ると、魚まで、いやもっと先までさかのぼることができる。わたしたちの魂には、かつて人間の魂のなかで生きたものがすべて詰まっている。かつて存在した神々と悪魔、ギリシア人のものであろうと、中国人のものであろうと、はたまたズールー人のものであろうと、すべて、わたしたちのなかにある。可能性、願望、選択肢として。（『デーミアン』酒寄進一訳、光文社古典新訳文庫、二〇一七）

我々は自分自身をケアする力、そして他人さえケアする力を自身の内側に持つ。しかし、その力は自分勝手に使えるものではなく、常に世界との協応の中で使用できるものである。だから自分自身も世界も限定してはならない。それが現象学の教えるところである。時期を待つこと、状況を待つことが必要な場合があり、ときに我々を取り巻く環境を変化させる必要もある。内側にあるものと外側にあるものが結び合い、内面と世界の間に新しい力の通路ができるときにこそ、我々は新しい活力を得る。

注

（1）Einstein, W.I :His Life and Universe, Simon & Schuster, 2007.

あとがき

私は本を読むとき、あとがきから読むタイプである。とにかく作者はこの本で何が言いたいかをわかった上で、ゆっくりと本を読みたいのである。だから、このあとがきを最初に読んで頂く方にも、最後に読む方にも楽しんで頂けるように書こうと思う。

私は研究するときにも、また論文や論考を書く時にも、最初に未来のイメージをするところから始める。そして、そこに至る方向に研究の道を作る。その作業は森の中に道を通すことと似ている。まっすぐに道を通せるわけではない。大きな岩は迂回し、たいせつな木はそのまま残さねばならない。道を作ることとは、常に森との対話である。本書全体に渡る、私の思索の道は、進もうとしては迂回せざるを得ない道のりで、だからこそ、その道のりは、その森の姿に沿った風景を見せるはずである。どうだろうか？　この全一二章は、全体としてあなたに未来への可能性に満ちた森を体験させることはできただろうか？　もうそうであればたいへん嬉しい。ありがとうございます。

以下に、本文の中には詳しく述べることができなかった三つのエッセイを置いておきたい。「人工生命としての都市」「植物型知性」「人間の拡張と接続」である。いずれもまだ決して完成した議論ではない。まだ夢のような議論であるが、これから有望な内容ではある。この三つの展望をもって、あとがきとさせて頂こうと思う。

人工生命としての都市

都市は夢を見る。都市はまるで一つの生命のようにまどろみ、夢を見る。人は都市の見る夢の中で眠り、その夢を垣間見る。私は旅をし、眠り、さまざまな都市の夢を吸収してきた。蝶を夢見る菜虫のように、都市の見る夢は未来の都市の姿であり、私はその未来を実現したいと願う。

都市は一つの人工生命のように思える。都市は自ら拡大し、衰退する、まるで生き物のようである。もちろん微視的に見れば、それぞれのビルディングの建築は経済活動の一貫としてあるわけであるが、巨視的に見れば、都市はやはり自律的な運動をしているように見える。

そして、その中で人や産業を育む。都市の各部分は、スマートスペースとして空間AIが管理し、細胞のように各空間が管理される。細胞が連結するように、スマートスペースは連結し、一つの都市を形成する。

都市は頭脳を持ち、自分と環境を認識し、変化し続ける。都市を歩くと、都市を対話することが

変化し続ける都市

できる。ただ都市のＡＩは一般に人と話すことはない。都市の管理者や行政の人間と話すことあっても、単なる遊歩者の相手をしない。都市の遊歩者の相手をするのはＡＩエージェント（都市ＡＩの代理人）である。

遠い未来、地球から人が遠くに行っていなくなっても、都市のＡＩは生き続けているかもしれない。異星人がそこに行くと、都市のＡＩがそこにあった人類の歴史を教えてくれるかもしれない。都市は人間社会を観察し、人間について識り、人間のために行動する。やがて人間を最も知るものは都市のＡＩとなる。

植物型知性

動物は自らの生存場所を作ることができない。砂漠を森に変えられるのは植物だけだ。動物が作る巣の素材はほとんど植物と土である。動物が生きられる場所を作ることができるのは植物だけである。動物と植物が分かれたのは一〇億年前だと言われている。細胞に光合成を行う器官を含む生物が植物となり、自らエネルギーを生成する植物となり、動物は植物を食べる側となった。

	動物型知能	植物型知能	空間AI
空間・行為	移動する、捕食する、など空間内で行動する	基本移動せず、その空間で拡大する	基本移動せず、その空間内にエージェントAIや電子デバイスなどを通じて影響を及ぼす
認識	移動など動的な環境を認識し行為を作る	自分の周囲の空間や、自分が傷つけられたことを認識	与えられた特定の空間内の事象を観測する
特徴・役割	自然の中で移動して個体を増やし繁殖する	移動せず種子を作る、徐々に広範囲に繁殖する	空間AIが連結して、より大規模な空間AIを形成する
時間	移動・運動による時間	周囲の光環境などにおける周期時間	機械的な時間
思考	個による意思決定	環境としての知能	環境としての知能
協調	同種同士で協力する・群れをなす	その空間で動物や他の生物を活かす	その空間で人間や他のAIを活かす

表　動物型知能、植物型知能、空間 AI

植物に知能があるか、と問われると、普通は「No」と答えるだろう。それは当然で、動物的な知能を知能と呼んでいるわけなので、植物には動物的な知能はない。動物の知能は動くことを前提としている。しかし、むしろ、そこで発想を逆転して、変更するべきなのは、むしろ知能という概念の方ではないか？ 植物型知能、動物型知能という言葉が成立するように、知能の定義を拡張するのが自然だ。たとえば、「環境に対して自らを変化させることができる」ことを知能と呼ぶとする。植物は動物のように素早い運動行為を繰り返すわけではない。植物は自ら成長し、自ら拡大し、一つの空間を支配していく。また植物が外敵に食べられたときに、他の部分に警告のメッセージを伝えることも知られている。

植物の世界認識も行動も、動物とはまったく異なる。動物はその名の通り移動することが前提であり、植物は基本的に根を張り動かない。その空間で発展していく。その場を支配していく植物の特性は空間ＡＩに似ている。空間ＡＩは、ある特定の空間を基盤とし、その空間を観測し、そこに影響を与える。空間ＡＩは人間とＡＩたちを活かすための環境の土台となる。植物もまた一つの空間を支配し、昆虫や動物など生物を活かすための環境となる。

植物型知能にとって空間と何か、時間とは何か、を考えることは、知能の定義を拡大するために有益である。動物にとっての空間は運動するための空間である。植物にとっての空間は自らの存在を展開するための空間である。動物は変化する事象に対して逐次的に反応する必要がある。植物はじっと耐えながら成長の時を待ち、大規模化していく。植物にとっては空間の方が重要なのかもしれない。時間は空間を満たすための時間である。

このように植物型知能は動物型知能と異なっているが、同じ知能とも捉えられる。そして、都市の空間ＡＩを考えるときにしっくり来るのは、動物型知能ではなく、むしろ植物型知能である。

人間の拡張と新しい環境への接続

人間の意識は自分の内側への自己意識と外側の環境への環境意識からなるが、意識は結局、環境と自己の間を巡るループのようなものである。それゆえに人間の意識は自己と環境の変化によって変化する。そして、自己の変化にも、環境の変化にもテクノロジー、特に人工知能が結びついている。

人間がテクノロジーで拡大することを人間拡張という。たとえばメガネをつければ細かい文字が読めるし、顕微鏡から、天体望遠鏡、赤外線からX線まで、人間の眼はテクノロジーで飛躍的に拡大している。ＡＲ（Augmented Reality）や空間解析をリアルタイムで処理するメガネ型デバイスも、さらに人の認識能力を拡大するだろう。こういった人間のテクノロジーによる拡張を人間拡張という。また人間と人間の間も手紙から電信、インターネット、ＳＮＳまで飛躍的に拡張している。メガネから相手を認証し自分との交流ログを瞬時に確認できるようになるまで大きな時間は要しないだろう。また人間の周囲の環境も発展し続ける。都市は発展し、交通は改善され、情報環境は進化した。人間は好きな場所に移動できるようになり、必要な情報を瞬時に取得できるようになった。車を運転すること、ロボットスーツを着ることは人の自己意識を拡大する。

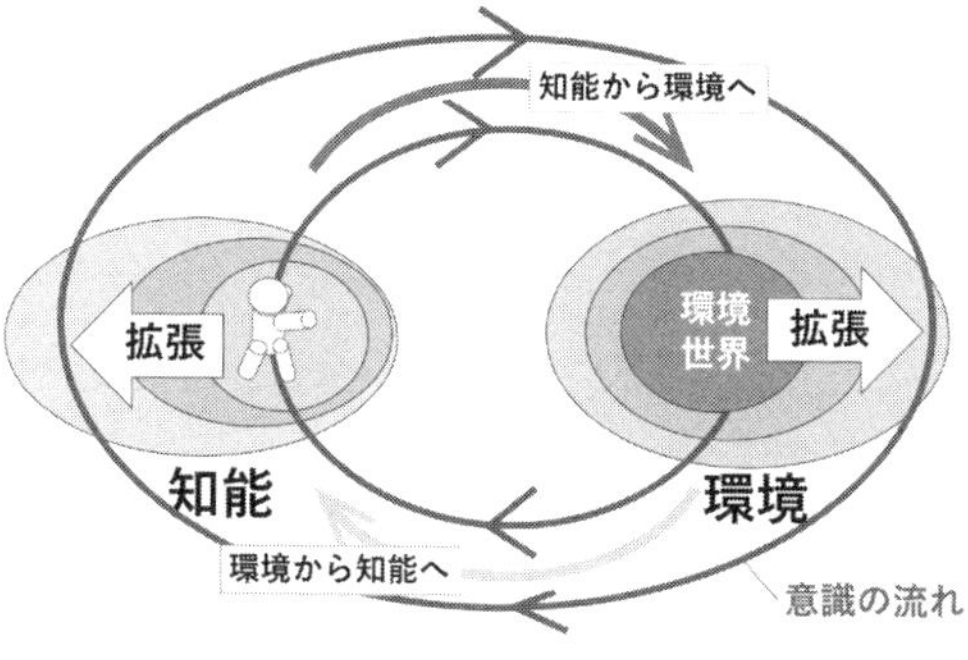

図　自己の拡張、世界の拡張と意識

　このように人間が拡張し、環境が変化することで、人間の意識の張り方、つまり自己から出発して環境へ至り、そして再びそこから自己へ回帰する意識のループは大きく変化するはずである。人間の意識は徐々に拡大している。むしろ人間の意識の拡大がテクノロジーの使命の一つであるかのように。人間の生が閉じられた世界から、より開かれた世界へと拡張するとき、その人の意識の変容は新しい生の意義を感じるはずである。『機動戦士ガンダム』（サンライズ、一九七九）ではロボットのパイロットがニュータイプという新しい意識を手に入れる。これは自己がガンダムという巨大ロボットとなって拡張し、そのガンダムで宇宙空間という環境で戦う以上、当然のことでもある。人は常に意識を拡大したいと願う。それは便利を追求することとは違う、もう一つのテクノロジーを進化させる衝動なのである。

最後まで読んで頂きありがとうございました。

三宅陽一郎

二〇二四年六月四日

参考文献

三宅陽一郎インタビュー『ＡＩはニュータイプの夢を見るか？』機動戦士ガンダム劇場三部作４ＫリマスターＢＯＸパンフレット（2020）

初出一覧

第1章「理論を包むビジョン――科学、工学、哲学、そして人工知能」『現代思想』二〇一七年三月臨時増刊号
第2章「ゲーム、人工知能、環世界――考える存在から経験の総体へ、AIのための現象学的転回」『現代思想』二〇一五年一二月号
第3章「人工知能・哲学・生理学の中心的課題としての意識」『人工知能』三三巻四号、二〇一八年
第4章「デジタルゲームの地図をめぐって」『ユリイカ』二〇二〇年六月号
第5章「バーチャルビーイングによる人間と空間の拡張――メタバースとスマートシティにおけるバーチャルビーイング」『人工知能』三八巻四号、二〇二三年
第6章「ディジタルゲームAI技術を応用したスマートシティの設計」『人工知能』三七巻四号、二〇二二年
第7章「ソーシャルゲームと人工知能――単一のゲームからそれぞれのユーザーに向けて生成されるゲームへ」『ユリイカ』二〇一七年二月号
第8章「メタバースによる人の意識の変容」『現代思想』二〇二二年九月号
第9章「人工知能の人間理解・空間認識と社会参加」『人工知能』三九巻一号、二〇二四年
第10章「他者とは何か――人工知能から見た視点」『at プラス』31、二〇一七年
第11章「異世界転生とマルチバースと未来のコンテンツ」『ゲンロン』15、二〇二三年
第12章「物語の未来を取り戻す――ゲームの世界とケア」『人工知能はナイチンゲールの夢を見るか?』日本看護協会出版会、二〇二二年九月

三宅陽一郎（みやけ・よういちろう）

ゲーム AI 開発者。京都大学で数学を専攻し、大阪大学大学院物理学修士課程、東京大学大学院工学系研究科博士課程を経て、デジタルゲームにおける人工知能の開発と研究に従事。博士（工学、東京大学）。2020 年度人工知能学会論文賞受賞。現在、東京大学生産技術研究所特任教授、立教大学大学院人工知能科学研究科特任教授、九州大学マス・フォア・インダストリ研究所客員教授、を務め、人工知能を人間に近づける探求を続けている。

単著に『ボードゲームでわかる！　コンピュータと人工知能のしくみ』（東京書籍）、『戦略ゲーム AI 解体新書』（翔泳社）、『人工知能のための哲学塾』『同 東洋哲学篇』（ビー・エヌ・エヌ新社）、『人工知能が「生命」になるとき』（PLANETS）、『人工知能の作り方』『ゲーム AI 技術入門』（技術評論社）、『なぜ人工知能は人と会話ができるのか』（マイナビ出版）などがある。

人工知能のうしろから世界をのぞいてみる

2024年7月15日　第1刷印刷
2024年7月30日　第1刷発行

著　者　　三宅陽一郎

発行者　　清水一人
発行所　　青土社
101-0051　東京都千代田区神田神保町1-29　市瀬ビル
電話　03-3291-9831（編集部）　03-3294-7829（営業部）
振替　00190-7-192955

装　幀　　山田和寛（nipponia）

印刷・製本　シナノ印刷
組　版　　フレックスアート

ISBN978-4-7917-7661-0 Printed in Japan